D1358212

DATE DUE

AUG 1 1 2010			
JUN 0 3 2016			

DEMCO 38-296

La Scala

Dacia Maraini

Colomba

Rizzoli

ISBN 88-17-00440-5

Prima edizione: novembre 2004
Seconda edizione: dicembre 2004
Terza edizione: dicembre 2004

Colomba

Se questo è sogno,
sospendimi la memoria;
come possono in un sogno
accadere tante cose?

Calderón de la Barca
La vita è sogno

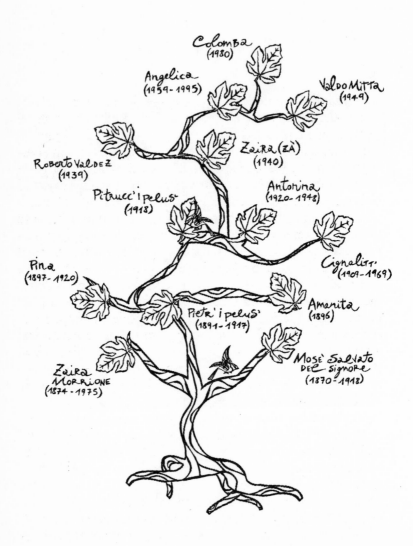

Colomba
(1980)

Angelica
(1959 - 1995)

Valdo Mitta
(1949)

Roberto Valdez
(1939)

Zaira (Zà)
(1940)

Pitrucc'i pelus'
(1918)

Antonina
(1920 - 1948)

Pina
(1897 - 1920)

Cignalitt'
(1909 - 1969)

Pietr'i pelus'
(1891 - 1917)

Amarita
(1896)

Zaira
Morrione
(1874 - 1975)

Mosè Salvato
del Signore
(1870 - 1918)

Disegno di Gianluca Costantini

Quando le chiedono come nasce un suo romanzo, la donna dai capelli corti risponde che tutto comincia con un personaggio che bussa alla sua porta. Lei apre. Il personaggio entra, si siede. Lei prepara un caffè; qualche volta ci saranno pure dei biscotti appena fatti o del pane e burro con un poco di sale spruzzato sopra, per chi preferisce il salato al dolce. Il personaggio berrà il caffè che gli viene offerto. Sgranocchierà un biscotto o due. Alcuni fra di loro timidamente dicono di preferire un tè a quell'ora del pomeriggio e vorrebbero assaggiare quella marmellata di albicocche per cui è conosciuta fra gli amici. L'autrice preparerà un tè che potrà essere alla menta, o al gelsomino, con il limone o col latte, secondo i gusti. Aprirà il barattolo della marmellata di albicocche e ci infilerà dentro un cucchiaio perché il visitatore si serva a suo piacere. Il personaggio sorbirà il tè, guardandosi intorno e poi racconterà la sua storia. Qualcuno pretenderà di accendersi una sigaretta. E la donna dai capelli corti, per non essere sgarbata con l'ospite, si limiterà ad allontanare la sedia o ad aprire un poco la finestra.

Dopo avere bevuto, mangiato e raccontato le sue vicende, il personaggio di solito saluta e se ne va. La donna dai capelli corti lo contempla mentre si dilegua, con una precoce nostalgia per la sua lontananza. Ma qualcosa non ha quagliato in quell'incontro e lei si limiterà a pensare: peccato, avrei potuto conoscerlo meglio! Non ne farà una malattia.

Se invece il personaggio in visita, finito di bere il suo tè, di mangiare il suo pane e burro e la sua marmellata di albicocche, la pregherà di poter restare ancora un poco; se, essendosi sgranchito le gambe camminando per la stanza, le chiederà un divano su cui distendersi; e se, avendo riposato una mezz'ora, pretenderà un bicchiere d'acqua fresca e poi riprenderà a narrarle i dettagli della sua storia; e se verso le nove di sera troverà naturale cenare al suo tavolo, e quindi, dopo avere diviso con lei un piatto di spaghetti all'olio e parmigiano, avere bevuto un bicchiere di vino rosso e avere sbucciato e rosicchiato una mela, le chiederà anche un letto per dormire, be', vuol dire che quel personaggio si è accampato stabilmente nella casa della sua immaginazione e non intende andare via. La mattina dopo infatti reclamerà una tazza di latte e caffè, del pane spalmato di quella marmellata che piace tanto agli amici, forse perché non è troppo dolce e ha un sapore delicato di albicocche e ginepro. Continuerà a narrarle i particolari di una storia che diventerà man mano più complicata e dettagliata. A questo punto sarà chiaro che è venuto il momento di scrivere un nuovo romanzo.

Un personaggio ha bussato alla porta della donna dai capelli corti. Ha battuto le nocche timidamente, è entrato senza fare rumore. È una montanara vestita modestamente. Ai piedi porta scarponcini robusti. Si è seduta sulla punta della sedia ed è rimasta in silenzio, lasciando raffreddare il caffè davanti a sé. Sembrava imbarazzata e vergognosa ma determinata a restare. Poi lentamente, verso sera, dopo avere mandato giù una minestra e bevuto un bicchiere di vino, si è decisa a parlare. È impacciata perché pensa che la sua storia non sia interessante, che nessuno abbia voglia di ascoltarla.

Zaira, detta Zà, questo è il suo nome, si ritiene una persona anonima, comune e poi ha superato l'età delle eroine da romanzo. Ma allora cos'è che la spinge a infrangere lunghe abitudini di discrezione e silenzio per andare a battere alla porta di una romanziera? Da timida e impacciata qual è, diventa decisa e intraprendente quando si tratta di sua nipote Colomba, detta 'Mbina. L'ha tirata su come una figlia, spiega precipitosa e ora è sparita. La faccia le si contrae come quella di una bertuccia quando pronuncia la parola sparita. Come sparita? Sparita, sparita, non sa dove sia andata e con chi e perché, o se sia morta o viva. Ma l'espressione poco rassegnata suggerisce che spera di ritrovarla viva. E dopo avere provato tante strade, le è venuto in mente di chiedere aiuto a una romanziera per rinvenire le tracce della nipote perduta. Tutti pensano che sia morta nelle vicinanze del suo paese, fra le montagne abruzzesi. Ma lei no. Ed è certa che l'autrice le darà una mano nella sua ricerca.

La narratrice le spiega con garbo che non se la sente di raccontare la vicenda, molto comune a dire il vero, di questa Colomba che è scomparsa di casa. Altre storie stanno srotolandosi nella sua immaginazione. Per esempio quella di una madre che cerca di rendere appetibile la memoria adulta raccontando a una figlia bambina di donne e di uomini vissuti in altri tempi. Può una madre nascondersi dietro le favole, per trattare dei grandi temi del vivere con una figlia curiosa e appassionata di trame, anche le più sconclusionate?

Che se ne torni a casa, Zaira, e si tenga la storia di Colomba detta 'Mbina, a lei non interessa, dice la donna dai capelli corti un poco bruscamente, spingendo il personaggio fuori dalla porta.

Quella stessa notte la scrittrice sogna di infilarsi gli scarponi che ha visto addosso alla visitatrice e di inoltrarsi nel bosco dell'Ermellina per cercare una ragazza scomparsa, lasciando una bicicletta bianca e blu sul margine della foresta. Nel sogno stesso si sorprende: non l'aveva cacciato quel personaggio un poco scialbo, impacciato e prevedibile? Eppure ora quella donna si trova lì nel suo sogno e si muove con una sicurezza che non le compete. Chi le ha dato questo ardimento?

È curioso che il corpo, senza curarsi della volontà che lo abita, stia immaginando di prendere le sembianze di un personaggio da lei giudicato poco interessante. Che bel garbu-

glio! Sigismondo non si era trovato in condizioni più difficili. Quante volte l'aveva portato con sé quel libro sdrucito di
Calderón de la Barca, in treno, in autobus, in tram, negli anni dell'adolescenza? Seduta in mezzo alla gente, si dimenticava di non essere sola. Quel processo di dissolvimento ap-
parente, lo sapeva, significava essere "presa d'incantamen-
to". Ma era Sigismondo, il principe dalla doppia vita, quel
pallido cavernicolo prigioniero di una volontà non sua, a in-
curiosirla? Ed era un vago senso di identificazione che la avvicinava al giovanotto polacco, chiuso dentro un tugurio, a
vagheggiare platonicamente un palazzo luminoso, un giardino tutto fiori e acque correnti? Il sogno che Sigismondo fa
ripercorrendo le grandi sale accoglienti del palazzo paterno,
cos'è, esperienza o desiderio? I sensi del ragazzo sono lace-
rati dalla consapevolezza di una perdita irrimediabile. Una
perdita legata al ricordo di una proprietà mai sicuramente
posseduta. Eppure quella proprietà esiste, ed è il mondo intero, qualcosa di solare e di inebriante che gli spetta di diritto. Tutto sembra tornare su se stesso come lo strazio di un
tempo che non sa andare né avanti né indietro. Ma le passioni di un principe pallido e tormentato, che scambia continuamente la realtà della prigionia con un ricordo non troppo certo di un giardino sorridente e carezzevole, non sono
molto simili alla sorte dello scrittore?

"Colomba Mitta è scomparsa da casa la mattina del 2
giugno" è scritto su un ritaglio dell'*Eco della Marsica* che
Zaira le fa trovare sul tavolo. "La ragazza che vive a Touta
con la nonna, ha ventidue anni. La sua camera è stata trovata in ordine: il letto rifatto, le pantofole allineate sul tappeti-
no davanti alla porta, gli asciugamani umidi stesi sul davanzale, un libro di micologia posato sul comodino. In cucina,
una tazzina di caffè ancora piena. Il barattolo dello zucchero dal coperchio appena svitato e il cucchiaino colmo, come
se stesse per addolcire il caffè. Ma quel cucchiaino non è
mai arrivato alla tazza. La borsa, con i soldi, i documenti, il

cellulare e la patente, è rimasta sul comò dell'ingresso. Aveva indosso un paio di pantaloni marrone e una maglia rosa. Allacciato alla vita un K-way color turchino, così è stata vista da G'vannitt' il pastore che l'ha osservata mentre montava di corsa sulla bicicletta e correva pedalando verso la montagna.

"La nonna, Zaira Bigoncia, ha raccontato di essersi alzata alle otto, di essere entrata in cucina e di avere trovato il caffè ancora caldo nella tazzina, la sedia smossa e due biscotti sbriciolati sul tavolo. Ha pensato che la nipote fosse tornata in camera e istintivamente ha posato il piattino sulla tazza, per tenere in caldo il caffè. Poi è andata in bagno. Quando è uscita, un quarto d'ora più tardi, ha notato che la tazzina del caffè era sempre allo stesso posto, con il piattino posato sopra. Allora si è precipitata nella camera della ragazza, ma l'ha trovata vuota. Ha pensato che si fosse allontanata in fretta senza prendere il caffè. Capitava a volte che fosse in ritardo per il lavoro e corresse via in bicicletta senza neanche salutarla. Aveva subito telefonato all'ufficio delle Poste, per sentirsi dire che lì non era arrivata. Aveva aspettato ancora un'altra mezz'ora e poi aveva ritelefonato. Ma di Colomba non c'era traccia. Eppure ci vogliono solo dieci minuti di bicicletta per andare da casa all'ufficio delle Poste."

Le mani sulla tastiera. I piedi appoggiati su uno sgabelletto, la donna dai capelli corti si chiede se scrivere sia un modo di indagare, come le suggerisce Zaira. Oppure una medicina, come le ha spiegato una volta una ragazzina, porgendole una busta di poesie: «Io scrivendo mi guarisco». Una adolescente sui quindici, sedici anni. Da cosa vorrà guarire? da un male d'amore? da una scontentezza familiare? da un cattivo rapporto col sonno? Le è sembrato che la guardasse con curiosità vogliosa: come se desiderasse aprirle il cervello fatto a noce, per capire che tipo di gheriglio vi si nasconda.

Un pensionato invece, una volta le ha annunciato – sempre mettendole in mano un manoscritto sgualcito perché gli desse uno sguardo da esperta – che si scrive solo quando si è appagati, «come chiusi dentro un giardino delle delizie», aveva concluso contento.

La parola giardino la sorprende, come una voglia di evasione di fronte alle foreste austere che le stanno davanti agli occhi: boschi che si sovrappongono ad altri boschi in una sequenza di cime azzurre e verdi che suggeriscono l'indecifrabilità di un paesaggio montano.

Il giardino come rassicurazione? La letteratura ne ha fatto un luogo di sensualità e mistero. Ci sono tanti giardini chiusi fra mura impenetrabili nelle *Mille e una notte* e in quei giardini si compiono le più straordinarie avventure: scambi di persona, amori capovolti, presentimenti, rivelazioni, incontri attesi, incontri inaspettati, amori infelici, amori ricambiati.

Eppure, per la cronaca, oggi la parola giardino ha preso un significato più sinistro: fantasticando di una oasi felice in cui i fiumi sono di latte e i frutti crescono spontanei e profumati, in cui settantasette vergini danzano al suono di un flauto sublime, alcuni ragazzi musulmani vanno a farsi saltare in aria con la cintura imbottita di esplosivo, nascosta sotto una normale camicia di cotone appena lavata e stirata. Non si curano che il loro corpo venga straziato e fatto a pezzi, pur di potere straziare e fare a pezzi altri corpi, nemici della loro religione.

Negli ultimi tempi sono aumentate le ragazze che vanno a farsi saltare per aria. Due mani di madre amorosa legano attorno alla vita di una figlia prescelta da Dio la cintura carica di tritolo e così bardata, con un velo nero che le copre i capelli e una parte della fronte, la ragazza andrà sicura e decisa, ottimista e solenne, a uccidere tanti innocenti, immolando se stessa sull'altare del fanatismo religioso.

Ma come saranno compensate una volta entrate nei giardini delle delizie queste donne eroiche? cosa succederà delle settantasette vergini? volteranno loro la schiena? o dal fondo di un boschetto sbucheranno seducenti settantasette giovanotti dai fianchi stretti, le braccia lunghe e gli occhi dolci e sognanti? oppure ancora una volta scopriranno, anche da morte, che il loro è un destino di silenzi e di desideri destinati a marcire nel cuore?

Quando meno se lo aspetta, il personaggio Zaira le fa trovare sul tavolo da lavoro, fra le carte, una fotografia, una lettera. Questa volta si tratta di un ritratto in bianco e nero che rappresenta una coppia. Lui vestito da sposo con un incongruo berretto da ferroviere ben calcato in testa, i baffi folti, un ombrello chiuso, puntato contro il pavimento. Lei, il braccio infilato in quello dello sposo, indossa un vestito lungo, scuro, porta due orecchini d'oro che ciondolano, un colletto ricamato le si apre discreto e modesto su un collo largo e corto. I capelli sono tirati all'indietro. Nella mano destra tiene una rosa, sollevata goffamente all'altezza del seno. Dietro di loro si intravede una tenda scura drappeggiata ad arte. Si capisce che sono in posa presso un fotografo e non sono usi a essere ritratti. Lui ha una faccia larga, severa, lei sembra sbalordita. Tiene lo sguardo fisso sulla macchina, la bocca appena imbronciata. Avrà sì e no sedici anni. Lui sembra di poco più vecchio, ma non supererà i venticinque anni.

«Questo è il pastore abruzzese che ha dato origine alla nostra famiglia» spiega il personaggio Zaira con voce suadente, «ho raccolto carte, lettere, fotografie: per lo meno a questo mi è servita la scomparsa di Colomba, a conoscere meglio la mia famiglia di cui mi ero poco curata fino a ora. Dove cominciano le radici e quando? e come si rivelano quelle caratteristiche ripetitive che distinguono una famiglia dall'altra? Solo dopo avere perso 'Mbina ho preso a frugare tra le carte di casa che giacevano dimenticate in cantina. Non sono riuscita ad andare più lontano di questa fotografia. Il resto si perde nel nulla.»

Un personaggio diligente, commenta fra sé la donna dai capelli corti, un personaggio solerte che si è già guardato indietro con attenzione, senza aspettare che lo facesse l'autrice per lei. Nella voce ha qualcosa di morbido e ingenuo, nello stesso tempo di preciso e scrupoloso che le suscita qualche curiosità. Continua a dirsi: la vicenda di Zaira e la scomparsa di Colomba non mi interessano. Ma poi il suo orecchio, quasi istintivamente, si mette all'ascolto di quella voce, di quella storia, anche se i suoi pensieri girano in tondo riottosi.

«L'uomo col berretto da ferroviere è Mosè Del Signore, è stato abbandonato appena nato, nel 1870, sui gradini di una chiesa, come c'è scritto nelle carte. Per questo le suore salesiane di Avezzano l'hanno chiamato Mosè Salvato Del Signore. Era avvolto in un lenzuolino bianco e rideva da solo agitando i piedi sopra un cartone. Loro l'hanno raccolto amorevolmente e cresciuto nel convento. Lui ha sempre mostrato gratitudine per quelle sorelle ospitali e generose – salvo qualcuna che menava le mani, "i schiaffatone se sprecave- ne" – le chiamava le mie mamme; ne aveva cinque o sei, e quando sono morte gli hanno lasciato chi un ovetto d'argento, chi un rosario di madreperla, chi una madonnina di ceramica.

«Questa è sua moglie, Zaira Morrione. Di famiglia contadina, siciliana, è cresciuta sui monti delle Madonie. Aveva una bella voce, anche se era ignorante come una capra. Bravissima a mungere le pecore: le stringeva fra le ginocchia e le svuotava del loro latte cantando a squarciagola delle canzoni che capiva solo lei. Era abituata a svegliarsi alle quattro fin da piccola, nel minuscolo paese sulle montagne siciliane, quando ancora era buio. Il padre carabiniere era sempre in giro per lavoro. Il nonno, i cui figli maschi erano lontani, la caricava sul mulo e la portava con sé a pulire le fave dall'erba, a gettare il verderame sui quattro olivi che in tutto fornivano alla famiglia dieci bottiglie di olio all'anno. Il podere di San Giovanni Cuoruzzu, sulle pendici del monte Catuso, nel palermitano, era vasto ma pietroso e soprattutto molto lontano da casa: ci volevano tre ore di mulo per arrivarci. Il figlio grande del nonno, lo zio Calogero, era emigrato in Canada, l'altro figlio, Sasà, era partito militare e presto sarebbe tornato vestito da carabiniere; il penultimo, Antonino, era morto a dodici anni di tifo petecchiale, una figlia, Maria Carmela, si era sposata a quindici anni ed era andata ad abitare a Messina. In casa era rimasta solo questa nipotina di otto anni e così il vecchio se la portava dietro, facendola lavorare come un uomo.

«Zaira gli si era tanto affezionata che quando lui le diceva: Oggi te ne resti cu nonna c'haju a cchi fari in campagna, si offendeva. Le piaceva quel viaggio sull'asino, stare accanto al nonno anche se parlava poco e malvolentieri. *Avia nu sceccarieddu / ma veru saporitu / a mia me l'arrubaru / poveru sceccu meu*, cantava sottovoce lei per provocarlo e lui proseguiva: *Quannu cantava facia / hi ha hi ha hi ha / sceccarieddu de lu me core / comme iu t'aju a scurdà.* Così andavano di prima mattina cantando e respirando l'aria pungente delle montagne siciliane. Il nonno le insegnava a fare i nodi per legare il mulo all'albero in modo che non scappasse, le suggeriva di scavare per trovare l'acqua in torrentelli mezzo secchi, la istruiva a tirare con la fionda per ammazzare un piccione e poi spennarlo, pulirlo delle sue interiora e mangiarselo cotto sulle pietre. Era diventata brava a strappare le erbacce, a seminare le zucchine, i pomodori, a cogliere l'uva matura, a innestare i mandorli e gli ulivi. Andava a piedi nudi perché non c'erano i soldi per le scarpe. A mezzogiorno il nonno le dava da succhiare delle carrube e da bere un poco di acqua della bummula che aveva tenuta al fresco in una buca scavata nella terra umida. La sera rientravano sporchi, stanchi e affamati. Si sedevano alla tavola dove la nonna aveva preparato una focaccia fatta con acqua e farina. Ancora bollente, la copriva con una grossa fetta di lardo e quando c'erano le arance, mangiavano insalata di arance e cipolle, condite con un goccio d'olio.»

Come fa il suo personaggio a sapere tutte queste cose accadute fra la fine dell'Ottocento e i primi del Novecento, essendo nata nel 1940, come le ha detto più volte? Vorrebbe chiederglielo, ma Zaira la precede spiegandole che in quella famiglia povera e analfabeta, la sola cosa che funziona è la memoria. La vecchia Zaira, a cui l'affidava sua madre Antonina nei giorni di malattia e che lei credeva fosse solo un'amica di casa, non sapeva leggere ma ricordava ogni dettaglio della sua infanzia sulle Madonie e del proprio nonno Tanino Morrione, e della breve vita del figlio Pietr' i pelus', morto nella guerra del '15-'18 e della quasi nuora Amanita e del nipotino Pitrucc' i pelus'. Aveva raccontato ogni cosa alla piccola Zà e Zà aveva conservato in testa quelle storie che, come saprà più tardi, le appartenevano per diritto di famiglia.

Dopo cena, una volta che i piatti erano stati lavati e la cenere raccolta e il pavimento pulito e le bestie messe a dormire, il nonno e la nonna si ritiravano dietro la spessa tenda di lana grezza che divideva a metà l'unica stanza della casa. Recitavano a voce alta una preghiera alla Vergine e quindi si arrampicavano sul letto altissimo che scricchiolava a ogni movimento. Di solito si addormentavano immediatamente, tanto erano stanchi e sfiniti. Ma qualche volta il nonno stringeva a sé la moglie, nel buio più completo, e sbuffando e ansimando la montava come fosse una mula, incurante del materasso tutto bozze, gonfio di foglie di granturco che crocchiavano e scoppiettavano come un fuoco notturno. La bambina si tappava le orecchie. Per distrarsi tirava giù da sotto la trave del soffitto un sacchetto di bottoni e, seduta per terra, li spargeva sulla gonna tesa fra le gambe. Alla debole luce che penetrava dalla finestra osservava quei bottoni preziosi e si meravigliava: davanti ai suoi occhi sgranati rotolavano stelline di strass, cuori di madreperla, palline d'argento, piccoli cubi di cuoio, dischetti di velluto tempestati di lamelle argentate. Attorno al 1840, la nonna aveva fatto per un periodo la sarta da matrimonio e quelli erano i resti degli abiti delle spose. Con quei bottoni Zaira ci parlava, ci giocava fino a estenuarsi. Solo quando gli occhi le si chiudevano da soli, si alzava di malavoglia e raggiungeva i nonni dietro la tenda. Lì si stendeva sopra un materassino appoggiato per terra, contro il muro e si addormentava subito, per mettersi a sognare del cavallo Vizir, munito di grandi ali brune, che avrebbe portato lei e i suoi bottoni magici, per boschi e per gole, in paesi lontani e bellissimi, dove avrebbe conosciuto gente strana, che parlava una lingua incomprensibile e dove avrebbe fatto fortuna vendendo i suoi bottoni-gioiello e coi soldi avrebbe costruito una grande casa piena di archi e di terrazze per sé e per i nonni.

«Quel sacchetto di bottoni l'ha ereditato mio nonno Pietr' i pelus' e da lui è passato a mio padre Pitrucc' i pelus' che l'ha regalato ad Antonina prima di partire per l'Australia e Antonina l'ha dato a me. Anch'io ci ho giocato. Da qualche parte ce lo devo avere. Lo volete vedere?»

La narratrice scuote la testa. La storia dei bottoni le sembra stucchevole. Non riesce a provare vero interesse per questa donna dai denti forti e le guance rosate che la guarda fisso negli occhi con fare imperioso e umile nello stesso tempo. Una donna non più giovane, dai grandi occhi nocciola, i capelli castani, un poco ingrigiti che le scivolano morbidi sulla fronte. Ha un sorriso franco, infantile e orgoglioso. No, decisamente non è un personaggio che le interessa approfondire. Troppo lontana da lei e dalle sue esperienze. Cosa ha da spartire con questa montanara dai polpacci robusti e il sorriso ingenuo che cerca per i boschi la nipote Colomba, detta 'Mbina?

Eppure sente il riso salirle alle labbra. Forse questo succede per essersi caricata di un bottino di energie che poi non ha speso. Quelle energie dovevano essere consumate nel racconto di una sparizione in un campo di concentramento nazista. Ma la storia si è arenata e lei si è trovata sospesa nel vuoto, con un gravame eccessivo per ogni possibile storia di oggi. Come quando ci si prepara a buttare giù una porta: si trattiene il respiro, ci si pianta bene sulle gambe, si scaglia in avanti la spalla che dovrà colpire l'uscio di legno e si parte all'assalto. Ma ecco la sorpresa: la porta che noi credevamo chiusa è aperta e il nostro corpo che si era fatto ariete, si trova sbilanciato, proiettato in avanti, perso in una traiettoria non compiuta che suscita ilarità e stupore. L'origine dell'umorismo, come racconta divertito Bergson starebbe proprio in questo sopravanzo di vigore di cui non sappiamo che fare e ci suscita un riso medicamentoso che tende a riportare le forze vitali nel loro alveo naturale. Riso come terapia sociale? In effetti, commenta Bergson, nessuno ride da solo. Si ride in compagnia, per riparare a una pericolosa invasione della rigidità mortuaria nel frettoloso fluire della vita.

C'è di che ridacchiare in effetti. A guardare la sua spalla sbucciata per una fatica non compiuta, per un urto della memoria che non c'è stato. Come quando si prova dolore a un arto che è stato tagliato via.

Il romanzo nella memoria elettronica si intitolava *Auschwitz*. Un nome troppo impegnativo e carico di sangue. Che la donna dai capelli corti intendeva cambiare. I titoli per lei sono sempre una fatica, comportano dubbi e ripensamenti, li sostituisce di solito all'ultimo momento, due o tre volte. E la scelta finale arriva per disperazione più che per convinzione.

Il romanzo raccontava la storia di una donna che si mette alla ricerca di un amico di infanzia, ebreo, scomparso nel '44 quando aveva appena otto anni, probabilmente ucciso in un campo di concentramento nazista. Ma era Auschwitz o Dachau? Il racconto è rimasto fermo ai primi capitoli. Intanto suo padre le aveva consegnato i diari di sua madre e lei, che voleva solo presentarli, si era invece messa a scrivere e scrivere, senza riuscire a trattenersi. Alla fine erano diventati un libro. E poi il lungo dialogo con una grande attrice che era venuta a trovarla in Abruzzo, da cui era nato un volume.

C'era stato il teatro che per lei è come la sirena di Ulisse. Deve legarsi all'albero maestro per non farsi trascinare in mare.

In tutto questo la sua forza narrativa si era un poco addormentata, come se fosse rimasta impigliata in una rete di ragno da cui non sapeva districarsi. Il romanzo, ripreso in mano, la guardava ostile, come fanno i gatti se li lasci soli per un mese e quando infine torni dal viaggio, ti voltano la schiena. Musi che durano settimane. Possono arrivare perfino a orinarti sul letto per dimostrarti la loro profonda disapprovazione, nel ricordo della paura avuta per un abbandono che appariva loro incomprensibile e odioso.

Ma ora c'è questo nuovo personaggio, inatteso e imprevisto che si fa avanti con una sfacciataggine e una insistenza che la inquietano. Zaira, detta Zà, le sta facendo notare che anche la sua storia tratta di sparizione. Ma come osa paragonare Colomba alle vittime del nazismo? Non mi interessa la vicenda di sua nipote, le dice decisa, una storia irraccontabile, oltremodo comune. E poi si porta dietro troppi personaggi e di epoche remote, contadine: chi sono questi Mosè e Zaira effigiati in una fotografia da baraccone? chi è Pietr' i pelus'? perché la storia di famiglia comincia nel 1890 e non prima o dopo? Siamo nel 2002, e il mondo contadino che le prospetta è morto, sepolto, perso nel tempo e lei non intende raccontarlo.

La donna dai capelli corti sta tornando continuamente sui suoi passi, con la sensazione sgradevole di avere perso il bandolo che la porterebbe fuori dal labirinto. Il camminare, che è il corrispettivo dello scrivere, ha preso un andamento ondoso: ci sono dei bivi davanti a cui rimane ferma, incerta, sembrano tutti portare verso la vitalità narrativa, ma poi scompaiono nel nulla. Quando ci si perde, si tende a tornare sempre nel punto da cui si è partiti. L'ha provato sulla sua pelle. Pur disponendo di un buon senso dell'orientamento, in un pomeriggio di nebbia, le è capitato di smarrirsi nelle fitte selve dell'Abruzzo, alle falde dei monti della Meta. Dopo ore di cammino all'interno dei boschi, avendo abbandonato tutti i sentieri, convinta di dirigersi verso nord, si era accorta invece che tornava cocciutamente al punto di partenza. Anche nel deserto succede così, dicono. Chi si perde fra le dune, segue il sole di giorno e le stelle di notte, pensando di procedere dritto e invece non fa che girare in tondo. Ed è quello che sta facendo lei in questo agosto piovoso.

Spargere pietruzze bianche sul cammino? fermarsi e concentrarsi sul luogo dove si trova, per capire veramente dove sta il nord e dove si trova il sud? Il cielo si capovolge e prende un colore verde acido. Gli alberi, rovesciati, la guardano dal basso, le cinciallegre guizzano tra le foglie, rasoterra. Le montagne abruzzesi le dicono qualcosa che non capisce. Sembrano rammentarle che la montagna è un destino di famiglia. Sua nonna descriveva foreste e giogaie persiane, suo padre si era arruolato fra gli alpini per potere stare vicino alle rocce boscose. *Non ti ricordi quel mese d'aprile / quel lungo treno che andava al confine / e trasportava migliaia degli alpin…!* Era il canto ritmato e dolce. Di un uomo che, nonostante i tanti amori e la famiglia numerosa, è sempre rimasto un solitario.

Come sono vivi quei ricordi di rifugi sepolti nella neve a cui si arrivava stanchi quando le cime si tingevano di rosso. Una stufa spenta, della legna bagnata, un pentolino in cui sciogliere un pugno di neve per gettarci dentro una minestra in polvere. Di notte il vento tirava fuori gli artigli e graffiava le finestre ghiacciate, la stufa fumava e lei tremava di freddo dentro il sacco a pelo. Ma suo padre era irremovibile: «Domani si raggiunge la cima più alta. Lì c'è un altro rifugio, chiamato della Madonna bambina. Dobbiamo arrivarci prima del tramonto. Basta partire alle sei». «Ma alle sei è buio papà.» «E con questo? c'è ancora mezza luna, il riflesso della neve farà il resto.»

E infatti alle cinque erano già alzati a scaldarsi un poco di caffè in polvere dentro il pentolino pieno di neve. Un caffè che sapeva di minestra. Da mangiare c'erano solo biscotti duri come sassi. E per pranzo un pezzullo di formaggio e una mela.

Un uomo austero suo padre, ardimentoso, munito di un sorriso enigmatico. Aveva mai capito l'amore di quella figlia che, pur di stargli appresso affrontava i geli notturni, le scalate di ore e ore, la fame, le dormite sul pavimento di terra? Non era per niente sentimentale quel padre giovane e vigoroso. «Forza Cina, cammina più svelta sennò facciamo tardi e se il buio ci coglie stasera che non c'è la luna, finiamo dritti dentro un crepaccio.» E lei, con gli occhi pieni di vento, il naso gelato, i piedi indolenziti, gli correva appresso maledicendo la neve e i sentieri coperti di sassi.

«Ora che siamo al riparo, scaldati, asciuga quegli scarponi fradici, bevi un poco di vino caldo e canta con me, per scongelarti un poco! *Era una notte che pioveva / e che tirava un forte vento / immaginate che grande tormento / per un alpino che sta a vegliar!*» Era intonato quel padre sempre all'erta, quel padre che affrontava la vita come un abitante di Sparta di sei secoli avanti Cristo. Quando lei ancora non era nata, il giovane laureando in antropologia si era arruolato fra gli alpini e la giovanissima moglie siciliana l'aveva seguito per non separarsi da lui neanche un giorno, neanche un'ora. La chiamavano la madamin del siur tenent. Era bella, sorridente, coraggiosa e rinunciò con generosità sorprendente alla sua pittura per fare una figlia e poi un'altra. La prima guerra era appena terminata con infiniti morti, e ora se ne preparava un'altra. Ma quando lui aveva litigato col padre e aveva accettato una borsa di studio internazionale per un viaggio di ricerca in un paese lontanissimo, lei l'aveva seguito senza indugio, portandosi in braccio la figlia appena nata.

Questo padre che lei riteneva, dentro di sé, dotato di una eternità amorosa, questo padre rimasto biondo fino a novant'anni, questo padre che le sorrideva tenero, forse solo un poco distratto, è morto all'improvviso lasciandola ammutolita. *Dopo tre giorni di strada ferrata / e altri due di lun-*

go cammino / siamo arrivati al monte Canino... Ha sdegnato la tomba di famiglia, dove giacciono un padre poco amato, e una madre amatissima, lontano anche da un fratello minore cui era stato molto affezionato. Ha voluto essere sepolto, una volta cremato, fra le montagne della Garfagnana. Solo anche da morto, come quando partiva per le sue peregrinazioni montanare: da solo, sempre da solo, con lo zaino sulle spalle, un sacco a pelo arrotolato e legato sopra il bagaglio, un libro e un'arancia. È partito leggero, senza gli scarponi, senza il cioccolato, senza il quadernetto dalla copertina nera che lo seguiva ovunque, per essere sepolto, spogliato di tutto, persino del suo corpo terreno, in una nudità orribile fatta solo di cenere d'ossa, in un cimitero grande quanto un fazzoletto, in mezzo ai fiori e agli alberi austeri delle Alpi Apuane.

«Racconta, ma'.»
Sembra che il filo si sia spezzato. La giovane madre osserva la figlia con un leggero fastidio. Ha sonno e vorrebbe andare a dormire. Fra l'altro di là, nel letto matrimoniale, l'aspetta l'uomo che ha scelto fra tutti, l'uomo che ama. Si guarda allo specchio e si vede come Flaubert ha guardato il suo personaggio nel libro che sta leggendo proprio in questi giorni. Emma la bella siede composta sul bordo del letto della figlia Berthe, dopo averla fatta cadere mentre le correva incontro, dopo averla fatta sbattere contro uno spigolo che le ha procurato una ferita, dopo che il marito dottor Charles Bovary è salito richiamato dagli urli della bambina per medicarla, dopo che la piccola si è addormentata con un cerotto che le tira la tempia ferita, e trova il coraggio di pensare: Ma quanto è brutta questa figlia!
«Racconta, ma'.»
La giovane madre dai capelli biondi raccolti dietro la nuca osserva la figlia semiaddormentata, la cui guancia graziosa non porta tracce di cerotti, pensa a Emma che Flaubert descrive sempre impietosa, sciocca, crudele, al di sopra

delle righe e si chiede quale somiglianza possa esserci fra lei e l'infelice adultera del XIX secolo oltre a questo momentaneo rifiuto del ruolo di madre narratrice. Quello che non capisce è il perché di un rapporto così rabbioso e crudele di un autore con il suo personaggio che pur sostiene di amare. Si direbbe che Flaubert nutrisse verso la sua eroina un rancore senza fondo. Come se volesse arginare una protagonista troppo forte, troppo ingombrante, che tendeva a sopraffarlo. Possono diventare così invadenti i personaggi dei romanzi, da rendersi insoffribili? Alla donna dai capelli corti questa famiglia Morrione Del Signore che le si è piantata in casa senza essere invitata, suscita sconcerto e fastidio. Come fermarli?

Ma Zaira, detta Zà, è animata da una determinazione che la sorprende e la scombussola. Eccola lì ora che pedala sul sentiero in salita, verso i boschi alti. È una donna matura eppure ha una forza nelle gambe che denota una vera montanara. Indossa un giacchettino leggero di cotone azzurro chiaro, i pantaloni rivoltati per pedalare più libera lasciano intravedere due caviglie abbronzate, agili e magre. Ai piedi porta scarpe da ginnastica bianche. La testa è ben piantata sul collo lungo, i capelli castani sono stretti in un nodo dietro la nuca. La coda di cavallo saltella sulla schiena asciutta.

Ehi! la chiama, ehi tu, personaggio presuntuoso e insistente, dove vai? Ha la vaga impressione che la stia conducendo là dove non vorrebbe andare. In quei faggeti selvatici dove non succede niente se non piccoli incontri con volpi, lepri, cinghialetti spaventati. Ma dove la fantasia si gonfia come un pavone in amore e costruisce case stregate, sentieri bugiardi, visioni notturne e grotte segrete. È l'universo dei sogni a occhi aperti e delle visioni che scantonano, che non ha mai amato. L'universo di Sigismondo, il prigioniero dei sotterranei in cui il corpo umano non conosce il proprio nome e il proprio potere.

Fedele ai progetti iniziali, la donna dai capelli corti si concentra su Sandra, la protagonista di *Auschwitz* ed ecco che con la coda dell'occhio vede apparire Zaira: si nasconde dietro l'angolo di una parete, accanto a una porta socchiusa, tenendo d'occhio la scrittrice che traffica col computer. Il suo scopo è di indurla a scrivere di lei e della nipote Colomba, detta 'Mbina, ma non osa insistere.

Voglio, devo dimenticarla, si dice la donna dai capelli corti e inchioda lo sguardo sullo schermo. Ma appena solleva gli occhi alla finestra scopre che ogni particolare di quei boschi le parla di Zaira e della nipote Colomba: il monte Marsicano che sta di fronte e si solleva come il dorso di un dinosauro. Da lì scendono i lupi d'inverno quando la neve è tanta e i piccoli roditori si sono acquattati nelle tane. In quel fitto di faggi centenari i cervi d'estate lanciano i loro rauchi richiami d'amore. Di fianco, più defilato, il monte della Capra Morta, straziato dagli impianti di risalita. In lontananza le Malesi, dalle punte di ghiaccio che penetrano silenziosamente in un cielo acquoso. A sinistra il picco della Rocca, il monte dell'Acqua Passa, il monte Pietra Gentile e poi il monte Tranquillo con la sua Madonna nera, nata dalle viscere della memoria. Dall'altra parte i monti della Sibilla, il monte Amaro che ha assistito alle battaglie feroci fra i sanniti e i romani. È fra questi monti grondanti di reperti e storie antiche che si svolge la ricerca di Zaira, detta Zà. E per la prima volta le pare di intuire che qualcosa di questi paesaggi le è diventato caro.

Avrebbe preferito raccontare dei deserti polverosi che ha conosciuto in tempi non troppo distanti, di cavalli magri e piccoli che portano sulla groppa giovani dal lungo caftano e la testa piena di passioni violente. Ma il paesaggio abruzzese cade a valanga su quelle immagini al rallentatore e le offusca.

Per mantenere una razionalità pellegrina del pensiero, dirige la curiosità verso la parola "foresta": da dove viene? perché porta con sé immagini di segretezza e terrore? In latino *foras*, significa fuori, *forasticus*, forastico, ovvero forestiero. E forestare sta per mettere fuori, bandire. Quindi la foresta, che lei pensava, anche verbalmente, legata al buio, al segreto di una zona ombrosa e carica di misteri, indica solo un al di là dell'abitato, del focolare, della città. Un vuoto anziché un pieno. Sarà dovuto al senso pratico e razionalistico dei romani o alla necessaria semplicità verbale che accompagna la nascita dei termini, che poi, con la creazione dei miti, delle leggende, si carica di altri significati più complessi e impensabili?

Eccola lì, in piedi che aspetta. È Zaira. Ormai ne riconosce perfino l'ombra sul pavimento. Vorrebbe evitarla. Ma si scontra con la sua determinazione. Fra l'altro è dotata di una pazienza da certosina. Senza neanche parlare emette un leggero sospiro che riversa su di lei un piccolo rivolo di pensieri e le racconta di quando sua nipote Colomba detta 'Mbina è nata, nel letto dove ora dorme lei, dal corpo di sua figlia Angelica. Come era potuta sortire una creatura piena e carnosa da una madre così ossuta e trasparente? Maria Menica, la levatrice, gliel'aveva cacciata fra le braccia quando ancora era sporca di grasso e di sangue. La neonata apriva la bocca che aveva enorme ma non si decideva a sputare fuori la voce e lei, preoccupata la stringeva sul petto imbrattandosi il vestito, mentre Menica le gridava: «R'voltale! r'voltale! prennela pì piè i r'voltale!». Ma come fare? Quella carne tenera le sdrucciolava fra le dita, aveva paura, maneggiandola, di farla precipitare a testa in giù. Ma poi aveva capito che se non l'avesse capovolta e subito, i polmoni non si sarebbero liberati del muco che contenevano e sarebbe morta soffocata. «Mitt' la a testa abball', lest' i prest'!» la esortava Menica e lei si era fatta forza, aveva stretto le due minuscole caviglie fra le dita, e tenendola appesa per aria l'aveva scossa, col terrore di perdere la presa. Aveva retto, e la bambina, paonazza, mezza soffocata, aveva cominciato a tossire e poi a strillare.

«Brave, ce la sì ffatte!» Menica esultava mentre medicava la madre e rideva felice di quel grido di trionfo. Era gioia di vivere quell'urlo di neonata? o era una resa precoce e intelligente alle ragioni della sopravvivenza? Quegli occhi ciechi e bellissimi, di un blu così profondo da parere nero, quei capelli leggeri e bianchi, come se segnalassero la fine di una vita e non un inizio, fitti intorno alle orecchie e radi sul cranio molle; quelle labbruzze perfettamente disegnate, di un rosa pallido color ciliegia che comincia a maturare, quelle minuscole mani dalle unghie ben disegnate, ciascuna con la sua lunetta bianca. Ma se sono già cresciute mentre era nella pancia materna, si era chiesta Zaira, come hanno potuto non graffiare il ventre di sua figlia? Come sanno le unghie, dentro il buio rassicurante del liquido amniotico, che devono crescere, ma solo fino a quel punto e non di più? Gli adulti le unghie devono tagliarle, per i neonati ci pensa l'armonia del ventre materno, il miracolo della gravidanza.

Tutto questo le racconta il personaggio Zaira detta Zà, senza neanche aprire le labbra, tentando di convincerla a lasciare perdere le altre storie per ascoltare solo la sua: la vicenda di Colomba detta 'Mbina, la nipote inquieta cresciuta fra queste montagne e poi sparita una mattina lasciando il caffè sulla tavola.

«Racconta, ma'.»

Qualche volta si sorprende a guardarla quella madre giovane e bella, quegli occhi pazienti e chiari. Da dove è sbucata? e quando?

«Mi racconti di tuo marito, l'alpino?»

La madre corruga un poco la fronte. Quell'alpino ora è lontano e sposato a un'altra donna. Lei non ama rammentare i giorni in Cadore quando si alzavano alle cinque per conquistare una parete del Lavaredo, quando si arrampicavano sulle rocce come capretti, quando si ritrovavano con gli altri alpini, la sera, in una baita a bere vino e cantare: *Sul ponte di Bassano, / là ci darem la mano / là ci darem la mano / e un bacin d'amor / e un bacin d'amor / e un bacin d'amor...* Si amavano così tanto che tutto sembrava facile e lontano, anche la guerra che incombeva. La seconda parte della canzone, infatti, molto più cupa: *sul ponte di Bassano / bandiera nera / è il lutto degli alpini / che vanno alla gue... e... rra*, la cantavano raramente.

Ha visto delle fotografie di quella felicità che ora le sembra tanta, troppa, quasi indecente: il giovanissimo padre con un sorriso giubilante stringe a sé la ragazza appena sposata. Il giovanottino dai calzoni alla zuava e un berretto sbarazzino in testa, bacia il collo della sposa bambina dagli occhi cerulei con una espressione che dice: non mi scocciate perché chiunque in questo momento sarebbe solo d'ingombro. Ognuna di quelle fotografie è la testimonianza di un amore soprattutto carnale, un amore che li ha resi innocenti, talmente presi da se stessi da dimenticare gli amici, i parenti e i figli. Un amore che prorompe da quelle immagini e le secca il cuore come un fico che è stato appeso al sole. Troppo dolce, troppo profumato, troppo zuccherino e seducente. *Se avete fame, guardate lontano / se avete sete, la tazza alla mano / se avete sete, la tazza alla mano / che a rinfrescarsi la neve ci sarà...* Le canzoni alpine sono rimaste nella memoria di famiglia, e risuonano due volte, tre volte, in un pensiero che si sta facendo logoro ma ancora dispone di archi sospesi, come le logge della casa paterna abitata dai venti fiorentini Senza neanche volerlo, solo cantando quelle note, anche dentro una cucina di città, si ripete ogni volta il rito della rimembranza.

«Ti ricordi, una mattina eri così stanca di salire con le pelli di foca sulla neve fresca che hai detto: non ce la faccio più e tuo padre, per paura dei lupi, ti ha fatto arrampicare sopra un albero e da lì ci hai guardati riprendere la salita con gli sci verso la cima del monte dell'Asino Nero.»

Sì, ricorda bene. Quando si era vista sola, in mezzo ai boschi selvaggi della Sila immersa nella neve e il silenzio aveva preso a graffiarle le orecchie, si era messa a cantare da sola, per tenersi compagnia: *Il capitano l'è feriiito / l'è ferito e sta per morir / e manda a dire ai suoi alpini / che lo vengano a ritrovar... / I suoi alpin gli mandan dire / che senza corda non si può passar. / O con la corda o senza corda / i miei alpini li voglio qua.* E quando gli alpini con la piuma sul cappello e le povere gambe abituate a marciare per ore e ore, coperte solo da una fascia di cotone verde avvolta e riavvolta attorno ai polpacci, arrivano da lui, il capitano morente dice: *Io comando che il mio cuore / in sette pezzi sia taglia'!* Segue un elenco rassicurante, che ricorda la patria, l'esercito, la mamma e perfino il primo amore. *Il sesto pezzo alle montagne / che lo fioriscano di rose e fior.* Ma c'è un ultimo pezzo, il settimo. A chi lo regala il capitano morente? *Il settimo pezzo alle frontiere / che si ricordino dei bravi alpin.* Davvero strano questo regalo alle frontiere. Come se uno morendo, donasse un pezzo del suo cuore ai dazi, alle dogane.

Quel capitano della Prima guerra mondiale veniva spesso fuori nelle canzoni del padre. E lei ora lo vede e lo riconosce in una fotografia che le sta porgendo il personaggio Zaira, detta Zà. «Questo è mio nonno Pietr' i pelus' da giovane» dice con un sorriso orgoglioso. Un giovanotto alto, dal sorriso sarcastico, i baffetti sottili, i capelli tagliati corti, gli occhi candidi e un poco arroganti. Nella foto vicina sta sdraiato dentro un sacco a pelo e qualcuno lo illumina con una torcia in una notte di insonnia. Il giovanotto leggeva molto: Pascal, sant'Agostino, Mallarmé, D'Annunzio. Eppure era figlio di una contadina siciliana analfabeta salita in Abruzzo al seguito di un padre carabiniere nel 1889, sposatasi con il giovane pastore abruzzese Mosè Salvato Del Signore. Non Dal Signore, come ci si sarebbe aspettato, ma Del Signore, con una incongruenza linguistica che aveva sempre inquietato il futuro capitano che di linguaggio se ne intendeva.

Mosè era stato un padre mite, e talmente intimidito dalla sapienza del figlio da rinunciare in partenza a ogni forma di autorità. Lui che sapeva a stento vergare la propria firma su un foglio di carta, ammirava la grafia scorrevole ed elegante del suo Pietro, chiamato Pietr' i pelus', chiedendosi con stupore da dove avesse preso tanta abilità. Si rendeva conto che il ragazzo si vergognava delle sue bassissime origini, di quel cognome che rivelava il suo stato di trovatello. Candido come un cherubino dicevano di lui in famiglia, ma testardo come un mulo. Era per allontanarsi sempre di più da quel padre, da quel nome grottesco che il tenente Pietr' detto i pelus' leggeva tanto? Per mostrare che lui era nato direttamente dalla testa di Giove, come Minerva?

Era voluto partire giovanissimo da Touta per andare a studiare a Torino dai frati che, in cambio di lavori nell'archivio e in biblioteca, gli pagavano gli studi, prima nella scuola del convento e poi all'università cattolica, dove si era fatto valere per la sua straordinaria capacità di apprendimento, la sua curiosità onnivora, il suo amore per i libri. Gli avevano anche offerto di farsi prete, ma lui aveva rifiutato. Non si sentiva portato alla mortificazione dei sensi. E onestamente l'aveva dichiarato, pur sapendo di perdere molti dei privilegi di cui godeva.

Aveva affrontato con coraggio una vita di solitudine in una città difficile come Torino, chiuso in una pensione di poco prezzo, mangiando pane e acqua, passando le notti a leggere e studiare. I libri erano il suo solo lusso. Li prendeva in prestito alla biblioteca e li divorava, calandosi con la fantasia ora nella persona del capitano di una nave che si dirige verso i mari del sud, ora in un gran castellano, ora in un guerriero greco, ora in un cacciatore inglese. Si era sorbito con delizia la storia del giovane dandy innamorato di due donne: Andrea Sperelli. La sua immaginazione esaltata era uscita prosciugata e febbricitante dalla continua dettagliata esibizione degli abiti di lusso, dei fiori dai nomi sofisticati, delle ambrate carni femminili che riempivano la vita del giovane esteta. Le giornate dello studente Pietr' i pelus' erano talmente misere che la sua mente aveva fame di immagini succulente. E di quelle si nutriva mattina e sera, mentre saliva i gradini sbreccati di una casa vecchia e cadente nel centro del Borgo San Paolo, mentre si sedeva a un tavolo macchiato e tarlato coi suoi libri e i suoi quaderni, mentre si preparava un povero caffè di cicoria, mentre centellinava un quartino di vino, dividendo un pezzo di rognone in tanti piccoli bocconi da cucinare sera per sera, sgranocchiando come un topo una pagnotta dura e priva di sale che doveva durare una settimana.

Si era laureato in legge e con l'aiuto dei frati aveva trovato un posto come apprendista in uno studio nel centro di Torino. Nell'ufficio dell'avvocato Orefice dai mobili massicci finto Rinascimento, le sedie rigide di legno scuro, i tavoli coperti da drappi di damasco rosso, aleggiava un odore di tabacco stantio, di tende non lavate, di inchiostro e di polvere che lo assaliva appena entrava la mattina e gli chiudeva la gola. Avrebbe voluto subito spalancare la finestra, ma l'avvocato Orefice soffriva di reumi e se sentiva uno spiffero cominciava a inveire. Pietro si era rassegnato: appena in ufficio si infilava le sopramaniche di cotone nero, si sedeva alla scrivania e intingeva il pennino nell'inchiostro verde, una originalità dello studio Orefice. Ogni due ore si alzava, usciva a prendere una boccata d'aria e poi ricominciava.

Sotto il comando del vecchio Achille Orefice c'era il figlio Giacinto che mostrava chiaramente di disprezzare il padre considerandolo un vecchio bacucco ormai incapace, e mordeva il freno per prendere il suo posto e «rivoluzionare ogni cosa in questo studio che puzza di muffa». C'era anche una giovane segretaria dal volto segaligno e i modi di una vecchina. Chissà perché si è ridotta così? si chiedeva Pietr' i pelus' nascondendo nei polsini i tanti peli ricci e folti che tendevano a sgusciargli dalle maniche e dal colletto. Eppure non aveva una faccia sgraziata la signorina Emilia ed era giovane, più di lui. Ma sembrava fare di tutto per imbruttirsi e rendersi goffa. Nonostante questo, il nuovo impiegato Pietro Del Signore si era quasi innamorato di lei. Sentiva in quella ragazza scialba un tenue calore femminile, come una brace coperta e soffocata dalla cenere che a soffiarci sopra avrebbe potuto tornare a ravvivarsi e si chiedeva se lui avrebbe avuto il fiato necessario per rianimare quel fuoco. Intanto si dedicava ai lavori più ingrati: la copiatura di noiosissime arringhe infarcite di frasi a effetto, il mantenimento dei faldoni con le pratiche in corso, lo smistamento delle lettere ai clienti. La signorina Emilia non lo degnava di uno sguardo perché in segreto era innamorata del giovane principale, quel Giacinto Orefice che voleva rivoluzionare lo studio e spalancare le finestre al mondo nuovo.

Presto il vecchio Orefice scoprì che il nuovo apprendista avvocato, Pietro Del Signore, non solo scriveva in buona grafia ma conosceva bene il codice, aveva la mente agile e pronta, suggeriva, quasi senza farsene accorgere, delle soluzioni a cui né lui né il figlio avevano pensato. E così, dalla copiatura dei fascicoli era passato ad assegnargli compiti di responsabilità, suscitando la gelosia di Giacinto.

Perfino la signorina Emilia, dopo mesi di occhi bassi e sguardi sospettosi, aveva cominciato a trattarlo con simpatia, anche se continuava a considerarlo come un inferiore. Perché veniva dagli Abruzzi, perché era povero in canna, perché era stato educato dai preti? chi lo sa. Il giovane avvocato Orefice che alla morte del padre sarebbe diventato il capo di quello studio bene avviato, preferiva scambiare qualche sguardo di maliziosa intesa con la signorina Emilia, sbirciando le scarpe rattoppate e la giacca lisa del nuovo praticante, piuttosto che rivolgergli direttamente la parola.

Per un anno intero l'apprendista Pietro era andato avanti così, senza trovare il tempo di fare amicizie, lavorando dodici ore al giorno per una paga molto bassa. La signorina Emilia era arrivata al punto di confidargli il suo amore per il giovane principale, il quale non la guardava nemmeno, considerandola poco attraente perfino per una avventura passeggera. Pietr' le aveva cantato quella canzone antica che parla di una rondine che si innamora di Cecchino il cacciatore. Quando usciva per andare a caccia, la rondine innamorata gli girava intorno, sperando di ottenere da lui anche un solo sguardo d'amore. Ma il cacciatore non la vedeva. La rondine si disperava e trascurava il rondone nero che da un ramo le cantava canzoni appassionate. Una mattina presto che il cacciatore era uscito nei boschi, la rondine lo seguì innamorata, e poiché lui non la guardava, gli si posò proprio sulla bocca del fucile cantando felice. Il cacciatore finalmente la vide: *pum sparò e l'ammazzò... Oh belle belle belle / ragazzine venite qua, / a sentire la storiella / della rondine del Canadà...* La signorina Emilia non volle capire e finì come la rondine, impallinata da un giovane sicuro di sé che per noia la possedette su un divano dello studio in una domenica piovosa, non volle riconoscere il figlio che lei concepì, la costrinse a un aborto tardivo che la lasciò sola, senza figlio e storpiata nei suoi organi riproduttivi.

I giorni di festa Pietr' i pelus' li trascorreva a letto con un libro davanti. Praticamente non si muoveva dalla stanza e leggeva fino allo sfinimento. Una domenica però qualcuno aveva bussato alla sua porta: era un abruzzese amico di amici di Touta che viveva a Torino come lui, e lo invitava a una festa da ballo in casa di una ragazza di Chieti. Ballo? veramente Pietr' non era mai stato a una festa da ballo e si sentiva fuori luogo. Non conosceva i passi della mazurka né della polka né del valzer che andavano di moda in quegli anni. Per questo aveva rifiutato. Ma Carlo Alberto Di Pirro, detto Penzaperté aveva insistito tanto che alla fine lo aveva convinto. E così, verso le sette del pomeriggio, aveva cominciato a prepararsi sforbiciandosi i peli del naso e delle orecchie, stirando con un ferro da stiro prestato, la sola camicia bianca che possedeva, con due rammendi sui gomiti e cercando desolato di pulire con la spazzola intinta nell'acqua la giacca scura dai risvolti lisi e lucidi.

Penzaperté era venuto a prenderlo alle otto, l'aveva chiamato dal portone e lui era sceso emozionato, saltando a piè pari i gradini spezzati, dimentico per una volta dell'odore aspro e mortificante di cavolo che stagnava nell'androne. Erano saltati su un tram e poi su un altro e finalmente erano arrivati al centro della città. Lì avevano camminato sotto gli archi di viale del Re. Ed eccoli nel salone della ragazza di Chieti, che era la figlia di un direttore di banca e aveva una bella casa rivestita di tappeti pregiati. «Io sono Filomena e tu?» «Carlo Alberto Di Pirro e questo è Pietro, Pietr' per gli amici abruzzesi.» La ragazza aveva subito voltato loro le spalle per andare a occuparsi del buffet. Carlo Alberto si era messo a danzare con una ragazza dal petto prominente mentre Pietr' era rimasto seduto, impacciato, con un bicchiere di aranciata in mano, terrorizzato di dovere ballare. A un certo punto si era accorto che sulla sedia accanto a lui sedeva una ragazza molto alta, dalle belle braccia lunghe e bianche, che guardava gli altri piroettare senza mai alzarsi.

«Mi chiamo Pietro.»

«E io Amanita.»

«Non l'ho mai sentito.»

«È il nome di un fungo.»

«Ah!»

«Sei abruzzese anche tu?»

«Di Touta!»

«Vuoi ballare?»

«Non so ballare.»

«Nemmeno io.»

Erano scoppiati a ridere con sollievo. Da lì era nata l'amicizia che poi, in pochi mesi si era trasformata in amore, o per lo meno in qualcosa che si avvicinava molto all'amore. Penzaperté lo aveva avvertito che Amanita era figlia di un insigne professore, Michele Sbarra, micologo di fama internazionale. Il professore, sosteneva lui, si sarebbe molto arrabbiato venendo a sapere che la figlia amoreggiava con un giovane squattrinato. Ma si sbagliava, perché il grande micologo era anche un uomo gentile d'animo, amava molto la sua unica figlia Amanita e l'accudiva teneramente da quando la moglie era morta di parto. Quello che cercava per lei era un marito intelligente e capace più che ricco. Di soldi ne aveva abbastanza per aiutarli a mettere su casa. E quando Amanita aveva invitato il giovane abruzzese a conoscere il padre, Sbarra lo aveva ricevuto con molta cordialità. Aveva lunghi baffi a manubrio, con qualcosa di tremulo e di triste nei grandi occhi miopi. Pietr' aveva capito che il micologo si aspettava una richiesta di matrimonio. E lui, da uomo d'onore, l'aveva fatta per quanto pensasse che era prematuro. Gli aveva confessato con molta sincerità di essere figlio di un trovatello senza una lira e che non avrebbe potuto sposarsi prima di qualche anno. Il professore gli aveva fatto mille domande e poi aveva dato il consenso al matrimonio. In quella specie di interrogatorio capzioso, aveva intuito che il giovane Pietro Del Signore, pur non disponendo di proprietà o di censo, aveva ambizione, volontà e metodo. L'orgoglio e la sincerità che aveva dimostrato nel rispondere alle domande lo avevano bene impressionato. Il professore si piccava di capire le persone ed era certo che il giovane avvocato abruzzese avrebbe rispettato sua figlia Amanita, l'avrebbe amata e accudita per tutta la vita. E non aveva sbagliato giudizio, anche se la sorte stava apparecchiando un'altra tavola per il futuro di entrambi.

La festa di fidanzamento era durata tre giorni. Pietr' aveva preso dei soldi in prestito da Penzaperté per comprare un minuscolo anello d'argento con un brillantino montato in modo che apparisse più lucente e grosso di quanto era. Il professore Sbarra aveva accompagnato i futuri sposi a visitare la casa comprata proprio in vista del matrimonio della figlia. Era un appartamento tradizionale, al primo piano di via Principi d'Acaja, con alte finestre di pietra lavorata, soffitti affrescati in stile floreale. Disponeva di un salotto ampio in cui volendo si sarebbero potuti anche dare dei concerti, di una camera da letto spaziosa con un letto a baldacchino nuovo di zecca appena montato. Pietr', che era un giovane di coscienza, si era vergognato di tutto quel lusso. Qualcuno avrebbe potuto pensare che si trattava di un matrimonio di interesse. Ma il professore, che aveva capito il suo disagio, lo aveva rassicurato con parole affettuose: «L'inizio è sempre duro, caro Pietro, e bisogna farsi aiutare. Io conto su di te, so che farai strada nella vita e che sarai retto nelle tue scelte. Ne sono certo. Perciò mettiti l'animo in pace e lavora tranquillo. I pettegolezzi non ci devono toccare. Io voglio che vi sposiate presto e che facciate un figlio. Il resto non conta. Col tempo, lo so già, guadagnerai tanto da ripagarmi la casa e forse chissà, arriverai anche a mantenermi quando sarò troppo vecchio per lavorare».

Aveva un modo di ridere che sconcertava un poco il giovane futuro genero: a bocca chiusa, senza mostrare i denti, facendo tremare i baffi dallo strano colore fra il rosso e il grigio.

La chiamata alle armi li aveva colti di sorpresa. L'Italia era in guerra dal maggio dell'anno prima, ma nessuno pensava che avrebbero richiamato anche i figli unici. Per di più il giovane avvocato Del Signore era stato convocato mentre preparava le carte per un processo che lo affascinava. Si trattava di difendere un renitente alla leva che dichiarava di non volere uccidere per ragioni religiose. Da poco era passato l'ottobre dell'anno 1916. Pietr', chiamato i pelus' per l'abbondanza dei peli bruni che gli si arricciavano sul petto, sulle spalle, nelle orecchie e perfino nel naso, era andato alla visita militare riflettendo sulle parole del suo assistito. Non aveva mai pensato che la guerra si potesse non combattere. Per lui era un dovere del cittadino e i doveri vanno compiuti fino in fondo. Eppure, eppure, qualcosa nella riflessione di quel ragazzo, che non era un prete ma si richiamava alla legge del Non uccidere cristiano, lo tormentava.

Nudo in mezzo a decine di giovani senza vestiti, si era sentito fragile, perso, per una volta contento del vello riccioluto che lo nascondeva un poco agli sguardi di tanta gente. Dopo un colloquio approfondito e il controllo delle carte, era stato promosso tenente. E questo lo aveva riempito di orgoglio. Si era chinato paziente su un foglio per scrivere ai genitori, con caratteri larghi e chiari, una lettera che sapeva sarebbe stata decifrata dallo scrivano del paese. E aveva incluso nella busta una fotografia un poco sfocata di se stesso in divisa, con le mostrine sulle spalle. Poi si era vestito di scuro per andare in casa Sbarra, dove era stato festeggiato con una bottiglia di champagne francese.

In tanti mesi di fidanzamento Pietr' i pelus' e Amanita non avevano mai fatto l'amore. La loro più che una passione, era soprattutto il bisogno urgente di riempire una solitudine che li aveva fatti troppo soffrire: lui per essere rimasto anni e anni chiuso in una stanza misera a studiare, lei per essersi trovata prigioniera di un padre ansioso e possessivo.

Trascorrevano le serate a parlare dei mobili che avrebbero comprato per la loro casa nuova. Passeggiavano senza neanche tenersi per mano, guardinghi e timorosi. Era un amore casto, come si conveniva a due futuri sposi in quegli anni magri. Il corpo della donna che si è scelta per la vita non andava svelato prima del matrimonio. Questo aveva appreso Pietr' in collegio dai frati dove aveva fatto le medie e il liceo, stretto in una divisa di panno ruvida e pesante. E Amanita la pensava esattamente allo stesso modo. Anche lei era stata in collegio, dalle suore del Sacro Cuore di Gesù, dove le avevano insegnato che la verginità, a imitazione della Madonna, era la cosa più sacra e preziosa per una ragazza. La si poteva donare solo al legittimo sposo, con l'intenzione di sacrificarla per mettere al mondo dei figli, non certo per il piacere dell'amore carnale. Il corpo stesso della donna era considerato impuro e pericoloso. I bagni del sabato in collegio si facevano con la camicia addosso.

Per soddisfare le esigenze della carne, come si soleva dire allora, il futuro capitano frequentava un bordello nel quartiere Barriera di Lanzo, assieme al suo amico Penzaperté. Amanita non lo sapeva ma lo indovinava. E non si adontava perché quelli erano puri sfoghi del corpo maschile, più focoso, più bestiale di quello femminile, come le spiegava la zia Vittoria. Era abitudine dei giovanotti perbene, che non facevano l'amore con le proprie fidanzate, frequentare le case di piacere. Perfino il famoso micologo Michele Sbarra, così trepido per le sorti della figlia, non avrebbe avuto niente da ridire. In realtà i casini erano frequentati anche da giovani mariti e padri di famiglia che non avevano il problema dello sfogo della carne. Ma era una consuetudine talmente radicata che tutti l'accettavano come il modo più razionale per regolare l'"eccessiva tempestosità della sessualità maschile".

Il bordello che frequentavano i due amici portava il poetico nome di Casa di piacere Fiori ombrosi. Pietr' i pelus' era stato subito conquistato da quell'odore struggente di muschio e di violetta che la patronne spargeva sui divani delle attese. Lì amava sprofondare in una poltrona e sognare una carriera di successo. Lì chiacchierava con il suo amico Penzaperté di politica e del futuro. Lì chiudeva gli occhi aspettando che la prostituta chiamata Liù fosse libera. Era molto richiesta la ragazza, per i suoi modi timidi e cortesi, per quello scontroso riserbo, assolutamente inaspettato in una casa chiusa. Niente della sfacciataggine, della sboccatezza che avevano la maggioranza delle ragazze, chiamate quindicine perché cambiavano ogni quindici giorni. Al futuro capitano non garbavano neanche i giochi collettivi: tirare a sorte la ragazza da portarsi in camera, eleggere la più bella della casa, fare il trenino cantando a squarciagola dopo avere bevuto bicchieri su bicchieri di cattivo champagne. Penzaperté aveva gusti più comuni e lo prendeva in giro per quella specie di innamoramento. «Chi sse fisse, s'intisse» gli diceva nell'orecchio, ridendo, «qui si viene per ridere e godere. Ogni volta una nuova, è questo il divertimento... l'hai vista quella bruna con gli occhi chiari che ci guarda laggiù? ha un corpo da baci. Io vado, e tu che fai?»

«Aspetto che si liberi la Liù.»

«Che t' pòzzan vàtt'!»

A tutte lui preferiva quella ragazza scontrosa dal nome cinese, che invece era siciliana, e si chiamava Pina, glielo aveva detto lei. Era piccola, bruna e poco formosa. Non indossava vestiti trasparenti, non mostrava i seni, che d'altronde erano quasi inesistenti. Portava delle gonne alle caviglie e sotto, occhieggianti maliziosamente, un paio di calzettoni bianchi arrotolati sopra i sandali dal tacco basso. Sembrava una bambina. Era questo che lo seduceva? Il fatto che quando la penetrava pensava di essere il primo? Non lo sapeva né voleva approfondire l'analisi. Lo irritava ma anche lo deliziava l'odore appena percepibile di borotalco che aveva sempre addosso quella minuscola ragazza. Le altre si cospargevano di acqua di colonia Coty alle rose o alla vaniglia, lei no, usava solo quel borotalco di poco prezzo che sapeva di anice e di erbe amare. Il barattolo era rimasto sempre nei suoi occhi: piccolo, panciuto, celeste, con un rametto di felce bianca disegnato di traverso. Le dita infantili di lei si aggrappavano a quel barattolo quasi fosse la sua salvezza; lo scuoteva rapida spargendosi la polvere opaca dappertutto: sotto le ascelle, sul collo, fra le gambe, fra i seni, sui piedi.

Quello era l'odore dell'amore senza amore, si diceva il futuro capitano. Il suo cuore, per impegno matrimoniale, si trovava aggrappato come una cozza al corpo giunonico della fidanzata. Nessuno l'avrebbe mai staccato dalla futura sposa e futura madre dei suoi figli. Ne andava del suo onore. I sensi invece, come cavallette salterine, correvano lungo i prati dell'avventura, si nascondevano tra le foglie dell'erba nuova, cantavano per la felicità di esistere.

Eppure quei sensi, per quanto sembrassero indipendenti e guidati solo dall'istinto, in realtà erano ben diretti e mai sarebbero andati a pascolare lì dove era proibito. Era diventato bravissimo il tenente Del Signore nell'amministrare i suoi affetti: rosei e tradizionali, come le tappezzerie preziose, tutte fiori e fiocchetti della casa di Amanita, che venivano dedicati alla futura sposa; molli, burrosi, pigri, quelli dedicati al bordello, ma soprattutto alla sua Pina. Anche se sapeva benissimo che non era affatto sua. Ma quella idea la cancellava scrupolosamente. Faceva parte delle complicazioni della sorte e lui non amava le complicazioni. La sua forza, lo sapeva bene, stava nella capacità di adeguarsi, di costruire intorno ai dubbi un fortino inespugnabile, in modo da trasformarli in saldezze virili.

Amanita – ma perché poi un nome di fungo velenoso? – sarebbe stata sua moglie per la vita, di questo non dubitava affatto. Anche se quel nome gli sembrava fuori luogo. Il fatto che il padre fosse un micologo famoso non spiegava le cose. Allora perché non Agarica o Boleta? La ragazza non aveva niente di velenoso, si trattava di una bellezza ieratica, quasi scostante, ma non suggeriva nulla di insidioso e maligno. Era la moglie che qualsiasi uomo avrebbe desiderato: sorridente, gentile, disponibile, ma anche altera e dignitosa, ricca, colta quanto basta per non fare sfigurare un marito intelligente; silenziosa, desiderosa di mettere al mondo molti bambini e di allevarli nella pace coniugale. Cosa si può desiderare di più? Ogni tanto si baciavano, discretamente, mentre la zia, che presiedeva ai loro incontri, cuciva seduta su una sedia. Era un poco sorda la zia Vittoria e loro ne approfittavano. Ma mai si erano abbracciati in modo meno che lecito. I loro corpi non si toccavano, sebbene le labbra si sfiorassero. Erano baci castissimi, in punta di labbra, accompagnavano desideri repressi, promesse rassicuranti.

Il futuro capitano non si era mai chiesto se questa divisione non fosse un poco artificiale e malsana. Era talmente comune presso i suoi amici, anche sposati. «Il piacere lecito, anzi doveroso sta da una parte, Pietr', il piacere segreto, avventuroso, dall'altra» gli diceva Penzaperté portandolo a braccetto per le vie più eleganti di Torino. «I due piaceri non si incontrano mai. D'altronde i bordelli che ci stanno a fare? Ti proteggono dalle malattie, ti impediscono di violentare le ragazze per bene. Non si può farne a meno, sono una istituzione, ci sono sempre stati e sempre ci saranno. Lì dentro non puoi amare, devi solo godere. L'amore lo lasci attaccato al gancio dell'ingresso, col cappotto e il cappello.»

Il tenente Pietr' Del Signore era considerato un bravo ragazzo dalla famiglia della futura sposa. Il micologo, che era un uomo alto e sempre vestito di scuro, lo osservava come avrebbe studiato un fungo: c'era da fidarsi di quel giovanotto senza quattrini, sceso dalle montagne abruzzesi, con molte ambizioni e molte ingenuità? E se si fosse sbagliato? Ma se pure lui lo avesse giudicato erroneamente, sua figlia non avrebbe preso una cantonata, ne era certo, non era il tipo da volersi sposare per forza, ed era dotata di intelligenza e giudizio. Perfino la zia Vittoria che in qualche modo sostituiva la madre morta, era d'accordo: del giovanotto ci si poteva fidare. La sola cosa che la infastidiva erano tutti quei peli che gli sgusciavano dalle maniche della giacca e dal colletto. Ma Pietr' era uno che si faceva stimare perché lavorava senza risparmiarsi, preparava scrupolosamente le carte per il suo datore di lavoro e osava pure suggerire qualche argomento moderno che l'avvocato, fingendo di sdegnare, poi faceva suo. Tutto questo lo aveva riferito di persona l'avvocato Achille Orefice al micologo di fama quando costui era andato a trovarlo, di nascosto da Pietro, per sapere qualcosa di più sul futuro genero.

Pietr' i pelus' era arrivato presto a guadagnarsi da vivere senza chiedere niente ai genitori. Era diligente, pulito, curava il proprio vestire ma senza civetteria. Metteva forse più tempo del dovuto nel radersi la mattina: aveva la mania di togliersi ogni pelo inutile, per lo meno dal viso e per questo lavorava di punta con le tre o quattro paia di forbici dalla forma diversa che teneva sulla mensola del bagno. Prima di uscire doveva assolutamente liberarsi delle setole che avevano la tendenza maligna a sbucargli dal naso. E che dire di quei peletti lividi che gli sgusciavano fuori, arricciati come cavatappi, dalle orecchie? Per non parlare delle basette, che lui teneva sotto controllo, ma che avevano la malaugurata disposizione a sfuggire, mettendosi di sbieco alla lama del rasoio.

Appena ricevuta la chiamata, il tenente Del Signore, non ancora capitano, aveva preso a radersi con maggiore attenzione e cura. Gli sembrava che i peli del corpo esprimessero disordinatamente quella paura che lui voleva assolutamente dominare e controllare. Nello studio Orefice, appena entrato, si infilava con noncuranza le sopramaniche di cotone nero e faceva il disinvolto. Fischiettava come se nella sua testa albergassero solo pensieri lieti. Rideva e scherzava sia con la signorina Emilia che con il giovane Orefice. La sera usciva con Penzaperté e andavano a bere del vino di pessima qualità in qualche bettola, per poi finire al bordello. Con lui parlava di donne, in maniera complice e leggermente eccitata, passeggiando sotto i portici nelle serate in cui una nebbia sporca e appiccicosa invadeva le strade torinesi. Non nominava la sua Pina, vergognandosi un poco di quella cocciuta preferenza e ascoltava rapito le descrizioni che l'amico gli faceva delle nuove che arrivavano ogni quindici giorni: la rossa di Bologna che era tutta "un latt' i vine", la bionda di Milano che "n'ha fatt' cchiù essa ch' Pezzèlle", o di quella piccolina napoletana tutta "pép' i zafaran" con cui aveva passato dei momenti "de sogne".

Quando era con Amanita, Pietr' lasciava che gli piangesse sulla spalla, consolandola con qualche parola savia. «L'Italia ha bisogno di me» diceva, «non posso recalcitrare, tornerò presto.» Fumava accanitamente. Si lavava e si sforbiciava almeno tre volte al giorno. E mangiava principalmente cotolette fritte. Il resto lo nauseava.

Solo con Pina si lasciava un poco andare. Per una notte avevano dormito insieme, abbracciati, e lui le aveva detto che se fosse morto, sarebbe venuto a trovarla per fare l'amore con lei da spirito. La ragazza lo aveva guardato con gli occhi grandi, senza espressione. Lui le aveva preso tra le labbra un capezzolo. Sapeva che quella notte gli sarebbe costata dodici lire. Avrebbe dovuto chiedere un prestito a suo padre che per l'occasione era venuto a Torino con la moglie per qualche giorno. Ma ora che stava per partire per il fronte, tutti si mostravano generosi e indulgenti verso di lui. Non avrebbe dovuto faticare per avere quei soldi.

Pina gli aveva accarezzato i capelli e lui l'aveva baciata sul ventre, ma con tenera delicatezza, come se ascoltasse il battito del cuore di un bambino. Era premonizione o solo un incauto desiderio? Appoggiandole la guancia sull'ombelico, disegnandole con la lingua dei piccoli cerchi concentrici, si era avvicinato sempre di più al cuore del piacere. Lei gli aveva sorriso, sorpresa: nessun cliente avrebbe mai baciato il ventre di una prostituta, ancora memore di altre penetrazioni e altri semi maschili, per quanto lavato e disinfettato. Ma lui aveva continuato. Lei si era arresa, a occhi chiusi, con un sorriso lieve e timido sulla bocca infantile. Non era un sorriso felice, come si sarebbe aspettato lui. E neanche un sorriso triste. C'era nella bocca di quella ragazza qualcosa di doloroso e di enigmatico. Non avrebbe mai saputo cosa avesse nella mente. Forse niente, si era detto mentre la stringeva a sé. Ma proprio in quel momento aveva sentito una voce fanciullesca che diceva: «Quando ti piacerà di uccidere, non avrai più voglia di fare l'amore».

«E perché?»

«Comandare è cchiù megghiu ca futtere.»

«Allora non è vero che non pensi niente» aveva detto lui quasi a se stesso.

«I pensieri mi vengono senza che li chiamo.»

«Con me non hai mai detto una parola.»

«Forse che mi chiedesti qualcosa?»

E così, in una notte che gli era costata ben dodici lire, il futuro capitano aveva scoperto che la sua Pina aveva dei pensieri, che non necessariamente collimavano coi suoi, ma non erano privi di criterio. Una prostituta che ragiona! sembrava un controsenso. E come faceva ad accettare tanti corpi estranei se era dotata di giudizio e quindi di un potere di scelta? Ma a questo punto la riflessione si faceva troppo sottile. Non aveva sempre raccomandato a se stesso di stare alla larga dalle sottigliezze? L'istinto gli diceva che le complicazioni portano dolore e il dolore porta incertezza, dubbi. Può un soldato ospitare nell'animo inquietudini e perplessità prima ancora di andare a combattere? Se avesse cominciato a chiedersi chi era questa donna che lui abbracciava due volte alla settimana con perfetta ignoranza; se si fosse domandato perché una ragazza così graziosa e intelligente fosse finita lì, e perché facesse l'amore a pagamento, il suo piacere sarebbe stato immediatamente gravato da preoccupazioni etiche e guastato da responsabilità vincolanti. Perciò anche quella volta le aveva chiuso la bocca con un lungo bacio commosso. «Anche se ucciderò, non perderò il gusto dei baci» aveva detto scendendo dall'alto letto matrimoniale. E aveva preso a vestirsi. Doveva andare a casa a radersi per bene prima di partire. La sua impressione era che durante la notte di veglia i peli fossero cresciuti a loro capriccio, con un vigore che di solito non conoscevano. Sentiva pungere il naso e solleticare le orecchie. Doveva al più presto prendere in mano le forbicine da bagno.

Era partito la mattina presto con un treno sgangherato che sbuffava e si fermava a ogni chilometro. L'amico Penzaperté era andato ad accompagnarlo alla stazione raccontandogli di una nuova quindicina di Arezzo che secondo lui era "i fin' du munne". Quando il capotreno aveva già fischiato, era arrivata pure Amanita, elegante come sempre, in un vestito di organza a quadretti rossi e bianchi, tenendo con la mano un cappello enorme coperto di ciliegie. Aveva pianto stringendogli le mani che lui sporgeva dal finestrino, mentre la zia Vittoria le tendeva dei minuscoli fazzolettini ricamati. Per la prima volta Pietr' aveva pensato che il loro fidanzamento era basato sul nulla e che quel saluto era semplicemente ridicolo. Solo le ciliegie sul cappello di Amanita gli erano apparse di buon augurio, rosse e lucide e splendenti di vita, per quanto fossero di cartapesta. Aveva salutato più loro che la fidanzata mentre il treno lentamente si allontanava soffiando un fumo nero e puzzolente. I sedili erano di legno e durissimi, nella reticella ballonzolava il suo povero bagaglio: un sacco in cui aveva cacciato dei calzettoni, una camicia pulita, un set di forbicine, due rasoi da barba con pennello in pelo di tasso, *Il trionfo della morte* di D'Annunzio, il *Canzoniere* di Petrarca, un maglione lilla lavorato a mano, apposta per lui, dalla fedele Amanita.

In trincea il futuro capitano aveva affrontato la sorte con un coraggio che aveva stupito prima lui che gli altri. Le pallottole gli sfioravano l'elmetto senza mettergli paura. Vedere le nuche malrasate di tanti ragazzi della sua età che si chinavano ubbidienti di fronte a un suo ordine, lo esaltava. Lo faceva sentire leggero. Che avesse ragione Pina? Non sentiva neanche la mancanza dell'amore. Le lettere di Amanita gli giungevano puntuali e preziose. Raccontavano minuziosamente le giornate nella casa paterna: le cene coi parenti, le camicie che cuciva gratuitamente per l'esercito, i libri che leggeva, il cartone nero che applicava alle finestre per l'oscuramento, le corse in bicicletta in una Torino deserta per cercare due uova. Aveva una grafia minuta, intelligente e sapeva descrivere con plasticità degna di uno scrittore naturalista, i dettagli di ogni scena e questo lo rallegrava. Si convinceva sempre di più che aveva scelto giusto, che Amanita sarebbe stata una buona moglie, intelligente e devota. Di Pina non sapeva niente. Ogni tanto tirava fuori dalla tasca una fotografia di lei, sfocata, dove appariva come un fantasma: la testa bruna, la faccia pallida chinata sul petto magro, gli occhi grandi e opachi. Chissà perché quella donna lo attirava tanto. Non era neanche bella.

Una mattina di un buio ottobre del 1917, il tenente aveva avuto l'ordine di prendere col suo plotone il colle dell'Asino Morto: un ammasso di rocce, con in cima le macerie di una casa. A cosa servisse impossessarsi di quel colle era un mistero. Nessuno l'aveva spiegato al tenente Del Signore. Arrampicandosi in mezzo agli alberi e ai sassi, Pietr' aveva dovuto affrontare, assieme con i suoi soldati, una inaspettata raffica di mitragliatrici. Non immaginava che gli austriaci fossero così vicini. Avevano sparato anche loro, nascondendosi in mezzo ai sassi, continuando ad arrampicarsi verso la cima. Quattro soldati erano morti. Altri due erano stati feriti, ma verso sera erano riusciti a raggiungere la vetta, che il suo superiore al telefono da campo aveva definito strategicamente importantissima. E aveva aggiunto, con voce stentorea: «Tenente, sei stato bravissimo. Il generale ha deciso di promuoverti. Coraggio capitano! Ora tenete d'occhio l'altro versante, vedete se arrivano carri armati sulla strada del nord».

In quella casa diroccata avevano disinfettato e fasciato i feriti, avevano pregato per i morti. Si erano accampati per la notte fra le mattonelle sconnesse e le erbe che sbucavano dalle fenditure delle pareti. Un sommacco cresceva proprio in mezzo a quella che doveva essere stata la stanza da pranzo: si scorgeva sulla parete annerita un resto di camino. Il vento si era alzato rabbioso strappando dalle loro teste i berretti da alpini. Non era possibile neanche accendersi una sigaretta. Intanto dalla collina di fronte continuavano a sparare. Bisognava camminare carponi e correre riparandosi dietro i monconi di parete della casa diroccata.

Da mangiare c'erano solo gallette molli e sbriciolate e l'acqua delle borracce sapeva di ruggine e di cloro. Il capitano si era rattrappito dentro il cappotto che lo proteggeva a malapena dal freddo intenso. Si era calato il berretto sugli occhi e aveva tentato di dormire cercando di non ascoltare il lamento dei feriti ora che gli spari erano cessati. Ma verso le tre era stato svegliato da un altro ordine arrivato attraverso il telefono da campo: dovevano scendere a valle e lasciare quella postazione entro un'ora. E perché? Non c'erano risposte. «Ditemi qualcosa, porca l'oca!» Il telefono taceva, come fosse diventato di pietra. E lui si era messo a urlare nella notte: «Sono morti in quattro per prendere questo maledetto cocuzzolo e ora ci dite di lasciarlo. Spiegatemi almeno perché, maledizione!». La voce gli si era spezzata in gola. «E cosa ne faccio dei feriti, cosa ne faccio che non abbiamo barelle?» aveva detto quasi a se stesso, disperato. Ma nessuno gli aveva risposto. L'ordine era quello e basta.

Si era seduto, con la scatola di legno del telefono portatile fra le braccia e si era messo a sputare. Aveva la bocca piena di saliva e più ne sputava e più gli gorgogliava dalla gola. Forse doveva vomitare, ma il vomito non arrivava. Sarà stato anche per lo scarsissimo cibo che avevano messo in corpo dal giorno prima: una galletta e un pezzetto di lardo. Pensò ai peli che ormai crescevano copiosi lungo tutto il corpo, fuori da ogni controllo. Quelli del naso se li tirava con le dita, quelli delle orecchie erano diventati come dei cespugli inestricabili. Non osava pensare al collo e al petto, che immaginava come intrichi di rovi in cui si nascondevano vipere sibilanti.

Lanciò uno sguardo ai suoi soldati che dormivano rannicchiati sotto pezzi di tela cerata. La cosa che più lo inteneriva erano quelle nuche. Le nuche parlano a volte più delle facce. Quelle collottole nude raccontavano di case contadine abbandonate in fretta, di cucine affumicate dal cui soffitto pendono prosciutti e caciocavalli, di madri manesche, di padri che russano nel letto accanto, di fidanzate possedute dietro i covoni, di pasti a base di polenta e aringhe. Ma il tempo scorreva e lui non si decideva a svegliarli. Fra due ore avrebbero dovuto essere giù, dietro il fiume, proprio in mezzo a quei campi di riso da cui erano partiti il giorno prima.

«Sveglia, porco mondo, sveglia, dobbiamo scendere, tornare a valle, avanti, avanti, su, pecoroni, prendete i fucili, tirate su gli zaini, arrotolate le coperte, raccogliete le carabattole, che dobbiamo scendere!»

Li vide aprire gli occhi, increduli, alzarsi in piedi goffi e stanchi. Non rabbiosi, non irati, come avrebbe pensato, ma arresi, privi di curiosità e di ragionamento, pronti a qualsiasi stupido ordine che venisse dall'alto. Quasi che la resa fosse la migliore amica della quiete. E di quiete avevano tutti bisogno.

Così, prima delle quattro si erano messi in marcia, il neocapitano e i suoi soldati, carichi come somari, giù per quei monti rocciosi, strapazzati dal vento, intorpiditi dal freddo e dal sonno. I feriti li avevano dovuto lasciare fra i ruderi, sperando di poterli recuperare più tardi.

All'inizio nessuno li aveva sentiti scendere, sebbene il fracasso degli scarponi chiodati, dei fucili che sbattevano contro le borracce e le pentole appese agli zaini risuonasse nella notte silenziosa. Poi, improvvisamente erano stati abbagliati da un faro potente che non li aveva più mollati. E subito dopo erano cominciati gli spari. Si erano precipitati al riparo delle rocce, ma in quel punto erano basse e perfino standosene sdraiati non riuscivano a evitare quello stupido e spietato occhio di luce. Due erano stati feriti subito e si lamentavano piano con voce di gatto abbandonato.

«Capitano, mi spari!» Le parole arrivarono smozzicate dal vento. Il capitano si voltò a guardare il soldato ferito: si torceva dietro un arbusto che non arrivava a nasconderlo. Era Peppino, il più giovane di tutti, aveva i capelli che gli coprivano la testa da bambino come la lanugine di un capretto. Era robusto e allegro, la sera tirava fuori lo zufolo e suonava stonando ma con tanta allegria che tutti ne erano contagiati. Pur essendo il più giovane era già sposato e ogni occasione era buona per mostrare alla compagnia la fotografia di un bambino grasso e grosso immerso in un mastello, con un sorriso senza denti che gli arrivava da un orecchio all'altro. «Si chiama Peppino, com' a me» diceva contento, «u viristi quanto è grosso, tiene sulu otto misi, ti piace ah? ti piace?» e tutti lo mandavano bonariamente a "cagare". Ora era lì con una spalla spappolata, una pallottola gli aveva spezzato a metà la fronte e un occhio gli pendeva sulla guancia. La luce del riflettore austriaco lo illuminava impietosamente. Che fare? Il neocapitano Del Signore non ricordava più cosa prevedesse il regolamento. Non aveva mai ucciso un uomo. Che il primo dovesse proprio essere un suo soldato, il più giovane e il più allegro dei suoi militi? Inghiottì a fatica. Non aveva più saliva in bocca ora. «Mi spari, capitano!» Vide un braccio nudo che premeva contro la faccia devastata, due dita che cercavano di afferrare qualcosa, forse l'occhio scivolato sulla bocca. La mano del capitano andò alla pistola. Ma non fece in tempo a estrarla dalla guaina che fu sbattuto all'indietro da una forte spinta e cadde riverso. L'avevano colpito al petto.

Il capitano l'è ferito / l'è ferito e sta per morir / e manda a dire ai suoi alpini / che lo vengano a ritrovar. / Il primo pezzo al re d'Italia / che si ricordi dei suoi figli alpin / il secondo pezzo al reggimento / che si ricordi di un suo soldà / il terzo pezzo al battaglione / che si ricordi del suo capitan / il quarto pezzo alla mia mamma / che si ricordi del suo figlio alpin.

La mamma, Zaira Morrione Del Signore, in quel momento stava alzandosi dal letto nel piccolo paese di Touta in Abruzzo per andare a mungere la vacca che già muggiva nella stalla. Guardò per un momento il marito Mosè Salvato che dormiva a bocca aperta, i folti baffi grigi imperlati di saliva. Avrebbe aspettato ancora qualche minuto per svegliarlo, dormiva così bene. Mentre apriva le persiane su un paesaggio ancora grigio, umido, aveva sentito una fitta al petto, come una coltellata. Il respiro le era mancato, si era piegata sul davanzale col fiato spezzato. Ma era durato un attimo. Subito dopo, il cuore aveva ripreso a battere regolarmente e il sangue era rifluito nelle vene con l'energia di sempre. Solo dieci giorni dopo avrebbe saputo che proprio quella mattina all'alba, quando aveva sentito la coltellata nella carne, suo figlio Pietr' i pelus' era morto con un colpo di fucile in pieno petto.

Il quarto pezzo alla mia mamma / che si ricordi del suo figlio alpin... queste precise parole erano venute alle labbra del soldato Niccodemi quando aveva visto il suo capitano cadere all'indietro con la pistola in pugno, su quelle rocce viscide di pioggia in un'alba infida del 1917. E siccome il soldato Peppino Calò continuava a chiedere che qualcuno gli sparasse, lo aveva preso di mira e colpito in testa con il suo fucile modello 91. Le stesse parole salgono alla mente del personaggio Zaira detta Zà, che racconta alla scrittrice di quel capitano che era stato suo nonno ed era morto stupidamente per difendere un cocuzzolo assolutamente inutile.

«E Pina?» chiede la donna dai capelli corti, curiosa.

«Non ha mai saputo della morte del suo Pietr', anche se l'ha indovinato. Una notte, mentre dormiva, ha sentito qualcosa di freddo e di morbido che sfiorava il suo corpo: Sono venuto a fare l'amore con te, come ti avevo promesso...

«Nove mesi dopo, nel gennaio del 1918, Pina ha fatto un bambino e tutta la Casa di piacere Fiori ombrosi se n'è rallegrata. La patronne ha stappato una bottiglia di champagne francese e ha bagnato il piccolo membro del neonato con la spuma dicendo che gli avrebbe portato fortuna. Una settimana più tardi però ha costretto la giovane madre a portare la creatura in campagna, depositandola presso Corradina, una contadina che aveva appena perso un figlio e si pensava disponesse di buon latte sano da donare dietro magro pagamento.»

«E che nome gli hanno messo al bambino?»

«Come il padre capitano, Pietro, anzi Pietrino, detto poi Pitrucc' i pelus'.»

«E che ha fatto Pitrucc' i pelus'?»

«È rimasto qualche mese con Corradina, in un paesello vicino Torino, insieme alle pecore e alle vacche. A Corradina, la giovane contadina che aveva appena perso il figlio, il latte era diventato aceto, come dicevano le comari; allora appendeva il piccolo direttamente al capezzolo della vacca, mentre lo teneva in grembo e gli cantava: *Il capitano l'è ferito / e manda a dire ai suoi soldà... Il primo pezzo al re d'Italia, / che si ricordi del suo figlio alpin...*»

La donna dai capelli corti tiene in mano delle fotografie in cui giovanissimi, i suoi ineffabili genitori, con indosso i knickerbockers, in testa il cappelletto per proteggersi dal sole, fra le mani le piccozze, un'aria spavalda e ardimentosa, si avviano verso le cinque cime del Lavaredo per scoprire sulle pareti lisce una nuova strada, più ardua e pericolosa delle altre. Una sfida all'altezza, al pericolo, al futuro.

«A me piace il mare, mi ci porti al mare, ma'?»

«Il mare, quando ero piccola io, era pulito, trasparente, si vedevano banchi di minuscoli pesci blu elettrico che correvano sul fondo. Ora si è fatto sporco, infido, chiassoso oltre ogni sopportabilità. Il fondale è foderato di carte sporche e pezzi di plastica. Se nuoti al largo, come facevo io, rischi di essere investita da un motoscafo lanciato a velocità. Oppure vieni assalita da un nugolo di meduse brucianti. Il mare è morto, amore mio. Ammazzato dai pesticidi, dalla pesca in-

discriminata, dalle bombe, dai veleni, soffocato dal cemento
e dall'asfalto.»

«E la montagna, ma'?»

«È rimasto qualche boccone di bosco. Lì dove andremo
appena avrò finito il mio lavoro.»

Ombre inattese, piccole fughe di luce. La donna dai capelli corti si trova immersa dentro un bosco marsicano e ri-
mugina sui significati delle parole come bosco, foresta, selva, che sono diventate da ultimo così importanti per lei. Pare siano stati i tedeschi a inventare per primi la parola *buwi-
sh* che significa legno e che in seguito si è trasformata in *bu-
sk*, bosco. E da lì la parola si sarebbe sparsa per l'Europa.
Ma c'è chi dissente, come spesso accade nelle indagini eti-
mologiche. Per costoro l'origine è greca, *boschos*, che vuol
dire pascolo. Ma i pascoli non sono per loro definizione erbosi, fuori dalle selve? Altri ancora ritengono che la parola
derivi dal latino *buxus* che vuol dire bosso. Eppure lei sapeva che i romani lo chiamavano *lucus* il bosco. Da qui la famosa *Lucus a non lucendo*: ha nome luce pur non facendo
luce. Perché uno spazio scuro, ombroso viene chiamato lucente? Misteri del linguaggio. Che però pedina sempre una
logica, magari tortuosa, ma conseguente. Il bosco dà legna
da ardere, l'accensione della legna produce calore e luce.
Da qui il *Lucus a non lucendo*. Ma nei boschi di oggi, che si
cerca di rendere il più possibile domestici, affidabili e quindi non più insidiosi, ci si può ancora perdere, smarrire? *Nel
mezzo del cammin di nostra vita, / mi ritrovai per una selva
oscura.*

Nelle selve abitano ancora gli spiriti? e cosa raccontano? come si comportano? In foresta si è soli ma mai veramente soli, dice un poeta giapponese, c'è ovunque un occhio
che spia. Ma l'occhio di chi? di un lupo, di una lince, di un

gufo, di un demone, di un fantasma, di un dio senza nome? Le foreste hanno una strana propensione per le metamorfosi: i boschi di Shakespeare camminano.

È una delle sorprese enigmatiche più intense dei suoi ricordi di ragazzina appassionata di letture notturne: il messaggero arriva trafelato di fronte a Macbeth – ma anche di fronte a lei ragazzina che legge stupita – e dice: *Ero di guardia sul colle, rivolto verso Birnam quando ad un tratto ho visto che la selva si muoveva verso di noi.* Macbeth lo guarda torvo, dà del bugiardo al messaggero. Ma lui gli tiene testa: *Schiacciatemi con la vostra collera, se non è vero. Potete vederla a tre miglia: una selva in marcia.* Macbeth si piazza sul più alto degli spalti e scrutando l'orizzonte vede in lontananza gli alberi della foresta di Birnam che si muovono compatti verso di lui. La profezia si sta avverando...

La piccola lettrice trattiene il respiro ritta in piedi sullo spalto alle spalle di Macbeth. Anche lei, come il re guerriero, vede con trepidazione, con sorpresa, con meraviglia, la foresta, alta, oscura e indecifrabile di Birnam che si sta dirigendo, frondosa e verdeggiante, verso il castello di Dunsinane. Non è una allucinazione, non è un delirio. È la realtà di una guerra che lo vedrà sconfitto. Macbeth stranamente non si oppone alla profezia, non si prepara a combattere, ma quasi accetta stancamente la sua fine: *Soffia, vento, soffia, vieni naufragio!*

Stamattina la donna dai capelli corti ha trovato fra le carte una lettera: Caro figlie ca sì luntane, nui ecch' faceme la fame, Pietr' mè, nun ce só mangh' i faciule ch' ce stevene gli anne passate e ce magnamo l'erva delle mundagne com' i crape... Non avevano neanche i quattrini per comprare il sale, le pecore erano morte di fame, continuava la lettera, quando la neve era salita fino alla finestra. Tu, figghiuzzu miu, comme sta' ca Turine sta accuscì grand' mangh' te riesche a immaginà. Sì propriu nu signorinu e a mmia me piacette assaie la fotografia ca me mannaste cu cappedduzzu e u gillè, te manne tante bbace, mammeta... Vergata con la mano incerta di uno scrivano semianalfabeta che si faceva pure pagare per mandare le lettere ai militari lontani. Da ultimo, in tempi di guerra, chiedeva compensi in natura: un uovo, un poco di pane, un sacchetto di lenticchie.

Nella busta una fotografia di Pietr' i pelus' dai baffetti insolenti, una giacchina lisa ma ben stretta in vita che mette in mostra il figurino da rubacuori, un basco da studente in testa, i pantaloni alle ginocchia, i calzettoni, le scarpe da passeggio, una cravatta tutta di traverso come se il vento gliela volesse strappare dal collo.

Zaira osserva la scrittrice mentre rovescia la fotografia per cercare la data. Ma questa volta non c'è. Devono essere gli anni che precedono la Prima guerra mondiale, forse il 1914. Zaira sorride notando l'attenzione della romanziera. Allora, c'è posto per lei e Colomba nel suo raccontare?

La donna dai capelli corti le chiede di questo nome strano, Colomba. Un nome inusuale. E Zaira le spiega che è stato voluto da Cignalitt'. Quando sua figlia Angelica si è sposata con Valdo il professore sessantottino e ha dato alla luce una vagliolella, proprio lei, Zà, aveva insistito per metterle il nome di Colomba. «Cignalitt' ci teneva tanto, aveva una venerazione per santa Colomba e pare le avesse promesso di mettere il suo nome alla figlia quando aveva ottenuto da lei la grazia di un voto. Ogni anno, buono o cattivo tempo, andava in pellegrinaggio dalla santa, che nel lontano 1110 abbandonò i palazzi della grande famiglia dei conti di Pagliara a cui apparteneva, per ritirarsi sui monti più alti. Si racconta che dormisse in una grotta sul Gran Sasso, nei pressi di Pretara e si nutrisse di erbe e di bacche. La gente andava a chiederle consigli, guarigioni, perché "capiva ogni cosa", era savia e profonda e sapeva "leggere nel cuore di chi le stava di fronte". Aveva guarito non so quanti storpi e ridato la vista a due ciechi, aveva addomesticato un lupo feroce e fatto uscire l'acqua da una roccia in tempo di siccità. Per questo il papa volle farla santa e ancora oggi è venerata soprattutto in Abruzzo.» Ma perché non l'ascolta?

I boschi delle montagne abruzzesi sono abitati da giganteschi faggi mostruosamente contorti e bitorzoluti. La donna dai capelli corti li osserva ammaliata. Si fanno casa di spiriti e di scoiattoli, si appoggiano a volte stancamente a grossi massi color grigio cielo, e da lì riprendono a lanciare verso l'alto i loro rami frastagliati, verdissimi.

L'uomo dalla faccia etrusca viene a trovarla una volta alla settimana. Ha gli occhi azzurri e i capelli ricci, bruni. Soffre di paure dolorose. Ha paura di tutto, anche dei sogni tempestosi che fa. Ma soprattutto ha paura degli avvelenamenti, delle malattie, del sangue che scorre, delle ferite. Per questo è così tenero coi fiori che interra delicatamente, come seppellisse un tesoro, lasciando che le foglie nuove crescano libere intorno a un gambo bene innaffiato e ripulito. Per questo lava e rilava i bicchieri sporchi. Per questo il suo cuore assomiglia all'interno della sua casa, in cui ogni mobile è pulito e sgombro di oggetti inutili, in cui i vestiti stanno chiusi negli armadi e mai ciondoloni abbandonati sulle sedie come succede da lei. Per questo le sue camicie sono stipate sulla mensola e sanno sempre di sapone. Per questo nel suo bagno il tubetto del dentifricio sbuca dal bicchiere di grosso vetro opaco come fosse un fiore e la boccetta dell'acqua di Colonia se ne rimane quieta e pulita accanto al sapone dal profumo di mughetto e al pettine candido che giace senza un capello attaccato ai denti, davanti al colluttorio di un bel colore malva.

«Non parliamo più d'amore... mi sa che ti sei stancata.»

«Di che?»

«Di noi.»

«Per me l'amore è anche questo: stare vicini senza dirsi niente.»

Impastano il pane del tempo. Stanno seduti sulle foglie cadute che hanno costruito un tappeto morbido dal profumo asprigno e gentile. Bisogna evitare i cardi che sbucano sbilenchi da ogni dove e le ortiche insidiose. Lo vede stendere la giacchetta impermeabile. Poi sdraiarsi e appoggiare la testa sopra il braccio piegato.

Eppure è proprio a lei che appartengono le parole. Ha una ipertrofica fiducia nei dialoghi. Ma ci sono dei momenti in cui le parole fanno cilecca, sembrano senza vita in un rapporto d'amore. Dice molto più quel braccio piegato morbidamente contro l'erba e l'arrivo inaspettato di una coccinella che va a posarsi proprio sul gomito nudo di lui. Gli occhi dell'uomo amato si voltano verso di lei e sorridono liquidi. Un asino raglia con voce dolente, lei allunga lo sguardo, ma non lo vede perché è nascosto dagli alberi. C'è qualcosa di straziante nel raglio prolungato di un asino. Lo strazio di stare al mondo? *Oh terribile dolore di essere uomini!* fa dire Marlowe a un suo personaggio. Anche l'asino, forse più dell'uomo, sembra conoscere questo dolore.

Un bacio è un bacio è un bacio è un bacio, niente di più ipnotico di una frase ripetuta tante volte, come sapeva bene la grande giocatrice del linguaggio che era Gertrude Stein. La donna dai capelli corti conosce il sapore della saliva di lui, ma ogni volta qualcosa di nuovo la sorprende: un pizzicore gentile, un fondo di menta amara, un respiro pietroso. L'amore fatto sotto gli alberi ha qualcosa di sacro. I due corpi diventano foglie tra le foglie, terra sulla terra. Non si accorgono nemmeno delle formiche e dei grilli che si arrampicano su per le gambe nude. Non si accorgono dell'insistente richiamo dell'upupa che stride nelle loro orecchie. Non si accorgono del sole che prende a ballare delicatamente sulla pelle nuda di lui mentre le scarpe sporche di fango pigiano contro la coltre di foglie, scivolano, cercano appiglio addosso a una pietra che, a furia di spinte, finirà rotoloni verso valle. L'odore sottile delle erbe appena nate, dei funghi, della corteccia di faggio, dei ciclamini che sbucano pallidi fra gli strati di foglie morte penetra nelle narici di lei assieme al sapore acerbo del sudore di lui. Una nuova vita può cominciare così, nella casualità di un abbraccio rapido e impaurito, le orecchie tese ad ascoltare un possibile rumore di passi, nell'intelligenza strategica di due corpi che si cercano per amore.

Zaira stamattina le ha lasciato sul tavolo una fotografia in bianco e nero davvero curiosa. Un carretto pieno all'inverosimile di mobili, tirato da un povero mulo dalle costole in rilievo. Alla guida un bambino che dimostra sì e no dieci anni, in pantaloncini corti e un cappello a larghe falde in testa. A terra, accanto al carro, tre donne vestite di nero. Eleganti, ben pettinate, con tanto di collana di vetro al collo. Eppure ai loro piedi ci sono, posati sul suolo, fagotti enormi chiusi con lacci improvvisati come se fino al momento di accogliere il fotografo, avessero faticato a caricare bagagli che racchiudono le povere cose rimaste illese da un disastro. Una delle donne tiene per mano una bambina in bianco, con un grande fiocco in testa. Un poco defilata, una madamina dal cappello a ruota, la gonna lunga, i riccioli sulla fronte. Le donne sorridono. Sotto c'è scritto a penna, con una grafia stentata: Touta. Terremoto 1915. A guardare bene, sul fondo sabbioso della foto si distinguono le macerie di una casa. Ma perché sorridono quelle donne? Zaira si è allontanata lasciandole quella curiosità.

«'Ntisi zeffelà accuscì com'a unu ca sciuscia supra u focu, frrr, frrrr, pecciò susii a cape e vitti lu tettu ca si movìa.»
La testimonianza della bisnonna Zaira è difficile da decifrare in quel miscuglio di siciliano e abruzzese che la distingueva, si giustifica Zaira, guardandola con un sorrisetto furbo. Sa che l'autrice si interessa alle questioni linguistiche e le pone il bocconcino bene in vista nella trappola. La donna dai capelli corti capisce che si tratta di un'esca ma ha voglia di abboccare. I trabocchetti linguistici sono pane per i

suoi denti. E anche se poi rimarrà inchiodata a quella sbarra, poco importa. «Vai avanti» dice al personaggio e Zà prosegue: «Sugnu 'mbriaca, me só ditte, sugnu 'mbriaca, ma quale 'mbriaca ca vinu nun aju bivutu da quattru jórne...».

La donna dai capelli corti trascrive diligentemente, ma poi si ferma dubbiosa: il lettore non capirà un accidente. Sarà giusto trascinarlo in una fatica linguistica che lo porterà a saltare d'un solo balzo la testimonianza di Zaira Morrione che in vita sua non ha mai imparato l'italiano e ha sempre mescolato lo spigoloso dialetto abruzzese con le cantilene siciliane?

Zà la guarda ironica. Non aveva detto che le piaceva quel miscuglio di siciliano e di abruzzese che caratterizzava la parlata della bisnonna Zaira Morrione Del Signore? La donna dai capelli corti allarga le braccia, arresa: si rischia il buio. E allora? Dobbiamo ricorrere al discorso indiretto e lasciare, come vestigia e testimoni di quell'antica parlata siculo-abruzzese solo qualche scorcio, qualche mozzicone. Non è così? Zà annuisce maliziosa come a dire: lo sapevo.

La bisnonna che allora era giovane, aveva sollevato il capo e aveva visto una sedia che correva verso la parete, «mò i spirti ch' fannu? s'arricriane mientre ca nui patiame?». Ma proprio in quel momento era cascato un pezzo di soffitto, bianco e pastoso, sbriciolandosi e sollevando una gran polvere che era schizzata tutta intorno alla stanza. «I tarramùt! Lu tirrimotu, Madonne mie, aiutaci!»

Con un balzo Zaira si precipita nella stanza del figlio, a casa per una visita, e lo tira per i piedi assieme alla coperta. «Che stai a fà? Che stai a fà?» Non capiva il ragazzo che dormiva profondamente. Ma Zaira riesce a tirarlo giù dal letto e lo trascina per un braccio fuori della stanza, giusto in tempo prima che anche lì caschi il soffitto. Le è bastato sollevare gli occhi per capire: la parete si sta riempiendo di crepe come saette in un cielo in tempesta. Intanto si accorge che accanto a lei Mosè non c'è: «Addó sta' Mosè, unni sìi?».

Mosè non poteva sentire perché in mezzo al pavimento si era aperto "nu pertuso granne accuscì" e lui era sprofondato là dentro. Ma loro non lo sapevano che lui era là sotto e lo cercavano intorno intorno. «Andiamo, ma', qui stanno cadendo tutte cose!»

Il tempo di dire una preghiera e la casa si torse su se stessa e precipitò in briciole dietro di loro seppellendo i mobili, il letto, la cucina e pure il pozzo nero con il suo carico, sollevando una gran polvere e un puzzo insopportabile. Fuori era tutto bianco che pareva nevicasse e invece erano pezzi di intonaco che frullavano per l'aria e loro furono colpiti sul capo, negli occhi, sulle spalle. Erano come i chicchi di grandine dei temporali di primavera. La strada davanti a loro si era aperta "come nu mellune".

Questa volta fu il figlio Pietr' che prese a tirare la madre verso il fiume, dove si dirigevano tutti quanti gridando e spingendosi. C'era chi chiamava un figlio, chi il nonno, chi la mamma scomparsa nella confusione. I cani abbaiavano contro tutti e le vacche chiuse dentro le stalle muggivano disperate. Molte case già bruciavano e il fumo prendeva alla gola. Zaira chiamava il marito, pensando che fosse in mezzo alla folla che correva. Mosè Salvato non rispondeva. Dove poteva essere finito? «Madonnuzza mia, Signuruzzu miu, fammele retruvà» mormorava Zaira fra le labbra tremanti. In quella vengono investiti da un getto d'acqua sporca che sgorga da sotto terra e si rovescia sulla gente come se volesse cacciarla da lì. Si misero a correre anche loro, Zaira e il figlio, incespicando nei rottami, avvolti in una nuvola di polvere e di fumo, lacrimando e tossendo.

Tutto questo era durato qualche minuto, poi era venuta la pace. La terra aveva smesso di tremare, mugghiare e scricchiolare. Le macerie fumavano tranquille, i fuochi più grandi erano stati spenti. Il cielo si era aperto e il sole stava spuntando pallido a illuminare le facce stravolte della gente. Molti tornarono alle case distrutte per cercare i familiari scomparsi. «Jamoncinne» dice Zaira al figlio, «jamoncinne a cercà a Mosè pàtrete.»

Tornarono verso le macerie della casa. La polvere era

ancora molto densa e non faceva respirare, ma Mosè doveva essere ritrovato. A quel punto «s'intise la cambana d'lla cchiesa e tutte se capirono che idda per lo meno, la chiesa, era salva». Questo fu un gran sollievo che non fosse crollata pure la chiesa e la gente si fece il segno della croce. «Jemmen' llòch!» gridavano «jamme allà...» Zaira non voleva muoversi dalle macerie della sua casa prima di avere trovato il marito, vivo o morto. Per questo tirava il figlio per il braccio e lo incitava a cercare. «S'è morto, oh mà, s'è morto!» diceva lui e sembrava tanto stanco che faticava a parlare. Zaira, come indovinando che il marito era ancora vivo sotto la casa, lo chiamava insistentemente: «Mosè, Mosè mariteme, addó sta'?». Ma non arrivavano risposte. Pietr' insisteva per andare alla chiesa dove si stavano radunando i superstiti e qualcuno aveva già messo sul fuoco del caffè. Zaira non ne voleva sapere. «Si vo' annà va', ie stengh' ecch', sto qua.» Ma il figlio non voleva lasciare sola la madre e così rimasero tutti e due chiamando e chiamando il nome di Mosè. Finché verso le undici sentirono una voce lontana che diceva: «Songh' ecch', Zà, accà». «Addó, addó?» «Cà, cà.» Non si capiva da dove venisse quella voce di fantasma. «Sutt' a cà, non pozz' escì!» diceva la voce sotterranea. E Zaira capì che il marito era prigioniero proprio sotto la casa crollata. E subito prese a scavare.

«Va' a piglià na zappa» ordinò al figlio ma lui la guardava esasperato: «Ma dove la piglio che non c'è rimasto manco un mattone intero?». Zaira, non sapendo che fare, tirò con tutta la forza rimasta un ferro che sporgeva da un pezzo di muro miracolosamente restato in piedi e cominciò a scavare. Intanto chiamava a sé il figlio perché la aiutasse «ca sul' nun ce la facc'». Il figlio, in preda a una specie di torpore, si era seduto su una pietra e fumava, fumava e si guardava intorno come un grande filosofo. «Mò che fa', dorme?» Zaira gli andò vicino e gli diede una gran spinta, tanto che la sigaretta gli volò per aria. E finalmente Pietr' sembrò svegliarsi. Afferrò il ferro che gli porgeva la madre e prese a scavare rabbiosamente fra le macerie. Ogni tanto si sentiva la voce di Mosè che pregava. «In prescie, in prescie, ca nun respire cchiù.» «Aspett' ca mò venem'» lo rassicurava Zaira.

Dopo tre ore di scavo, mentre il sole si faceva più caldo e caritatevole verso quella gente senza casa e senza focolare, finalmente videro sgusciare fuori la mano di Mosè che sembrava quella di un burattino di legno tanto era nera e rigida, con tutte le dita gonfie. «Oh ma', non ci arriveremo mai, tra un po' saremo tutti sepolti.» La stanchezza era tanta e a Pietr' sembrava di svenire. Ma Zaira non intendeva lasciar perdere. Anche se si avvertivano degli scricchiolii sinistri, dei boati sotterranei che non promettevano niente di buono, era intenzionata a salvare suo marito. Per fortuna il fuoco non li toccava, sebbene la casa vicina bruciasse ancora. Vide Ginett' C' puzzan' i baff' che andava barcollando mezzo accecato dalla polvere e dal fumo e lo tirò per una manica, «Vié ecch' Ginett', aiutace a scavà!». E Ginett' che aveva perso la madre e la moglie dentro la casa in fiamme, si mise a scavare in silenzio, senza protestare. Zaira vedeva che il pertuso si faceva sempre più grosso, sempre più grosso e ora, oltre alla mano si poteva scorgere tutto il braccio di Mosè, coperto di calcinacci e un pezzo della spalla sinistra.

Prima di mezzogiorno riuscirono a tirare fuori Mosè da sotto le travi contorte. Il braccio era spezzato e la mano diventava sempre più nera e gonfia, ma per il resto era sano. Quando uscì dal buco, tutto bianco di polvere, gli scavatori lo guardarono sbalorditi. Ai loro occhi era apparsa una statua di sale. «Nun sì Mosè salvat' dall'acque, sì Mosè salvat' dai polvere» gli disse Ginett' C' puzzan' i baff' e tutti si misero a ridere. Zaira non si era accorta di avere una ferita al piede che poi l'avrebbe tormentata per mesi: sanguinava e lasciava a ogni passo una impronta rossa, ma non sentiva niente. L'importante era avere ritrovato Mosè.

Il personaggio Zaira, detta Zà, continua le sue manovre di seduzione. La testimonianza che ha trascritto in bella grafia su un quadernetto con la copertina nera, rispettando le contrazioni e le distorsioni di un dialetto siciliano condizionato dall'abruzzese dopo anni di lontananza dall'isola, è di sua nonna Zaira Morrione, sopravvissuta al micidiale terremoto marsicano del 1915. Come resistere?

La donna dai capelli corti beve una tazza di tè riflettendo sui suoi personaggi: perché Sandra, la protagonista del romanzo lasciato a metà, ora la guarda ostile e lontana? perché non vuole ricominciare a raccontare? Eppure era venuta lei alla sua porta. Si era seduta sulla poltrona più comoda della casa, aveva bevuto il tè al gelsomino che profuma la tazza, senza latte e senza zucchero; aveva preteso che l'ascoltasse mentre raccontava la sua storia. Anche quella girava attorno all'idea di una scomparsa. Le domande erano seguite con naturalezza: perché tanti spariscono? dove se ne vanno? e se ne vanno veramente o qualcuno li costringe ad allontanarsi? Se è vero che migliaia di persone svaniscono ogni giorno senza lasciare tracce, e se soltanto una su tre viene ritrovata, cosa significherà per tutti la parola scomparire? Nascondersi o essere costretti ad ammucciarsi come dicono i siciliani?

Sandra è ossessionata dalla scomparsa di un suo giovanissimo amico ebreo con cui giocava da bambina e che è svanito, con la famiglia, prelevata dalle SS, nel lontano 1944. Oggi Sandra vuole sapere se è morto come le sembra probabile, ma se c'è una possibilità che sia vivo, vorrebbe ritrovarlo perché da bambina l'ha amato come non ha più amato e ogni tanto ancora lo sogna vicino a sé. C'è una possibilità su mille che quel bambino con cui si è confidata, con cui si è arrampicata sugli alberi, con cui è andata in cerca di girini dopo aver fatto il bagno nei fiumi, si sia salvato. Vorrebbe sapere se per un caso benigno si trovi fra i pochissimi sopravvissuti ai campi di concentramento.

Per saperlo prende un treno per Vienna e poi per Cracovia. Ma qualcosa la paralizza al suo arrivo ad Auschwitz. Troppo grande, troppo intenso, troppo lontano quel campo, anche se lei un campo l'ha vissuto, l'ha conosciuto, l'ha patito. Non le sarebbe difficile immaginarlo, ricostruirlo. Ma Sandra, una volta arrivata, una volta passata attraverso le porte della dannazione, una volta esaminate tutte le facce degli internati nelle fotografie appese lungo i corridoi, una volta osservate da vicino le valigie ammonticchiate e coperte di polvere coi nomi dei morti incollati sopra, le scarpe strappate ai piedi dei prigionieri, i capelli tagliati e accumulati in mezzo a una stanza vuota; una volta attraversati gli archi della disperazione, dell'orrore e del silenzio, non trova di meglio che sedersi su un sasso e rinunciare a qualsiasi parola, qualsiasi gesto.

Sandra è ancora lì che aspetta. E nessuno né niente riesce a smuoverla. Aspetta il suo piccolo innamorato perduto tanti anni fa. Sarà diventato un uomo? o sarà stato spedito nella camera a gas come tanti bambini della sua età in quegli anni orrendi e privi di pietà? Sandra non lo sa. E nemmeno l'autrice.

Bussano ancora alla porta, e non si tratta di Sandra. Aprendo uno spiraglio la donna dai capelli corti si accorge che chi vuole entrare a tutti i costi è sempre lei, Zaira. Di nuovo tu, ma che vuoi? E l'altra sorride imbarazzata. Vuole prendere posto e raccontare. Di sé, della sua famiglia, di Mosè Salvato Del Signore che da giovane aveva una bella testa ricciuta come una pecora e si strofinava i denti con il basilico per mantenere sempre un buon odore in bocca. Una sola volta aveva tradito la moglie e lo seppe tutto il paese.

Un racconto curioso, che ha saputo dopo tanti anni, da Maria Menica. In famiglia glielo avevano nascosto. Il giovane Mosè Salvato, dopo qualche anno che si era sposato con la giovanissima Zaira Morrione venuta dalla Sicilia col padre nel 1889, si era incapricciato della figlia di un pastore: una ragazzina di quindici anni che portava le pecore al pascolo. Andava a piedi nudi tanta era la povertà di quei tempi, un fazzoletto in testa per proteggersi dal sole e dall'acqua, la gonna lunga rattoppata mille volte che le saltellava intorno alle caviglie abbronzate. Era una ragazzina forastica e lui la incontrava ogni mattina andando agli stazzi, con un bastone in mano e un'aria così imbronciata, ma così imbronciata che gli veniva voglia di farle il solletico. Una mattina presto, trovandosela davanti, le aveva offerto un fico appena colto dall'albero. Lei lo guardava diffidente. Lui aveva insistito: «Putess' esse tu patre, nun te fà ombra!». Ma lei si scornava. E lui si era avvicinato piano piano, tendendo il fico maturo posato nel mezzo del palmo disteso, come si fa coi cani che hanno fame ma temono la mano dell'uomo.

Infine aveva afferrato al volo il fico e se l'era cacciato tutto in bocca. Allora lui aveva estratto dalla tasca un sacchetto di ceci zuccherati e glieli aveva offerti. Lei lo aveva guardato torva, sapendo che se avesse accettato, poi avrebbe dovuto pagarlo e, siccome non aveva soldi da dargli, avrebbe dovuto rendere in natura. Perciò teneva la bocca chiusa e l'aria diffidente. Ma Mosè era un bel giovanotto, coi riccioli castani sulla fronte, una bocca tornita e due braccia abbronzate da lavoratore, gli occhi azzurri limpidi. Lei lo guardava rabbiosa e poi fissava rapace quel sacchetto di ceci zuccherati che le facevano gola: non mangiava qualcosa di dolce da almeno un anno intero. Infine, in un impeto infantile, aveva allungato le dita. E dopo, come previsto, aveva dovuto rendere la gentilezza, secondo quel patto silenzioso che ognuno conosce, dandogli quello che voleva lui.

Ma in paese i segreti non si possono tenere e questo episodio, dopo avere fatto il giro delle comari e dei compari, era arrivato alle orecchie della moglie. E lei, senza pensarci un attimo, aveva afferrato il bastone per condurre le vacche al pascolo, si era precipitata dove sapeva che pascolavano le pecore di Nicola detto Can' sicch' e aveva assestato delle bastonate sulla schiena della figlia di lui. La ragazza non si era neppure difesa. Si era limitata ad arrotolarsi su se stessa cercando di evitare i colpi più duri. «Sì la figlia de Can' sicch' e sì na cana sicca pure tì e nun te po' marità ca Mosè t'ha 'nguaiata.»

La sera poi aveva rovesciato sulla testa del marito una pentola d'acqua bollente. Ma neanche lui aveva reagito. In cuor suo le dava ragione. Si era solo precipitato in cortile per immergersi nell'acqua fredda dell'abbeveratoio. Gli erano rimaste delle cicatrici sul collo e su una delle guance.

La figlia di Nicola Can' sicch' in effetti non aveva trovato marito. Nessuno in paese poteva sposarla senza rendersi ridicolo: si era data a Mosè per un sacchetto di ceci zuccherati. Dopo qualche anno di umiliazioni, era partita per Roma a fare la prostituta. Per lo meno guadagnava e viveva con un uomo che la proteggeva, anche se le portava via quasi tutti i soldi. Ogni tanto Zaira glielo rimproverava al marito: «La colpa è tutta la tè, se quela s'è 'nguaiata». E lui rispondeva che era «na cana sicca», e non c'era niente da fare.

L'immaginazione della donna dai capelli corti "ronza" intorno all'atto dello "sparire". Cos'è che la turba in questo processo di dileguamento senza motivi e senza parole? Una persona che c'è ma nello stesso tempo non c'è. Potrebbe essere ovunque, potrebbe distinguere tutto, capire tutto. Ma nessuno può vederla. È un corpo inesistente seppure esistente, come il *Lucus a non lucendo* dei latini. Un corpo attorno a cui frullano come moscerini le domande di chi è rimasto ad aspettare. È voluto andare via? o è stato costretto? trascinato? impedito? sarà vivo o morto? Domande terribili che sconvolgono le giornate, le notti di chi è restato ad attendere.

Scrivere della ragazza scomparsa sembra essere il suo prossimo destino. È diventata una sfida? Saprà rintracciare il seme dolce in mezzo a tutto l'amaro? saprà capire se la sparizione è soltanto una perdita? saprà affrontare attraverso la pratica della scrittura un tema dimesso e drammatico ma non nuovo come questo? Sono domande lunghe e dolenti che si attorcigliano come serpenti. Sono parecchi anni che nella sua immaginazione cova la parola arcana che indica l'eclisse di un corpo. Come quando è andata in Argentina per conoscere le madri della Plaza de Mayo ed è rimasta sconvolta dalle fotografie, migliaia di fotografie di desaparecidos, che le hanno mostrato. Della maggior parte di costoro si sa che sono morti, ma i loro corpi non sono mai stati trovati. A volte quei corpi quasi sempre giovani – i militari coltivavano l'ovvio sospetto che coloro che hanno imparato attraverso la pratica del dubbio e della ragione, coloro che sono per la libertà di critica e di giudizio, fossero soprattutto giovani e in gran parte frequentassero le università – davano vita ad altri corpi. Quanti figli sono nati nelle prigioni argentine mentre le madri venivano torturate, seviziate, durante il regime militare negli anni Settanta? Quei bambini sparivano anch'essi, ma non venivano uccisi, bensì assegnati alle coppie sterili di militari. Ancora oggi sono considerati desaparecidos, bambini svaniti nelle occhiute e segrete famiglie dei torturatori, dopo che era stato cambiato il nome e anche il cognome. Come ritrovarli? ed è lecito strapparli a quelli che considerano genitori naturali? è giusto dire una verità che sconvolgerà la loro vita futura?

Qualcuno di questi bambini ormai cresciuti, è stato rintracciato dopo ricerche difficili e costose. Ed è stato straziante raccontargli che il padre che avevano imparato ad amare non era il vero padre bensì colui che aveva torturato e messo a morte il genitore. Terribile dovere rivelare che la madre che lo aveva nutrito, accarezzato, imboccato, pulito e abbracciato in tanti anni, non era la vera madre ma la complice silenziosa di quel generale, di quel tenente, di quel capitano aguzzino e torturatore. Quegli assassini fra l'altro sono tutti ancora lì, nelle loro belle case, circondati dai loro cari. Nessuno è riuscito a fare loro un processo, a metterli in galera.

Zaira ricomincia cocciutamente ogni volta da capo, dal pastore Mosè Salvato Del Signore e da Zaira la siciliana che credeva nella legge del dente per dente, come è scritto nella *Bibbia*. Per questo aveva picchiato la piccola figlia di Can' sicch'. Ma poi aveva provato pietà per quella ragazza rovinata.

Dopo quasi un anno dal fatto, aveva deciso di «annà 'n città» e aveva preso un autobus che dopo cinque ore di curve e saliscendi l'aveva lasciata nel mezzo della capitale: Roma. Teneva l'indirizzo bene in mente perché era analfabeta e non sapeva leggere. Aveva girato per ore chiedendo di una strada che nessuno sembrava conoscere, dalle parti di Ponte Sant'Angelo. Infine, verso sera l'aveva trovata la figlia di Can' sicch' in un appartamentino sudicio e malmesso. Era tutta elegante e pettinata alla moda e stava uscendo per andare in strada. «Come te sì ffatte bbone!» le aveva detto e poi, senza tanti preamboli, le aveva chiesto se avesse bisogno di soldi. Ma quella aveva alzato le spalle guardandola storta. «Quatrine nun me manghe.» E aveva fatto per scansarla. Proprio allora si era sentito il pianto di un bambino e la ragazza era tornata indietro, aveva scostato una tenda e aveva preso in braccio un vagliolello di pochi mesi. A quel gesto qualcosa si era sciolto fra di loro. Zaira aveva posato la borsa in terra e si era proposta di tenere il bambino mentre l'altra andava a «lavurà». E la ragazza aveva acconsentito. La sera, quando la giovane mamma era rientrata, Zaira le aveva fatto trovare la tavola apparecchiata. Aveva cucinato la pasta con gli orapi, le patate maritate, e una insalata di cavolo bianco.

Le due donne avevano mangiato insieme allegramente. La ragazza le aveva confessato che per lavorare aveva preso il nome di Enza. La chiamavano 'Nzina di Touta. Aveva avuto la gran fortuna, secondo lei, di trovare un bravo giovane, un certo Sergio, che era pure lui di Touta e la trattava bene, nel senso che non la costringeva a uscire anche di notte, ma solo nel pomeriggio, le permetteva di tenere il figlio con sé, non la picchiava, le lasciava un buon quinto del denaro che guadagnava. Zaira aveva stretto fra le mani la fotografia di questo Sergio che 'Nzina conservava sul comò: era un giovanotto dai folti basettoni e gli occhi sbrilluccicanti. «A cu è figghiu?» aveva chiesto. Ma lei non l'aveva voluto rivelare. E Zaira dovette ammettere che non le ricordava nessuna faccia nota di Touta. Ma era vero che molti giovani partivano per le città lontane quando erano ragazzini e non tornavano nemmeno quando si arricchivano.

Le due donne avevano finito per fare amicizia e ogni tanto Zaira riempiva una sporta di lenticchie, patate, orapi che raccoglieva d'estate sul monte Marsicano e le portava a 'Nzina che cresceva il figlio da sola, nonostante questo Sergio che la proteggeva ma non voleva impicci e responsabilità.

E che è successo di Enza? chiede la donna dai capelli corti a Zà. Ma lei risponde che non lo sa. Si è persa nelle nebbie di una città tanto grande che basta cambiare quartiere per non vedersi mai più. Le pareva di avere sentito che il figlio, da grande, era diventato carabiniere, aveva preso in casa la madre e se la coccolava come fosse una figlia.

«In Italia scompaiono ogni giorno decine di persone e solo una parte di queste vengono ritrovate» dice il suo compagno, «ma non mi sembra un argomento particolarmente interessante.»

«A me invece mi inquieta, mi incuriosisce, mi fa venire voglia di saperne di più.»

«Sono persone che non ne possono più delle loro famiglie, te lo dico io, dei loro legami e se ne vanno volontariamente. Perché non lasciarle in pace?»

«Alcuni sì, come Mattia Pascal, ma altri no, altri vengono rapiti, uccisi, trascinati dove non vogliono, costretti a fare cose che non appartengono alla loro natura.»

«Lascia perdere, Cina. Chi sparisce non vuole essere trovato, punto e basta.»

«Forse qualcuno non vuole essere trovato, ma altri sì, vogliono, addirittura pretendono di essere scovati, anche se morti, se non altro per fare sapere come sono morti.»

«La signora delle cause perse! Questa storia di Colomba mi sembra improbabile. Secondo me se n'è andata in città, vive benissimo da qualche parte e non vuole essere scocciata.»

Il suo compagno che sta invecchiando accanto a lei, ha gli occhi di un bambino infelice. È sempre sincero, di una sincerità faticosa per un uomo timido e impaurito. Ma non riesce, proprio non riesce a mentire. E lei lo ama per quella capacità di essere candido come Monsieur Candide sceso dalla luna a imparare il mondo, e nello stesso tempo pratico come un meccanico abituato ad aggiustare spinterogeni e candele.

Sui giornali appaiono le immagini sfocate di uomini e donne, ragazzi e ragazze che sorridono da una fotografia casalinga. Dove sei, bambino mio, moglie mia, sorella, madre, padre, fratello? dove sei andato e perché? dimmi una parola, una sola, dimmi che sei vivo, mi basta, ma non mi lasciare nel dubbio, ti prego, ti prego! La risposta però non arriva. Il silenzio è pieno di echi sinistri, tracce di richiami falliti, di grida soffocate, di segnali di fumo che il vento ha disperso.

È un mistero che la stordisce! Non da ora, sono anni e anni, da quando era ragazzina e andava a cercare sui giornali i casi di persone che improvvisamente non davano più notizie di sé. Era quell'esile confine fra la morte e la vita che la allarmava. L'orizzonte misterioso che divide il sonno dal coma. Non è una piccola morte anche il sonno ristoratore, in una notte che non conosci, fra lenzuola che ti pesano, il corpo abbandonato e non più tuo, i pensieri inconsapevoli e l'estraneità che diventa saliva, lacrima involontaria?

Chi era Colomba? Se lo chiede la polizia. Se lo chiede il giornale locale, l'*Eco della Marsica*, commentando la scomparsa della giovane ragazza: Colomba Mitta lavorava da pochi mesi all'ufficio delle Poste del comune di Touta. Ventidue anni, alta, magra, castana, è uscita di casa in fretta, la mattina alle otto senza sorbire il caffè che aveva preparato. Non ha indossato il giacchino impermeabile, anche se dove abita lei, a mille e trecento metri, perfino in giugno fa freddo, ma si è allontanata con solo un K-way leggerissimo allacciato alla vita. Il termometro quella mattina segnava sei gradi. La ragazza ha inforcato la bicicletta, marca Bianchi, tipo mountain bike, e si è avviata verso l'ufficio ma in ufficio non è mai arrivata. Dove si dirigeva con tanta fretta la bella Colomba? Accludiamo la fotografia per chiunque avesse qualche notizia da dare su di lei. La nonna che sembra la madre per il suo aspetto giovanile, signora Zaira Bigoncia, è venuta alla nostra redazione supplicandoci di aiutarla a rintracciare la nipote, ma noi non siamo la polizia. Le abbiamo fatto qualche domanda.

«Colomba aveva un fidanzato?»

«No, che io sappia.»

«Colomba aveva delle amiche?»

«Non molte, era un tipo riservato e silenzioso. Non amava il chiasso. Le piaceva passeggiare nei boschi, da sola.»

«E che faceva nei boschi da sola?»

«Cercava funghi. Ha una vera passione per i funghi, li conosce bene. Glielo ha insegnato il padre. Li coglie e li vende al mercato per arrotondare il suo stipendio che non è certo alto.»

«Lei ne parla al presente come se sapesse che è viva. Non pensa che possa essere morta?»

«Io penso che sia viva.»

«Che lei sappia, aveva avuto dei brutti incontri recentemente?»

«Non mi ha detto niente.»

«Ci racconti una sua giornata tipo.»

«La mattina si alza alle sette. Si lava, si veste, si prepara un caffè con dei biscotti e poi esce. Prende la bicicletta che tiene nel fienile e va alle Poste. Anche la mattina del 2 giugno ha inforcato la bicicletta ma non si è più vista.»

«La madre e il padre di Colomba dove sono?»

«Il padre, Valdo Mitta, professore di liceo, è esule in Francia.»

«Un terrorista?»

«Ma no, aveva solo ospitato in casa degli amici che facevano politica; in realtà non amava l'Italia. Tutti i suoi amici erano a Parigi, perciò se n'è andato.»

«E ora dove abita?»

«Sempre in Francia, a Lione mi pare. Si è risposato, ha due figli.»

«E di che vive?»

«Fa lo scultore, guadagna pure bene, ma non è più torna-to in Italia. Ogni tanto manda una cartolina alla figlia, è tutto.»

«E lo sa che la figlia è scomparsa?»

«Sì, lo sa. Gli ho spedito un telegramma. Lui ha telefo-nato due volte ma poi non si è fatto più sentire. Anche lui pensa che sia morta.»

«E la madre?»

«Mia figlia Angelica è morta in un incidente nel '95.»

«Ci può descrivere un poco il carattere di Colomba?»

«Una ragazza solitaria, poco portata alla chiacchiera. Le piace il suo lavoro, è contenta di avere vinto il concorso alle Poste, pensi che erano più di ottanta e hanno scelto lei. È giudiziosa, calma. Lavora tanto, a volte mi telefona: nonna, non torno a cena, faccio straordinari fino alle nove. Alle no-ve e cinque arriva. Mi suona il campanellino della bicicletta dall'angolo della strada perché scaldi il piatto.»

Il giornale termina l'intervista con un invito ai lettori: Chiunque abbia notizie di Colomba Mitta, detta 'Mbina, di cui pubblichiamo la fotografia, si faccia vivo alla redazione del nostro giornale.

Nei giorni seguenti arriva all'*Eco della Marsica* una va-langa di segnalazioni. La polizia, che è in rapporti stretti con la redazione del giornale, segue le varie piste, ma alla fine ri-sultano tutte inconcludenti. Qualcuno dice di avere visto 'Mbina in una stazione balneare, a ottanta chilometri di di-stanza, sulla costa Adriatica. Altri sostengono di averla rico-nosciuta mentre mangiava in un ristorante sul passo del Lu-po a Gioia Vecchio, con un uomo più anziano di lei. Ma né alla stazione balneare né al ristorante di Gioia Vecchio ricor-dano di averla notata.

Infine, dopo tre settimane di ricerche, una mattina un pastore rintraccia la bicicletta di Colomba gettata in mezzo ai rovi, in località Poggio del Bove. Il mezzo viene analizzato dalla scientifica, ma si trova un solo tipo di impronte, presu-mibilmente appartenenti alla proprietaria del veicolo. La bi-cicletta non pare ammaccata né la sua vernice scorticata. In-somma è in perfette condizioni. Dal punto in cui è stata recuperata, parte uno stradino tutto sassi che porta verso i boschi dell'Ermellina, in località Marsicana.

Il giornale torna ogni tanto sul caso non risolto. Sotto grossi titoli in neretto FORSE SVELATO IL MISTERO DELLA SCOMPARSA DI COLOMBA MITTA, riferisce di strane profezie e segni divinatori che porterebbero al ritrovamento del corpo, vivo o morto, di Colomba Mitta.

Un giorno Zaira è andata a trovare una giovane donna grassa e malvestita che sosteneva di avere visto Colomba vicino a un allevamento di trote nel pescarese.

«Come fa a esserne sicura?»

«Io non sbaglio mai. Ho visto la foto e dopo ho visto lei. Era proprio la stessa.»

«Com'era vestita?»

«Di bianco, con una sciarpa color cielo.»

«Manco fosse la Madonna!»

«Aveva i capelli neri lunghi e le unghie tinte di viola.»

«Ma Colomba aveva i capelli castani, sul rosso!»

«Se li sarà tinti.»

«E poi non si laccava le unghie.»

«Signora, se non mi crede, se ne vada pure, io le ho detto la verità e non sbaglio mai.»

«Come fa a essere così sicura che fosse lei?»

«Glielo confesso: sono un poco veggente. Quando l'ho vista, ho sentito un pulsare più veloce del cuore. Se vuole che le riveli anche dove si trova, glielo posso dire, mi basta una bacinella d'acqua e un poco di olio. Ce li ha cinquanta euro?»

Finiva sempre con una richiesta di soldi e Zaira, per pietà, dava loro qualcosa. Ma dalla gioia con cui si accontentavano di un decimo di quello che chiedevano, capiva che erano solo dei millantatori.

Le segnalazioni, col tempo, si sono ridotte fino quasi a cessare del tutto. La stessa polizia, dopo avere setacciato i boschi dell'Ermellina e scandagliato il fondo del fiume Sangro, abbandona le indagini. Il caso è archiviato.

Una cinciallegra ha fatto il nido tra la finestra e la persiana della camera dove la donna dai capelli corti scrive. Si sono accampati mentre era in città e quando ha aperto gli sportelli, dopo mesi di assenza, la cinciallegra madre è volata via terrorizzata lasciando i piccoli affamati. Ha richiuso gli scuri cercando di non disturbare quella nidiata, ma la madre non sembrava volere tornare a nutrire i suoi piccoli. Intanto le cinque minuscole creature urlavano di fame dalla mattina alla sera. Così aveva preso a nutrirli con delle mollichelle di carne intrise d'acqua, dei brandelli di frutta infilzati in uno stecchino. Era una gioia vedere come ingollavano il cibo quei neonati piccolissimi, incuranti che non fosse il becco della madre ma le mani un poco incerte e goffe di una persona tanto più grande di loro. Dopo una decina di giorni la cinciallegra madre, comprendendo che nessuno voleva farle del male, che i suoi piccoli stavano crescendo sani, aveva preso ad accostarsi alla finestra portando nel becco minuscoli grilletti. Ma non osando fermarsi a lungo sul davanzale per imboccare le sue creature, li posava accanto ai piccoli e ripartiva facendo delle acrobazie davvero sorprendenti. La donna dai capelli corti rimaneva a guardarla per lunghi minuti incantata. Come si reggeva ferma in aria facendo frullare velocissimamente le ali, e come, quando non ne poteva più, si gettava a testa in giù, e sembrava dovere andare a sbattere sul suolo mentre all'ultimo momento si rovesciava e riprendeva a volare più veloce di una freccia.

Sono passati mesi. La gente ha quasi dimenticato la scomparsa di Colomba Mitta. Se non fosse per Zaira Bigoncia, che ogni tanto piomba in redazione, pretende e ottiene che si torni a parlare della nipote, nessuno se ne occuperebbe più.

"Il cadavere di Colomba Mitta non è mai stato trovato" scrive stancamente l'*Eco della Marsica*, "la polizia ha attuato tutte le ricerche possibili e immaginabili senza nessun risultato. Eppure la signora Zaira Bigoncia ritiene di avere delle buone ragioni per pensarla ancora viva. Se qualcuno avesse notizie precise e circostanziate della ragazza scomparsa – escludiamo in partenza i perditempo – preghiamo di rivolgersi a codesta redazione, in via Garibaldi 13, Pescara."

Qualche giornalista pettegolo la prende pure in giro: "Ogni mattina la signora Zaira, che pure non è una ragazzina, si infila gli scarponi da montagna, inforca la bicicletta della nipote e si inerpica su per i sentieri sassosi. Bisogna vedere come pedala, roba da fare invidia al più esperto dei ciclisti! Si può dire che ha setacciato tutte le montagne dei dintorni. Ma la nipote non è stata trovata".

Zaira è diventata una specie di tormentone nei paesi intorno dove si sono abituati a vederla arrivare con la bicicletta bianca e blu, gli scarponi da montagna, il berretto da ciclista, i guantoni e la giacca imbottita d'inverno, la casacca cinese e la coda di cavallo d'estate. «Qualche notizia di Colomba?» C'è chi prova pena per lei e le offre da bere al bar, facendosi raccontare per l'ennesima volta la storia della tazzina di caffè ancora piena, del piattino posato sopra, della bicicletta lasciata all'inizio della straducola che porta nei boschi dell'Ermellina. La chiamano "e pazzarelle" perché ancora è convinta che la nipote sia viva. Zaira non si fa pregare. Per lei è un modo di tenere desta l'attenzione sulla scomparsa della nipote.

«Sono stata a Monteacido. Ho incontrato le suore del convento di Maria Addolorata. Mi hanno offerto la panna montata e degli sgonfiotti al burro. Sono molto gentili. Hanno detto che pregheranno per me!»

Una giornalista del *Messaggero* che le è capitata in casa senza annunciarsi, le chiede della madre di Colomba.

«Che età aveva la bambina quando la madre ha avuto l'incidente?»

«Quindici. È andata a sbattere con la macchina. Siamo rimaste in due, Colomba e io.»

«E il padre?»

«Valdo? non sta in Italia. Ho saputo che ha fatto un figlio, anzi due figli, ma sono cose sentite, lui non ha mai detto niente, nemmeno una parola. Per Natale spedisce dei soldi e una cartolina alla figlia. È tutto.»

«Finiranno per trovarla, glielo auguro» dice la giornalista che ha un animo gentile, ma Zaira sa che pensa il contrario. Lo vede dalla faccia di lei che prende l'aria mesta e solerte di chi va a trovare un moribondo e cerca di consolare i parenti, sapendo benissimo che non c'è più niente da fare.

«Racconta, ma'.»

La giovane madre ha smesso di parlare e ha gli occhi fissi nel vuoto. Si chiede perché le favole si svolgano quasi sempre nei boschi. «Nei boschi non si è mai soli» ripete e sembra proprio vero: entrando in quell'intrico di alberi, si considera una fatalità l'incontro con un animale o una persona, non si sa, qualcosa ci sorprenderà, ci pizzicherà il cuore, o ci riempirà l'anima di un liquido nero e misterioso. Il bosco è una città, con i suoi milioni di abitanti, che però sono invisibili e sotterranei. Perciò ci inquieta.

Gli alberi poi non sono mai veramente quello che pensiamo che siano, con un nome e una referenza botanica. Gli alberi sono spesso anche altro, come dicono le leggende. Possono avere avuto una storia umana ed essere nati da una maledizione o da un desiderio di salvamento. Gli alberi hanno radici che si inoltrano nel terreno della memoria e sono dotati di un pensiero leggero e puntuto che non coincide col nostro, ma possiede una sua maestosa potenza.

La figlia, che indovina le divagazioni della madre, le chiede di raccontarle una storia di trasformazione, da uomini ad alberi e viceversa. Le metamorfosi le mettono l'acquolina in bocca.

«Racconta, ma'.»

«Credevo che dormissi.»

Come addormentarsi nel silenzio della stanza? Solo dentro quella voce, dentro quel morbido nido sonoro prenderà sonno la bambina. Ma per svegliarsi poco dopo e chiedere ancora parole, ancora racconti.

«Per il matrimonio di Era con Zeus, Gaia, la dea della Terra aveva offerto loro come regalo di nozze un albero che faceva i pomi d'oro. Era l'aveva fatto piantare nel giardino degli dèi, vicino al monte Atlante, dove faceva bella mostra di sé. Ma molti guardavano con ingordigia quell'albero dalle mele d'oro e più di una volta, appena si ingrossavano, venivano rubate. Allora Era mise a sorvegliare l'albero prezioso tre Ninfe della sera, le Esperidi che si chiamavano Egle, Egizia e Aretusa e per il giorno un drago dalle sette teste. Per molti anni le cose andarono bene, non ci furono più furti, perché di giorno il drago dalle sette teste girava con le bocche aperte intorno all'albero spaventando i possibili ladri, e di notte le Esperidi fluttuavano per il giardino suscitando tali venti glaciali che nessuno osava avvicinarsi. Dopo molti anni, un giorno successe che Eracle si trovò a passare di lì, vide quei pomi che luccicavano sui rami e li trovò così belli, così desiderabili che decise di impossessarsene. Gli dissero che un drago sorvegliava di giorno l'albero miracoloso e le Esperidi di notte soffiavano venti glaciali. Ma Eracle voleva quei pomi e giocò di astuzia: entrò di notte nel giardino e raccontando una bella favola, addormentò le Esperidi. Poi quando venne l'alba, con addosso i loro veli finse di scherzare col drago, cercando di allontanarlo dall'albero. Ma poiché quello non si muoveva, con la spada che aveva al fianco tagliò a una a una le sette teste. Quindi strappò le mele lustre dall'albero e se le portò a casa.

«Quando le Esperidi si svegliarono la mattina dopo e videro il drago morto e i pomi d'oro spariti, temettero il castigo di Zeus, che puntualmente arrivò e le trasformò, per la loro disattenzione, in tre alberi: un olmo, un pioppo e un salice. Si dice che sotto quegli alberi gli Argonauti si riposassero dopo le loro grandi imprese, poiché da quelle fronde spira un venticello fresco e carezzevole. Il drago dalle sette teste invece, poiché aveva resistito a Eracle ed era morto combattendo coraggiosamente, fu trasportato in cielo dove venne trasformato nella bellissima costellazione del Serpente.»

Una mattina, mentre Zaira pedala sulla statale, un ragazzo la ferma alzando una mano pallida e ossuta. «Io so qualcosa di 'Mbina» dice a mezza bocca senza guardarla.

Zaira frena bruscamente rischiando di andare per terra; scende dalla bicicletta. Lo guarda incredula. L'altro si allontana lentamente. Lei lo segue.

«Cosa sa?»

«Se viene al Rombo domani alle sei del pomeriggio, glielo dico.»

Zaira lo osserva mentre si allontana: il ragazzo tiene la testa curva fra le spalle come se avesse paura di essere preso per la collottola. Le gambe, dentro i pantaloni sbattuti dal vento, si disegnano magrissime e incerte. In testa i capelli gli fanno una cresta lucida con tante punte azzurre. Qualcosa è cambiato fra i ragazzi della sua cittadina, si dice Zaira pensosa. Quelli dell'età di sua figlia Angelica erano più inquieti, più autonomi, ma non facevano continuamente la commedia. I coetanei di Colomba, non tutti, ma molti, animati da una inquietudine cupa, hanno un gran senso della teatralità, fanno del loro corpo un palcoscenico, dei loro gesti una pantomima. Cercano elogi e battimani. Non si interessano della stima, hanno bisogno di un consenso immediato e plateale. Amano stupire e truccare: truccare la realtà, truccare i sensi, truccare il proprio corpo, truccare la memoria. Sono impagabili nel loro sconcertante istrionismo. Questo, pensa Zaira osservando quel bel ragazzo così portato ai travestimenti e alle mascherate.

Zaira non è mai entrata al Rombo, sebbene ci passi davanti frequentemente. È a due passi dal salumiere Vito Pacere e dall'orologiaio Gesuino Tolle che conosce da una vita. Si trova sulla strada per la casa di Bernardin' i baffitt', il proprietario del cinema. Le porte del caffè sono di legno, a molla e si aprono come quelle dei saloon che si vedono nei film western. Dentro è buio e c'è puzza di fumo. Nella sala scura, illuminata da mozziconi di candele, stanno seduti dei giovani a bere birra. L'altoparlante trasmette in continuazione musiche americane: dal folk agli spiritual, dal rock al punk duro. Sono i dischi che ascoltava anche 'Mbina qualche volta, chiusa nella sua stanza. Frugando tra le cose Zaira ne ha trovati tanti. Li ha anche ascoltati, seduta sul letto della nipote, sperando che le note o le parole di quelle canzoni potessero dirle qualcosa di più sulla sua scomparsa.

Per non continuare ad aggirarsi nel buio della sala, Zaira prende posto su una sedia di plastica color vinaccia, davanti a un tavolino di finto marmo. Si guarda intorno. Alcuni di quei ragazzi li conosce: sono nati in paese. C'è il figlio del falegname che ha fama di dongiovanni, viene chiamato in paese Scipp'femm', che sta per sciupafemmine e pare abbia ingravidato pure una donna sposata nel paese di Montefreddo. Tutti lo sanno, salvo il marito di lei. C'è il figlio di Maria Menica, l'ostetrica, detta Saponett' perché ha la mania di pulire casa e gettare secchi d'acqua saponata sulla strada. Il figlio pure viene chiamato Saponett'. La povera Menica, pur avendo fatto partorire tante donne del paese, anche tre, quattro volte ciascuna, non è riuscita a mettere al mondo che un solo figlio e per giunta mezzo scemo: a trent'anni non ha ancora trovato un lavoro fisso; ora fa il barista, ora l'aiuto macellaio, ora l'elettricista senza sapere niente di elettricità, non riesce a trovare una ragazza, fa sempre tardi la notte e quando rientra a casa si porta dietro tutti i cani senza padrone del paese.

Un cameriere dai capelli a treccioline le si avvicina chiedendole cosa desidera ordinare. Zaira, che si sente fuori posto e nell'oscurità non distingue se si tratti di Saponett' o di Scipp'femm', cerca di darsi un contegno, ma di fronte a quella faccia sardonica non sa che rispondere. Cosa può bere una donna avanti negli anni in un bar per ragazzi? Se chiede un bicchiere d'acqua la prenderanno per tirchia. Se chiede un latte con menta le rideranno dietro oppure le diranno che non vendono latte in un posto come quello. Forse la sola cosa dignitosa è ordinare un caffè, si dice Zaira, per quanto non abbia una gran voglia di caffè.

Il cameriere, sulla cui faccia all'ombra spicca un pallino scintillante incastrato nella narice destra, si allontana sorridendo. Certamente si sta chiedendo cosa fa una come lei in quel bar per soli giovani. Le sembra perfino che sia andato ad alzare il volume della musica, come per farle capire quanto sia fuori posto. Forse è il figlio di Carmela la giornalaia, riflette Zaira osservandolo da lontano. Le sembra di sì, ma in quel buio non ne è sicura. Forse invece è il figlio più piccolo di Tiburzio il calzolaio, Scarpune.

Passano i minuti. Il caffè caldo è stato bevuto, ma del ragazzo che l'ha interpellata per strada non c'è traccia. Perché allora darle appuntamento a quell'ora in quel posto buio e fumoso? Zaira fa per andarsene ma poi ripensa alla faccia pallida ed enigmatica della sua 'Mbina scomparsa e decide di aspettare ancora. Riflettendoci le viene in mente che negli ultimi tempi qualcosa in sua nipote era cambiata. Come aveva fatto a non accorgersene? Solo ora si rende conto, a posteriori, che i silenzi di 'Mbina si erano fatti più acerbi e dilaganti, che a volte restava ferma a fissare il vuoto, quasi dormisse a occhi aperti. Questo farebbe pensare che la sparizione non è stata provocata da un incidente, bensì da qualcosa che andava maturando in quella testa di ragazza bella e taciturna. Ma cosa?

Cercando di rammentare i gesti di Colomba prima della scomparsa, le viene in mente l'abitudine che aveva di portarsi un pugno chiuso alla tempia come se fosse trafitta da un improvviso dolore al capo.

«Cosa posso ordinare per lei?» Una voce gentile le entra improvvisa nell'orecchio e lei si scuote dai pensieri profondi, sollevando la testa verso il giovane che sembra sbucato dal nulla, amabile e insinuante.

I capelli con le punte rivolte verso l'alto hanno cambiato colore, oggi sono di un rosso carota. Quando gli dà la mano, si accorge che porta un anello d'oro al lobo dell'orecchio destro.

«Io prendo un bianco secco. E lei?»

Zaira fa per chiamare il cameriere ma se lo trova di fianco, in piedi, avverte un forte odore di mandorle amare.

«Un bianco secco per me e un caffè per la signora» dice il ragazzo con aria disinvolta.

Il cameriere si china, mettendogli quasi il naso in bocca e domanda: «Che?».

«Un caffè e un bianco secco» ripete lui solenne. Che sia sordo il ragazzo? si chiede Zaira osservando la forma perfetta del naso ingentilito da quel tondino di luce. Ha letto che, passando molte ore in un ambiente chiuso con la musica a tutto volume, si perde gran parte dell'udito. Sollevando lo sguardo si accorge che i due si fanno dei segni, come fossero d'accordo.

«Che mi doveva dire su Colomba?» chiede lei appena il cameriere si è allontanato.

«La conoscevo.»

«Tanti la conoscevano qui in paese. Per lo meno sa dirmi se sia ancora viva?»

«Non so niente. Ma posso dirle che Colomba non era come lei credeva.»

«Sono venuta per sapere qualcosa della sua scomparsa, non del suo carattere.»

«Ma forse è scomparsa per via delle cose che lei non sa.»

«E quali sarebbero?»

«So poco, ma posso dirle che Colomba...»

«Colomba che?»

«Colomba nei boschi...»

«Colomba nei boschi prendeva funghi.»

«Funghi sì, lo so, ma c'è dell'altro.»

«Se sai qualcosa, dimmela.» Il passaggio al tu le è venuto spontaneo. In mezzo alla tempesta di pensieri c'è una domanda insistente: ma di chi è figlio questo ragazzo dalla faccia mesta e arrogante? Bene o male li conosce tutti i giovani del paese. Da quale famiglia è sortito e cosa fa?

«Non so niente» dice lui ma con l'aria di saperla lunga.

Intanto Scarpune – ora è sicura che sia lui perché ha sentito Saponett' chiamarlo così – porta il vino bianco e una vaschetta di patatine fritte che puzzano di stantio.

«Puoi dirmi come ti chiami?» chiede al ragazzo seduto davanti.

«Sal.»

«Da Salvo?»

«No, Sal e basta.» E ride sgangheratamente.

«Ma che nome è? non l'ho mai sentito dalle nostre parti.»

«È il mio nome, ti deve bastare» dice con tono perentorio.

Zaira osserva quella bocca tornita, bellissima, a cui mancano però due denti di lato. Esamina le mani del ragazzo che sono lunghe e delicate, con le nocche leggermente arrossate. Quelle mani diafane ed eleganti, quasi femminili, si immergono con brutalità nella vaschetta, sbriciolano alcuni riccioli di patatine fritte portandole alla bocca con noncuranza. Quindi, con le dita unte, solleva il bicchiere alle labbra e manda giù in pochi sorsi il bianco secco. Subito dopo fa cenno a Scarpune di portargli un altro bianco.

«Se non hai altro da dirmi, me ne vado.» Zaira cerca di mantenere un'aria dignitosa, ma si sente tremare. L'istinto le dice che questo ragazzo sa qualcosa che le porterà dolore.

«Se vuoi sapere di più, qui ci vogliono un altro po' di bianchi secchi» ride lui come se avesse detto la cosa più comica del mondo.

«Un altro bicchiere? Be', certo, pago io, ordini pure.»

«No, qualche cassa di bottiglie.»

«Come qualche cassa?»

«Mille euro, vanno bene?»

«Due milioni di lire?»

Intanto è tornato Scarpune con l'altro bicchiere di bianco e una seconda vaschetta di patatine fritte. Il ragazzo che dice di chiamarsi Sal si alza, e senza dire una parola si dirige verso la porta. Lei fa per richiamarlo ma quello è già uscito, facendo sventagliare le due porte che continuano per forza di inerzia ad andare una verso l'interno e l'altra verso l'esterno, con una serie di sbuffi e tonfi sordi.

Zaira si alza, paga ed esce. Giusto in tempo per vederlo svoltare l'angolo della strada facendo un gesto con le dita verso di lei. Due dita alzate, come a ribadire i due milioni necessari per l'informazione. O i soldi o niente.

C'è qualcosa di inconoscibile e insidioso nei boschi, osserva la donna dai capelli corti, sollevando gli occhi dal computer alla finestra che inquadra una fitta selva di faggi centenari. Non a caso le favole spesso conducono l'immaginario viaggiatore a perdersi in mezzo agli alberi, lì dove sono più folti. Quante volte da bambina ha ascoltato con sgomento la storia di un viandante che viene raggiunto dal buio in mezzo a un bosco e cammina fra gli alberi, sperduto, sempre più nervoso e inquieto. Gli scricchiolii si fanno frequenti e sinistri, passi lenti prendono a seguirlo, prima lontani e poi sempre più vicini, proprio dietro alle spalle, ogni ramo sembra un braccio teso a ghermirlo. Il giovane cammina cammina, sempre più affannato, più spaventato. Finché, di lontano, oltre una cortina di piante, al di là di un piccolo prato, proprio all'ingresso di un'altra foresta oscura e temibile, scorge una minuscola luce azzurrina. La gioia gli riempie gli occhi di lacrime. Se c'è una luce vuol dire che c'è una casa, se c'è una casa vuol dire che qualcuno, un essere umano, è lì dentro al caldo e sta vegliando. Quella luce già ingrandita la vede aprirsi come una porta accogliente dandogli rifugio dal freddo della notte, dalla paura delle ombre, dalla fame, dal sonno che incombe. Ma chi abiterà in quella casa nel bosco? se busserà sarà bene accolto? e se invece venisse rapinato e ucciso? La paura gli fa rallentare il passo, ma non lo fermerà dal dirigersi lentamente e inesorabilmente verso quella luce, verso quella casa. Potrebbe trovarsi davanti un uomo lupo che aspetta i viandanti persi come lui per farli a pezzi. Oppure potrebbe essere accolto da una donna enigmatica e gentile che lo nutrirà e gli darà un letto, ma appena si sarà addormentato, lo trasformerà in scarafaggio, come quel povero Gregor Samsa che, nella sorpresa del mutamento, cade dal materasso, capovolto e, non riuscendo a rigirarsi, rimane lì per terra ad agitare le zampine.

«Pensa a quando tutta l'Italia era una foresta impenetrabile. Per viaggiare si andava lungo le coste, via mare.»

Le piace ascoltare la voce dell'amico Berretta, botanico ed ecologista. È un uomo dolce, colto, con una testa giudiziosa e sorridente, un corpo massiccio che, come una divinità arcaica dell'abbondanza, termina in un sedere mastodontico che non entra in nessun pantalone. Ma lui non sembra curarsene. Si muove con grazia, agile come un furetto, sempre pronto ad accorrere lì dove le piante sono minacciate, lì dove è richiesto un parere su una potatura, su una malattia dei tronchi.

«Mi racconti qualcosa dei boschi come erano una volta?»

«Sei tu la scrittrice. Io non so raccontare.»

«Sai raccontare benissimo se qualcosa ti appassiona. E gli alberi sono la tua tribolazione e la tua voluttà.»

Quando ride le labbra si sollevano su una fila di denti piccoli e candidi, da bambino.

«Dimmi dei boschi romani.»

«I romani non li amavano i boschi. E poi avevano una gran fregola di costruire ponti, barche. Hanno segato mezza Italia.»

«I boschi dei greci?»

«Li conoscevano poco. Il Parnaso era pelato.»

«I boschi più fitti dove si sono conservati?»

«In Germania. È lì che hanno inventato l'albero di Natale, e Hänsel e Gretel, e tutte le più belle storie sui boschi.

«E che mi dici delle foreste medievali?»

«Erano i luoghi degli incontri. I maghi, le streghe, gli spiriti, i nani, non si conoscevano in città o per le strade, ma dentro le foreste.»

«C'erano molti viandanti che attraversavano le foreste?»

«Gente di preghiera, ma anche ladri, assassini. Ricordati la storia della vergine Melinda, che viene mandata dal padre al santuario di Maria Pellegrina per chiedere una grazia. L'uomo consegna alla figlia un bellissimo mantello da regalare alla Madonna Pellegrina, di velluto cilestrino, filettato d'oro. Poi le assegna un asino e un servo fidato che l'accompagneranno fino alla chiesa di Maria Pellegrina al di là della foresta. La giovanissima Melinda attraversa il bosco accompagnata dal vecchio servitore. Si ferma a un ruscello a bere, e lì mostra al servo il magnifico mantello da regalare alla Madonna Pellegrina. Purtroppo proprio in quel momento incrociano due giovani a cavallo che dicono di andare anche loro dalla Madonna Pellegrina. I due ammirano estasiati il mantello che Melinda sta per regalare al santuario e si offrono di fare un tratto di cammino insieme. Melinda, che è ingenua e innocente, accetta di buona grazia, sebbene il servo le dica che sarebbe meglio rifiutare. I due scherzano, ridono e fanno i galletti. Ma poco prima di arrivare al santuario, a un cenno che il più grande fa al più piccolo, questi salta addosso al servo e lo uccide con una stilettata. L'altro intanto stupra la giovanissima Melinda, poi la uccide, ruba il mantello filettato d'oro con cui si pulisce le mani sporche di sangue quindi i due si rimettono in cammino verso il sud.

«Quella stessa sera i due giovani arrivano con i loro cavalli nella fattoria del padre di Melinda e chiedono ospitalità per la notte. L'uomo, generoso, mette a loro disposizione un giaciglio nella stalla, dopo avere offerto una cena alla sua tavola. Ma proprio mentre mangiano, uno dei due giovinastri apre il sacco del suo bagaglio da cui sbuca un pezzo del mantello destinato a Maria Pellegrina di velluto cilestrino filettato d'oro, tutto macchiato di sangue. Il padre riconosce il mantello e capisce al volo quello che è successo. Ma non dice una parola. Li lascia andare a riposare. Poi si spoglia dei suoi vestiti, immerge il proprio corpo nell'acqua bollente come per depurarlo di ogni lordura giornaliera. Quindi si inginocchia per dire una preghiera alla Vergine Pellegrina. In quella posizione rimane assorto per un'ora, pregando e piangendo. Solo verso l'alba, si munisce di una spada tagliente, irrompe nella stalla e taglia la testa ai due giovani assassini, senza pietà.»

«Che storia truculenta!»

«Le foreste qualche volta sono truculente. Mi pare che un famoso regista nordico ci abbia fatto un film. Niente altro che la storia di una spietata vendetta paterna.»

«Io preferisco pensare alle foreste di Ariosto. Dove cavalieri e guerrieri si inseguono, si trovano, si perdono. Come nel bosco *dell'umil ginepre*, dove compaiono draghi volanti e bellissime guerriere dal polso fermo.»

«Purtroppo mi chiamano solo quando gli alberi sono malati, per le piogge acide, per la diossina che sta inquinando i fiumi, per i gas della città.»

«E tu li guarisci quasi sempre.»

«Ci provo. Non sempre ci riesco, soprattutto quando lascio l'incarico a qualcun altro. Nessuno ha tempo e pazienza per guarire una pianta. Preferiscono tagliarla e buonanotte!»

Zaira pranza da sola seduta al tavolo della cucina, davanti alla finestra aperta. Un raggio filtra di striscio e le scalda un piede che sporge da sotto la tavola. Fuori il cielo è terso, senza una nuvola. Il sole accende le cime scoperte delle montagne che fanno corona intorno all'altipiano con i loro boschi ombrosi. Ripensa a Sal e alle sue mezze rivelazioni. Perché a lui ha dato credito mentre a quegli altri che promettevano mari e monti, non ha mai creduto?

Ci riflette con tanta intensità che si accorge di avere portato il cucchiaio con la minestra alla guancia anziché alla bocca aperta. Sto proprio diventando scema! si dice ridendo e pulendosi la faccia. Eppure c'è qualcosa in quel Sal che le sembra di conoscere già. Ma quando l'avrebbe incontrato, e dove prima d'ora? Non è nemmeno del paese. Il gesto di portarsi il pugno chiuso alla tempia, ma sì, è proprio quello che faceva da ultimo la sua Colomba. E la risatina mesta e timida, strana in un ragazzo spavaldo e sicuro di sé come vorrebbe apparire? Non fa pensare anche quella a Colomba? Perfino la leggera screziatura pietrosa della voce, d'altro canto fluida e melodiosa, le ricorda le timidezze vocali della nipote. Sono solo coincidenze casuali? Per saperlo dovrà rivederlo e studiarlo meglio.

«Racconta, ma'!»

La madre la guarda ma non la vede. Ha gli occhi di uno strano colore verde limaccioso. Fissi nel vuoto. Le due pieghe attorno alle labbra sono incise nella carne pallida. La figlia si china per darle un bacio. Il tocco della pelle gelata la convince che è morta. Sua madre è morta raccontando storie e lei non se ne è accorta! Così, immobile, con la testa rialzata su due cuscini candidi, assomiglia al busto del nonno che sta nell'ingresso dell'appartamento della vecchia casa di famiglia. Lo stesso naso generoso e severo. Le stesse labbra carnose e sensuali contornate di piccole rughe profonde. Come può morire una madre? come può essere sepolta una creatura dotata della meravigliosa capacità di raccontare storie?

«Racconta, ma'!» le grida con disperazione.

L'incantesimo, miracolosamente, funziona: è bastato un piccolo pensiero furioso e scintillante come una saetta in moto per riportarla in vita. Ma forse no, forse ha trascorso un anno, due, anzi tre anni a scuoterla su quel letto di morte ed ecco che il terzo giorno del terzo mese del terzo anno, il corpo morto della madre si solleva, acquista colore, mobilità. La giovane bella donna è resuscitata e la sua voce si scioglie affettuosa, tenerissima, senza un intoppo.

«Cosa vuoi che ti racconti? Non ho più storie e non ho più voce» dice ansante. È invecchiata tanto negli ultimi tempi e manda un leggero odore di mele cotogne.

La vede prendersi una mano con l'altra e tirare piano le dita, come per allungarle. Una a una le dita materne scrocchiano. È la prova che è ancora lì, accanto a lei, viva.

Zaira non ha dormito la notte ripensando a quel ragazzo che si fa chiamare Sal. Già il nome le sembra una presa in giro: quale sarà il suo cognome? e di chi sarà figlio? Di qualcuno del paese non può essere, lei li conosce tutti i ragazzi nati lì. Forse viene da Avezzano o da Sulmona o da Lecce dei Marsi o addirittura da Pescara. Ma perché lo chiamano Sal? Sarà giusto dargli dei soldi in cambio di informazioni tutt'altro che sicure? e se poi fosse solo un raggiro per spillarle dei quattrini? se non avesse niente da raccontarle su Colomba? e se invece sapesse qualcosa che l'aiuti a ritrovarla? Sarebbe savio parlarne a qualcuno prima di dargli il compenso. Ma a chi? Gli dovrà chiedere una ricevuta dopo avergli consegnato la somma? e se contrattasse su quei mille euro spiegandogli che vive sola, di una piccola pensione e di traduzioni pagate male? ma si può chiedere una ricevuta a chi ti fa un ricatto?

Tre giorni dopo, mentre monta sulla bicicletta per andare verso i boschi, lo scorge di lontano: porta i pantaloni di sempre, sgualciti e scoloriti, una camicia bianca pulita, i capelli non più a punte ma incollati al cranio e hanno di nuovo cambiato colore, sono paglierini. Al lobo il solito cerchietto d'oro che luccica quando ci batte sopra il sole.

«Ci ha pensato?» le chiede lui fermandola con un gesto.

«Perché mi chiedi soldi? perché non ne hai parlato con la polizia?»

Il ragazzo ridacchia. Non sembra affatto turbato. Si bilancia su una gamba e poi sull'altra. Ha l'aria affamata. Gli occhi sono dolci, di una luminosità sorprendente e rivelano un candore assolutamente inaspettato in un ricattatore.

«Mille euro o niente.»

«Mille euro, va bene. Ma solo dopo che mi avrai detto tutto e solo dopo che mi renderò conto che sono cose importanti, non chiacchiere.»

«Sal non mente.»

«Come faccio a sapere?»

«Lo saprai.»

Adesso il suo sguardo si è fatto avido, minaccioso.

«Quando?»

«Lunedì» propone lei.

«Va bene, lunedì. Al Rombo.»

«No, il Rombo non mi piace. Facciamo al bar del Cervo. Per lo meno c'è luce.»

«Decido io. Al Rombo. E in contanti. Da cento.»

«Va bene.»

Zaira si dilunga in un ampio giro prima di entrare nella piccola banca del paese per ritirare i suoi risparmi. Il cassiere, che la conosce, le sorride premuroso.

«Facciamo spese?»

«Si sposa una mia nipote» balbetta lei.

«Un gran bel regalo di nozze!» Il ragazzo, che ha una minuscola pietra luminosa incastrata in una narice, come Scarpune, si fa serio nel contare le banconote.

Di che s'impiccia questo maleducato! Ma no, ma no, dice il pennuto alle sue spalle, quell'angelo che ogni tanto si fa sentire soffiandole la sua disapprovazione nell'orecchio: è bene che per lo meno qualcuno ricordi che hai ritirato mille euro questa mattina, nel caso Sal dovesse scomparire col denaro.

Il cassiere le ammucchia i biglietti sotto il naso. Mentre allunga le mani per ritirarli, sente che il ragazzo fa schioccare la lingua contro il palato. I biglietti sono nuovi. La carta è ancora dura, lucida, con la striscietta d'argento ben visibile. Zaira infila le banconote in tasca ed esce. Ha lasciato la bicicletta incustodita. Ma qui in paese nessuno ruba niente. Non perché siano particolarmente onesti, ma perché ci sono occhi curiosi dappertutto. Niente sfugge a nessuno. Il controllo è casuale, infastidito, insistente e quotidiano. Un automatismo da piccola comunità, come una famiglia che non si ama ma si conosce fino alla nausea. C'è da chiedersi come mai proprio la scomparsa di Colomba sembri essere sfuggita a tanti occhi vigili e accorti.

Tornata a casa Zaira cerca un posto dove mettere i soldi. Non ha mai avuto fra le mani tanti biglietti in una sola volta. Il suo sguardo incontra lo specchio. Si ferma interdetta. La faccia ha cambiato espressione: una maschera spaventata, degli occhi fugaci, i capelli disordinati e scomposti. Perché ha ceduto al ricatto del ragazzo sconosciuto? perché si ostina a cercare di dipanare una matassa che non vuole essere dipanata? I morti bisogna lasciarli in pace, glielo dice il suo angelo custode, che poi è la coscienza, come lei l'ha sempre immaginata. È dotato di due ali pesanti, ingombranti, come un vestito da sposa troppo ampio e ricoperto di trine e falpalà. Sua madre Antonina quando si è sposata indossava un abito simile, dentro cui certamente si è sentita prigioniera. Troppo gonfio, troppo bianco, troppo ricamato, appesantito da sciami di perle finte che le mani amorose di zia Gerarda avevano cucito per lei. Quel vestito, se lo ricorda ancora, era rimasto, avvolto nel cellophane, dentro l'armadio della vecchia casa di famiglia per anni. Ogni tanto andava ad ammirarlo, ma non osava toccarlo. Fra sé lo chiamava Annapurna, il nome di una montagna sempre coperta di neve che aveva visto su un libro di geografia. Poi in un momento di indigenza, era stato venduto da sua figlia Angelica. La coscienza deve sentirsi prigioniera dentro quelle ali avvolgenti e frastagliate, proprio come probabilmente si è sentita sua madre Antonina, incinta di cinque mesi, nella bellissima e rigidissima Annapurna. Le ali troppo lunghe, quando l'angelo sta in piedi, strisciano per terra, sono ali adatte solo per volare nei cieli freddi, lontano dagli esseri umani. Lo immagina imbronciato, stanco, poco interessato alle complicate questioni etiche dei corpi terrestri, ma costretto a fare il suo lavoro, come un poliziotto figlio di poliziotti e nipote di poliziotti.

Cosa le diceva la coscienza-angelo ora? Qualcosa di savio, come sempre, di ragionevole, ma assolutamente in contrasto con il suo bisogno di conoscere la sorte di Colomba. Le domande sono troppe e la ossessionano. Tutto il corpo, con i muscoli tesi, si allunga e punta verso quella verità che ancora, a parecchio tempo dalla scomparsa, non è riuscita ad afferrare.

Sa di avere deluso quell'angelo dalle ali a brandelli che aspetta dietro le sue spalle, senza molto credere nella capacità di convincimento delle sue parole di saggezza. Sarebbe andata comunque al Rombo per saziare una sete che le asciugava la gola? Il bisogno di sapere può nutrirsi solo di curiosità? No, curiosità è una parola troppo povera per lei. L'urgenza di conoscere la sorte di Colomba è anche la necessità di sciogliere un nodo che le paralizza il sonno, le affretta il respiro. Ma una ostinazione incalzante contro ogni logica e ogni presentimento, la spinge a proseguire la ricerca.

Quante giustificazioni! si dice, come se fossi io a fare il ricatto. Io lo subisco! E questo è il male. È sempre la voce del pennuto dietro le spalle. Si volta per zittirlo e si trova davanti una faccia segnata da rughe profonde. È sua madre. Che sorride complice. Dove mai si è cacciata quella volontà che la rende autonoma da tutti, certa nei suoi movimenti, come fossero dettati dalla stessa divinità del tempo?

Zaira è ferma davanti alle porte mobili del Rombo. All'ultimo istante i piedi si rifiutano di entrare in quell'antro buio. E se tornasse indietro? I soldi sono chiusi dentro una busta, allungata in fondo alla borsa. Sopra ci ha lasciato cadere due pacchetti di fazzoletti di carta, un pettine di finta tartaruga, un laccetto per i capelli, un burro di cacao color petalo di rosa, un borsellino con dentro poche monete.

Se fosse andata alla polizia come le suggeriva la voce della coscienza dalle ali frangiate, qualcuno l'avrebbe vista. In paese si sa tutto. Cosa conduceva Zaira alla polizia? Certamente la prima a scorgerla dalla finestrella della cucina sarebbe stata la sorella del proprietario del Rombo, Adelina, che abita proprio di fronte alla palazzina della forza pubblica. E in poco tempo, forse meno di due ore, l'avrebbe raccontato al fratello Marione, senza cattive intenzioni ma tanto per tenere viva quella rete di informazioni che rappresentano la vita quotidiana di un piccolo paese. L'uomo l'avrebbe riferito poi magari casualmente al giovane Scarpune, il figlio di Elena la calzolaia che sicuramente l'avrebbe raccontato al marito Tiburzio che lavora con lei al negozio.

«Che fa qui in piedi? Vuole farsi notare?»

È arrivato. È lui, Sal. Ma che nome balordo. Non siamo in America, avrebbe voluto dirgli, ma in Abruzzo dove la gente si chiama Mario, Antonio, Gerardo, non Sal.

Il ragazzo la spinge delicatamente verso l'interno tenendo aperta la porta a molla del bar. Zaira entra di malavoglia, e si inoltra nel buio della sala, incalzata dal giovane che oggi per la prima volta porta i capelli del loro colore naturale: castano, e gli scivolano leggeri sulla fronte mentre sulla nuca sono tagliati cortissimi.

Il ragazzo le porge una sedia di plastica. Lei lo guarda tenendo la borsa stretta sotto il braccio. Le fanno male i piedi, come se avesse camminato per ore. Invece ha solo fatto duecento metri, dalla sua casa al Rombo.

«Ha i soldi?»

Certo che sì, ma dovrebbe saperlo il ragazzo. Di sicuro il cassiere della banca l'ha detto a qualcuno, la voce si sarà sparsa che lei ha ritirato mille euro per comprare un regalo di nozze. Ma chi potrebbe sposarsi in paese senza che si sappia? «Si sposa una mia amica a Pescara» dice a fior di labbra Zaira. Il ragazzo non può sentirla, la musica è messa a tutto volume.

La sala è quasi vuota. C'è Marione, il proprietario che si muove con delicatezza, nonostante la mole, in mezzo alle bottiglie e ai bicchieri. Nella semioscurità scorge Scarpune, la testa coperta di treccioline scure. È piccolo, ha le gambe storte, porta una giacca a vento troppo grande che gli scende fino a metà coscia e gli scivola sulle spalle.

C'è anche il figlio di Menica l'ostetrica, Saponett', l'amico di tutti i cani randagi del paese. Ogni anno, verso marzo qualcuno fa il ripulisti in paese. Non si sa chi lo decida, chi lo compia. Fatto sta che in poche ore i cani senza padrone vengono uccisi con centinaia di polpette avvelenate. I cadaveri non rimangono mai in vista. Qualcuno li fa scomparire rapidamente. E il paese tira un sospiro di sollievo. I cani randagi, quando diventano tanti, fanno branco e buttano per aria i cassonetti dell'immondizia, litigano rumorosamente disturbando la pace del paese. Ma che orrore quando muoiono torcendosi per terra! Lei ne ha visto qualcuno e ha provato una pietà profonda mista a rabbia per quegli animali che nessuno protegge dall'egoismo del paese.

Saponett' è il solo che si preoccupi per loro, lasciando lungo le strade delle vecchie pentole piene d'acqua quando fa caldo e svuotando sacchi di pane secco in giro per le periferie. Li chiama con un fischio e loro accorrono. Quando arriva la mattanza, diventa pazzo dal dolore. Gira forsennato per il paese come un padre a cui hanno ucciso i figli, urlando improperi. Nessuno lo ascolta, nemmeno sua madre l'ostetrica. I compaesani fanno addirittura finta di non vederlo e non sentirlo.

Zaira si siede, continuando a tenere stretta la borsa di vimini sotto il braccio. Il ragazzo prende posto di fronte a lei. Sorride. La primavera stessa sembra illuminargli il viso. Lei lo osserva con stupore. C'è in quel sorriso un candore che sarebbe difficile fingere. Le sembra che tremi un poco, anche se fa il disinvolto. Forse le sorride per conquistare la sua fiducia, forse indovina i dubbi di lei. Fatto sta che stira le labbra bellissime sui denti rotti e macchiati.

«La conoscevi Colomba?»

«Sì e no.»

«Come sarebbe sì e no?»

«La conosco ma non la conosco.»

«Ne parli al presente, quindi è viva?»

«Prima i soldi, come era nei patti.»

«Mi dai una ricevuta però.»

Il ragazzo scoppia a ridere. Gli occhi ora si sono fatti duri, crudeli. Quanti cambiamenti in un paio di occhi tondi e di un normalissimo color ossidiana! Dentro quell'ossidiana ci sono ora delle briciole di metallo lucente che si aggrumano verso il centro. E non si tratta solo del riflesso di una candela corta e rossa che qualcuno ha posato nel mezzo del tavolino appena lei si è seduta. Deve essere stato Scarpune che si muove leggero e senza fare rumore. Zaira si guarda intorno ma non vede che Marione dietro la cassa, intento a contare i soldi dell'incasso. La faccia è cupa, le dita grasse si muovono con lentezza dentro e fuori dal cassetto.

Si sentono i soffi della porta a molla. Qualcuno deve essere entrato, ma lei gira le spalle all'ingresso. Fa per voltarsi quando avverte la mano leggera di Sal che tocca con delicatezza la sua.

«I soldi?»

«Ce li ho qui. Ma non posso rischiare, è tutto quello che posseggo.»

Il ragazzo ritira la mano. Se la passa sulla faccia cosparsa di una peluria rossiccia. La chiude a pugno contro la tempia.

«Sua nipote è brava coi funghi. Tutti quei gallinacci... solo lei sa dove prenderli. Qui tra i faggi, i porcini non si trovano. Molti lattarini, anche qualche sanguinella. Ha mai provato a tagliare una sanguinella? Ti tinge le dita di rosso, come fosse sangue vero.»

«Perché mi parli di funghi?»

«'Mbina se ne intende. Li coglieva nei boschi, li vendeva al mercato. Conosce i posti segreti, non lo dice a nessuno dove stanno i funghi migliori. Lei è capace di trovare pure i porcini. E le mazze di tamburo, dopo la pioggia vengono fuori a tre a tre, lì dove è concimato dal passaggio delle vacche, io lo so, ma non lo dico, anche lei tiene l'acqua in bocca. I porcini li pagano bene al mercato...»

«Anche tu vai per boschi?»

«E chi non lo fa qui in montagna! D'estate ci sono le fragole, i lamponi, la cicoria, le melette selvatiche, dolci come il miele, quando non le hanno fatte fuori i cavalli o gli orsi o i cervi. In autunno puoi trovare i funghi, bisogna essere bravi però, perché il fungo ha sempre un doppio velenoso che gli assomiglia come un fratello siamese. Tale lui, tale il gemello, solo che uno è mangereccio e l'altro invece mortale. Strano, no?»

Zaira lo guarda un poco sorpresa: ritrova nella bocca del ragazzo più o meno le stesse parole che Valdo usava per spiegare alla figlia la maligna doppiezza dei funghi. Ancora qualcosa in comune con Colomba.

«Mi togli una curiosità? come si chiama tua madre?» Le

pare che una transazione economica li porti dentro una intimità nuova e grave.

«Non sono del paese, se vuoi saperlo. Vengo da fuori. Anche se ti dicessi il mio nome non capiresti niente. Io sono Sal e basta, non ho madre e non ho padre.»

«E com'è che bazzichi da queste parti?»

«Tengh' da fà cert'affare.»

«Dimmi qualcosa su Colomba, ma sul serio.»

«Colomba è viva.»

«E come lo sai?»

Zaira sente il cuore che salta, come un ranocchio che vorrebbe balzarle fuori dallo stagno del petto.

Lui deve essersi accorto della sua agitazione perché le afferra una mano con le dita morbide e le ingiunge di tirare fuori i soldi. Il resto lo saprà subito dopo.

Zaira apre la borsa e fruga fra le povere cose cercando la busta. Ma non la trova. Le dita tastano il fondo di vimini scaldato dal grembo. La faccia si svuota del suo sangue. La bocca si apre in una smorfia di paura. Lo vede ridere.

«Eccola lì la busta» dice lui. Zaira riesamina il contenuto della borsa e la busta è proprio lì, scivolata a fianco dei fazzolettini di carta, del pettine, dei documenti, anziché sotto come ricordava.

Il ragazzo aspetta paziente che lei estragga la busta e gliela consegni con un gesto timido, impacciato. Lo vede cacciarsi in tasca il tutto, disinvolto.

«Ora dimmi dove sta Colomba?»

«Io non lo so dove sta. So che è viva, sta nei boschi ed è prigioniera.»

«E tu mi hai preso mille euro solo per dirmi che è viva?»

«Non è una notizia da poco. Avrei potuto chiedergliene altri mille. È una notizia importante, che neanche la polizia sa.»

«Ma che garanzia ho io... se non mi dici dove sta, vado a raccontare ogni cosa al tenente Geraci, lo conosco.»

«Anch'io se è per questo. Ma dove sono le prove che ho preso dei soldi da lei? forse che ci ha visti qualcuno? forse che le ho dato una ricevuta?»

«Ma io li ho ritirati ieri in banca e tutti lo sanno che ho preso questi soldi.»

«Da chi? da Massimo, i Cucuzelle? quello è un altro amico mio. Lui non dice niente. Ti conviene tenere la bocca chiusa, altrimenti finirai male.»

«Ma un'altra cosa, una sola: come faccio a trovarla? Ti ho dato mille euro, delinquente!»

Il ragazzo la guarda come se non la vedesse. Spalanca la bocca in un enorme sbadiglio. Quindi si alza ed esce lentamente, senza affrettare il passo, contando sulla sorpresa, la viltà, la paura di lei.

Difatti Zaira rimane congelata sulla sedia di plastica color vinaccia a guardare le porte del Rombo che si aprono e si chiudono soffiando. Che fare? Certo Marione avrà visto ogni cosa! Si gira verso il banco ma Marione non c'è. Sono spariti anche i due avventori che aveva scorto entrando e perfino il cameriere con il tondino di pietra incastrato nella narice e le treccioline non si vede più. Che siano tutti d'accordo?

Zaira si alza, richiude la borsa, lascia i soldi del caffè e se ne torna a casa camminando lentamente, soprappensiero. Dunque Colomba è viva. Ma dove cercarla? E perché Sal ha parlato di prigionia? Prigioniera nei boschi ha detto. Cosa vuol dire? Forse bisognerà interrogare gli avventori del bar Rombo. Ma sapranno qualcosa? Per lo meno qualche notizia in più su quel Sal che le sembra un tipo assolutamente inaffidabile.

Una romanziera dai capelli biondi, tagliati corti, seduta di fronte alla finestra, medita sui suoi personaggi che hanno la tendenza a sfuggirle dalle mani. Pinocchio, appena Geppetto ebbe finito di scolpirgli i piedi, diede un calcio al suo inventore e lo mandò a gambe per aria. L'ingratitudine appartiene alla categoria dei figli di carta e di legno? Carta e legno hanno la stessa matrice: alberi, boschi. Il cerchio si chiude. I personaggi sono creature dei boschi. E hanno come cielo lo schermo annuvolato di un computer.

Pinocchio fa quello che vuole lui, non quello che gli suggerisce il suo inventore. Geppetto vende la giubba per comprare alla sua amata creatura l'abbecedario e la sua amata creatura vende l'abbecedario per comprarsi un biglietto per il circo. Questa è la psicologia dei personaggi: si fanno trasportare dal venticello delle gioie e non certo dalla voce savia dei doveri. Proprio come Pinocchio.

Zaira si comporta come una sciocca ma, come tutti i personaggi, vuole fare a modo suo. È inutile che la sua Geppetta le gridi: fai attenzione, è pericoloso tenersi tutto per sé, parlane con qualcuno, confidati! Già sa che sarà fiato sprecato.

Eccola che esce di casa presto, tenendo per il manubrio la bicicletta bianca e blu. Ha i capelli raccolti in un nodo dietro la nuca, a coda di cavallo. Ha gli occhi stretti in uno sforzo di determinazione. Dove andrà? Nessuno lo sa, neanche chi racconta la storia.

La scrittrice segue con occhi apprensivi il suo personaggio che pedala su uno stradino di montagna. Zaira fino a qualche anno fa sapeva pedalare solo in piano, sulle strade asfaltate. Dopo la scomparsa della nipote, ha preso possesso della bicicletta bianca e blu abbandonata, ha imparato a regolare le marce. Ora va in salita come un vero ciclista, senza mai perdere l'equilibrio. I muscoli delle gambe si sono fatti robusti. Il fiato regge alle più impervie salite. E lei va curvando le spalle sul manubrio, lo sguardo fisso sullo stradino pieno di buche, la coda di cavallo castana che le ballonzola sul collo.

In tasca tiene una carta piegata in quattro. Dentro, con l'inchiostro ha segnato, sui tracciati dell'esercito, le zone di esplorazione. Ha deciso di condurre una ricerca sistematica: prima uno spicchio poi un altro poi un altro ancora, numerando ogni spicchio di bosco e segnando quelli già esplorati. Se Colomba è veramente prigioniera lo sarà in qualche grotta, si dice. Se sono vere le parole di Sal, è nascosta su questi monti, riflette aggrappandosi alle parole di lui come alla sola speranza possibile. Inutile che la coscienza, ovvero l'angelo gibboso con le ali frangiate e l'aria stanca, le contrapponga altri argomenti: perché poi prigioniera? non certo per chiedere un riscatto a lei che non ha soldi. E se invece non fosse vero niente, e Sal avesse inventato tutto solo per spillarle quattrini?

Quei due milioni di vecchie lire sono troppi per una menzogna. In cuor suo Zaira vuole credere che Sal abbia detto la verità e che si sia guadagnato quel denaro. Ma cosa glielo garantisce? non ha visto con che sfacciataggine le ha tolto di mano la busta con le carte da cento euro? insiste l'angelo gibboso, ma Zaira è cocciuta, non vuole dimenticare di avere visto negli occhi del ragazzo un grumo di verità. Anzi, è sicura che lui ne sappia molto di più, ma non glielo voglia o possa dire. O forse ne farà occasione per chiederle altri soldi. È una estorsione e tu, idiota ti fai ricattare! Zaira può udire il fruscio di quelle ali sfrangiate e sporche di terra. Può sentire lo scalpiccio di quei piedi nudi coperti di calli per il troppo camminare appresso a lei, per i sentieri di montagna. Potresti anche metterti le scarpe, se vuoi te ne presto un paio, ma lui scuote la testa. Quando mai si è visto un angelo con le scarpe?

Comunque oggi tocca allo spicchio numero due, segnato bene in rosso sulla carta uno a mille. Lo spicchio comprende i prati che scendono verso la valle del Vecchio Mulino, i boschi a est dell'Ermellina e finisce a punta sulle pendici della Camosciara. Finché vive il sentiero sassoso, lo seguirà in bicicletta, poi proseguirà a piedi. Sulla schiena porta uno zaino con dentro due fette di pane, un tocco di pecorino dolce, due mele e una bottiglietta d'acqua. Più una lampadina tascabile, un temperino e la carta.

Mentre pedala in mezzo ai prati, incontra un gregge di pecore. Il pastore, seduto sopra una roccia la guarda avvicinarsi. Due cani bianchi, lanosi e giganteschi le vanno incontro abbaiando. Ma lei non rallenta la sua corsa. «Shhh, zitti,

zitti cagnacci!» Sa come trattarli i cani pastore, li incontra in continuazione. Guai a mostrare paura o indecisione. Bisogna zittirli e proseguire come se niente fosse. Il pastore, che non ha detto una parola per fermare i suoi cani, le si rivolge quando è a dieci metri di distanza.

«Ite a spasse, madame?»

«Conosci delle grotte da queste parti?»

«Grotte, none. Ma forse che sì, c'è molti grotte. Tu cerca tartuffi?»

Zaira ha messo un piede a terra e osserva sorridendo il pastore, chiedendosi se sia marocchino o tunisino. Avrà sì e no quindici anni. Ha i denti anneriti, i capelli ricci sporchi gli cadono sulle spalle, gli occhi bellissimi sono vivaci e profondi, un telefono portatile gli sporge ben visibile dalla tasca dei blue jeans.

«Cerco una ragazza. Mia nipote» dice e sente gli sbuffi della coscienza che trascina le ali, esasperata. Che vai a dire a uno sconosciuto? e se fosse lui il guardiano di quella grotta? e se avesse delle cattive intenzioni? Sempre meglio dire la verità, obietta Zaira cercando di allontanare con un calcio gentile quella voce noiosa, e poi io non sono una ragazza, l'unico privilegio dell'età è che non suscito più desideri sessuali inopinati e selvaggi.

Il pastore sorride. Quindi prende a raccontarle la storia amara di una borsa rubata mentre dormiva. «Io poco lire, tutto dentro mi borsa e puff, andato via per malamente, ca era siguro un napoletano che conosco, se chiame Tanine, voi lo canuscete?»

«Mi dispiace per la borsa rubata, ma devo andare. Arrivederci.»

«Aspitte! Io accompagna te, poco soldi, poco soldi.»

Ma Zaira non lo lascia finire. Rimette il piede sul pedale e riprende a correre. Il ragazzo le grida qualcosa che si perde nel vento. Avrebbe potuto lasciargli qualche moneta, si rimprovera, la storia della borsa ha l'aria di essere vera, ha già sentito di vigliacchi che rubano ai lavoratori stranieri contando sulla loro paura di avere a che fare con la polizia, soprattutto se sono senza permesso di soggiorno. Il ragazzo è uno dei tanti nuovi arrivati su questa terra che per secoli è stata chiusa in se stessa, isolata, accettando e incoraggiando matrimoni fra cugini, fra vicini di casa. E ora guardano sorpresi questi stranieri dai pensieri misteriosi, che lavorano tanto e senza protestare, dormono in dodici in una stanza, mangiano in cerchio seduti per terra, pregano cinque volte al giorno e quando si fanno raggiungere dalle mogli, le tengono relegate in casa, coperte col velo. In paese molti li detestano: altri invece sono gentili, li accolgono come fratelli disgraziati, cercano di aiutarli. Le maestre si sorprendono quando scoprono che ogni anno nelle loro classi i figli di questi stranieri sono sempre più numerosi. Ma il buffo è che presto non li distingui più perché parlano il dialetto come i locali, ridono come loro, si comprano le scarpe alla moda come loro e si mettono a sognare di diventare divi della televisione come loro. Ma «ecch' sta i future nostre, commà». Fra qualche anno diventeranno parte della comunità.

La scrittrice dai capelli corti una volta in quegli stessi boschi ha incontrato un pastore di Foggia, un ragazzo alto, robusto e intelligente che leggeva libri – aveva letto perfino un suo romanzo – mentre portava a spasso le pecore. Era laureato e aveva rinunciato a insegnare perché il padre era morto giovane lasciandogli qualche centinaio di pecore. «Mi sono fatto i calcoli: ho scoperto che guadagno di più con la lana e col latte. Così ho deciso di riprendere la professione di mio padre. Le pecore sono già in famiglia.»

Qualche volta lei si spingeva fino alle foreste più fitte dell'Ermellina per incontrare quel pastore dalla voce educata, gli occhi grandi e sorridenti, capaci di fermarsi sulle parole dei libri. Anche lui aveva il cellulare in una tasca, per quanto in mezzo ai boschi dell'Ermellina non ci sia copertura sufficiente per telefonare. Possedeva pure una grande automobile azzurra con l'aria condizionata, posteggiata vicino allo stabbio. Ora è un poco che non lo vede, chissà dove sarà andato a finire. Scomparso anche lui? Ma perché il pastore che incontra Zaira è diverso da quello incontrato per davvero nei boschi dell'Ermellina? un espediente letterario? la voglia di farne un personaggio più credibile? quando mai si è visto un pastore che legge libri e ha frequentato l'università? Il fatto è che il foggiano in cui si imbatteva lei, era il padrone del suo gregge, mentre quello che si para davanti a Zaira nel racconto è solo un salariato straniero, uno che viene pagato per accudire le bestie di qualcun altro. Come tutti i personaggi del romanzo, il ragazzo marocchino dai denti anneriti, è saltato fuori dai prati marsicani senza che lei l'avesse previsto, accompagnato dai suoi cani e dalle sue pecore, con addosso quell'indolenza, quella curiosità e quell'astuzia che hanno i pastori di tutto il mondo, abituati a stare ore e ore all'aria aperta, da soli, accudendo alle bestie.

Di lontano scorgiamo Zaira che pedala determinata su per la stradina in salita. Ed ecco che le si affianca un cane. Zaira gli lancia uno sguardo: è un cane dal pelo arruffato di un grigio striato di giallo e corre alla sua stessa velocità. Non è uno dei cani del pastore. E nemmeno un cane randagio che bazzica per il paese, li conosce uno per uno. Questo sembra un incrocio fra un lupo e una pecora. Ha qualcosa di ottuso nel lungo muso arrotondato, le orecchie gli ciondolano sulle guance, ha il sedere più alto delle spalle e trotterella a fianco della bicicletta come se fosse la cosa più naturale del mondo. Ma da dove è sbucato? Zaira ferma la bicicletta. Prova ad avvicinare il cane parlandogli con fare rassicurante. Il cane la guarda sospettoso. Non si accosta né si allontana. Solleva su di lei uno sguardo curioso, affamato, mentre il respiro affrettato rallenta il suo ritmo e la lingua che nella corsa pendeva fuori delle labbra, ora torna al suo posto.

Zaira riprende a pedalare faticosamente. All'ingresso dei boschi dell'Ermellina, è costretta ad abbandonare la bicicletta. Lo stradino che l'ha portata fin lì muore per lasciare posto ad una ramificazione di percorsi fra gli alberi, segnati dagli zoccoli delle vacche nel fango o dagli escrementi delle pecore. Il suolo è coperto di foglie morte. L'estate sta per finire. Il cane è sparito. Meglio così. Ora, forza e coraggio, cominciamo la ricerca delle grotte!

Nasconde la bicicletta in mezzo a un intrico di ginepri bassi e fitti. Ormai conosce il sistema: sdraiata per lungo, e spinta con delicatezza, finisce ingoiata dai mille rametti verdi, polverosi, e non si vede proprio più. Così potrebbe essere scomparso il corpo di Colomba, le viene in mente con orrore. Ma deve essere la solita voce petulante della coscienza dalle ali stracciate che la importuna nella sua decisione di perlustrare sistematicamente tutti i boschi della zona. No, Colomba è viva, l'ha detto Sal, m'è costato mille euro, ora so che è viva, prigioniera in questi boschi, come ha detto lui e devo trovarla.

Dopo i primi cento metri di marcia forzata, sente un ansare dietro di sé. Si volta spaventata. È il cane grigio che l'ha raggiunta e ora la segue pensieroso e muto. Non le fa paura. Le sembra anzi una compagnia rassicurante. O per lo meno lo spera. La giornata si è fatta calda, le viene spontaneo arrotolarsi le maniche sulle braccia e assestarsi lo zaino sulla schiena. Camminando non sente che il rumore dei propri passi sulle foglie che fanno tappeto: un ciaf ciaf scivoloso e leggero. Se si ferma, mille altri suoni raggiungono le sue orecchie: il ciucciottìo indaffarato delle cinciallegre sopra i rami, il fruscio del vento fra i tronchi che col suo andare e venire, sembra volere imitare il respiro del mare. A ogni passo le scarpe suscitano uno scompiglio fra centinaia di minuscoli grilli che saltellano in mezzo alle erbe selvatiche. Quando aprono le piccole ali corte, rivelano un corpicino gracile, di un rosso ruggine acceso. Appena si posano per terra, riprendono il colore della zolla smossa, fra il grigio e il marrone. Un picchio batte il becco contro un tronco non lontano. Nel sottofondo lo sgocciolio di un torrente semiasciutto da cui ogni tanto sgorga un filo d'acqua che, cadendo sulle pietre, forma una pozza in cui corrono i girini.

Improvvisamente a Zaira pare di udire dei passi cadenzati alle spalle. Si volta. Ascolta in silenzio. Il rumore scompare. Riprende a camminare, i passi ricominciano. Si siede su una roccia coperta di muschio e aspetta. Vuole vedere chi la sta seguendo. Ma, per quanto frughi con lo sguardo in mezzo ai tronchi, non vede nessuno. Il cane, quando lei si ferma, si accuccia per terra e la spia come aspettando qualche parola, un ordine. È tranquillo e silenzioso. Sembrerebbe che la conosca da anni.

I passi sono scomparsi. Zaira cammina stando attenta a segnare i tronchi con un pezzetto di gesso bianco. La paura di perdersi in certi momenti l'afferra alla gola. Come ritrovare la bicicletta? Su alcuni tronchi il gesso non lascia traccia, e lei prova sopra un tronco più robusto, dalla corteccia asciutta. Ma ecco di nuovo il rumore di passi. Si blocca. Si bloccano anche loro. Riprende, riprendono anche loro. C'è qualcosa di troppo automatico per sospettare di una persona. E in effetti, a pensarci bene, deve essere l'eco dei suoi stessi passi. Il fatto è che sta camminando a ridosso di una parete rocciosa che rimanda i suoni con perfetta simmetria. Il particolare le fa capire che non è più tranquilla come quando è uscita di casa. La paura sta allagando la sua mente, tanto da cancellare la serenità del ragionamento. Il bosco sgomenta, non c'è niente da fare. Il bosco anche di giorno, col sole, è abitato da ombre incomprensibili e deformi, mosso da un respiro che non si sa da dove provenga e ha qualcosa di rauco e allarmante.

«Racconta, ma'!»

La bambina allunga il collo esile verso il braccio della madre, ricoperto da una manica di velluto rosso. Vorrebbe toccarlo quel velluto, passarci le dita sopra, ma il sonno si è già impadronito dei muscoli e ogni gesto le appare impossibile, estraneo. Eppure ha ancora la forza di pronunciare delle parole di esortazione. Si può dormire senza la continuità di un racconto materno? e si può stare svegli quando l'aria sembra essersi fermata sulle palpebre chiuse, come una meravigliosa coltre di velluto rosso?

«C'era un re che viveva nel bosco di Nemi. Era un grande re, ma il suo popolo gli permetteva di esserlo finché riusciva a sottrarsi alla mannaia dei suoi nemici, che poi erano anche i suoi amici, vai a capire le complicazioni della politica! Lo racconta Fraser, sai, nel *Ramo d'oro*, te ne ho parlato qualche altra volta, ti ricordi? te l'ho detto che lo leggevo di nascosto in collegio, sotto il banco. Questo re ogni notte era costretto a cambiare due o tre nascondigli, per la paura di essere assalito e ucciso. Spesso si rifugiava dentro il tronco cavo delle querce centenarie. La foresta lo proteggeva, era il suo rifugio, la conosceva bene e ne era padrone. Ma era anche la sua più pericolosa nemica perché ospitava quegli avversari che volevano accopparlo. Gli alberi lo nascondevano ma nascondevano anche i suoi nemici. Si dice che dormisse con un occhio chiuso e uno aperto e che a ogni caduta di ramo il suo respiro si fermasse.»

La bambina ora si è proprio addormentata e la madre si allontana dopo averle rimboccato la coperta a scacchi rossi e blu. I piedi della donna salgono leggeri le scale che portano verso la camera da letto dove l'aspetta il suo uomo, ma le storie la inseguono: scampoli di trame, progetti per il giorno dopo. Quando smetterò di raccontare sarò morta, si dice togliendo il trucco davanti a uno specchio poco illuminato che le riempie la faccia di ombre.

Per fortuna c'è il cane, si dice Zaira, provando ad allungare una mano sulla testa dell'animale. Ma lui, appena si sente toccato, si scosta intimidito e forse spaventato. «Come ti chiami, eh?» Il cane scodinzola pigramente, le zampe allungate al suolo, in una posizione che le rammenta i cani imbalsamati delle tombe egizie. «Sei proprio brutto sai!» Zaira ride e il cane solleva un poco il labbro da una parte. Pare che voglia farle il verso. «Se rimani con me ti chiamerò Fungo. Perché sei spuntato dal nulla come i funghi in autunno.» Il cane scodinzola. Lei riprende a camminare, ormai liberata dalla paura dell'inseguitore che la scorta passo passo.

Una volta penetrati nel ventre delle foreste dell'Ermellina, sulla destra si scorgono dei massi alti, verticali, coperti di muschio e di rami spezzati, come fossero le pareti di un immenso castello diroccato. Fra le rocce scoscese crescono imperturbabili centinaia di faggi dal fusto lungo e scivoloso. In mezzo ai faggi si alzano i bassi cespugli di pino mugo, si allungano i rami spinosi dell'acerola. Fra gli interstizi delle rocce sono sparsi centinaia di funghi bianchi dall'ombrellino lucido, appena un poco piegato da una parte. Sono i bovin' vomitus' come li chiamano in paese. Basta mandarne giù un pezzetto per rimettere tutto quello che si ha in pancia. Viene usato come emetico dalle mamme impaurite quando un figlio ha ingoiato qualcosa di pericoloso.

Al suo arrivo un fuggi fuggi di scoiattoli e lepri. Zaira, seguita dal cane, si arrampica su quegli alti massi puntellandosi con un bastone che ha raccolto per terra. Non è facile trovare un appiglio su quelle pietre coperte di un muschio che appena lo tocchi ti rimane incollato alle dita come un vecchio tappeto zuppo d'acqua. Il cane corre e salta veloce di fronte a lei. Ma quando ha raggiunto la distanza di una decina di metri si ferma ad aspettarla, seduto comicamente sulla coda arricciolata come fosse un cuscino.

«Stai lì che arrivo, su questi sassi si scivola, hai visto come si stacca questo muschio che sembra nato dentro la roccia?» Zaira sorride di sé e di quel parlottare al cane. Lui solleva il muso verso di lei piegando la testa sul collo, come se cercasse di interpretare il senso del discorso. «Sei un cane intelligente, Fungo, chissà da dove vieni, il collare non ce l'hai. Sarai stato abbandonato o sei nato così per strada, da una mamma stradaiola e da un padre bastardo come te?» Il cane scodinzola contento.

«Sono due ore che marciamo, ti va di fare una merenda?» Il cane sembra capire benissimo e agita la coda con più energia. Ma il solito pennuto le parla nell'orecchio, sapiente e indispettito: Hai fatto poco o nulla finora. Continua a cercare in mezzo alle rocce. Poi si farà buio e non potrai più andare a caccia di orme. Almeno avessi scoperto una grotta! Non è una passeggiata questa, è una indagine. Non ti occupare tanto del cane, ma dedicati alle perlustrazioni con più attenzione e concentrazione, mi sembri distratta e allegra come se andassi a fare una gita.

Zaira questa volta pensa che il petulante abbia ragione e si rimette in spalla lo zaino per proseguire la ricerca. Il cane la osserva, deluso. Ma pronto anche lui a tallonare la voce del dovere.

Continua l'arrampicata fra i sassi immensi che sembrano eruttati da un vulcano infuriato e caduti su quel bosco a casaccio, accatastandosi gli uni sugli altri, sbandando, spaccandosi, buttando giù alberi e cespugli. Poi c'è stato il sonno delle cose: il lento fluire dei giorni e delle notti, il susseguirsi della pioggia e del vento che hanno assestato il disordinato tramestio di quei massi, ricoprendoli di licheni, di muschio. E i faggi, con le loro radici prensili e lunghissime hanno aggirato, contornato quei massi facendoli diventare carne della loro carne. Un groviglio di radici e sassi in mezzo a cui la donna e il cane si muovono agili e veloci. Il solo rumore che li accompagna è il battere del bastone contro le rocce – per cacciare le vipere – si dice Zaira, ma forse anche per sentirsi viva e mobile in un ambiente cupo che mescola le cose morte alle vive con indifferenza arcana. L'ansito del cane, appena percettibile, si alterna al ticchettio secco del bastone.

A guardarli da lontano, un osservatore incuriosito avrebbe visto un corpo di donna non più giovane, esile, muscoloso, che si issa agilmente sui giganteschi massi sparsi fra gli alberi, sprofonda nelle fosse invase dalle foglie, si arrampica, corre, seguita da un buffo cane che assomiglia a una iena. Ogni tanto la donna si volta e rivolge la parola al suo accompagnatore che solleva la testa, come se ormai si fosse adeguato al ritmo del ragionamento di lei. Quindi riprendono la salita, in mezzo ai faggi centenari, agli aceri nani, ai noccioli e ai tassi barbassi che stanno perdendo i bei fiori gialli.

Ed ecco che improvvisamente il piede scivola, Zaira perde l'equilibrio, sta per cadere. Lo spunzone su cui si è appoggiata ha ceduto e il piede destro si trova sospeso per aria mentre l'altro se ne sta in bilico su uno sperone viscido. Per fortuna c'è un ramo che sporge e lei vi si aggrappa spaventata, rimanendo protesa nel vuoto. Il cane la raggiunge preoccupato, come a dire io sono qua e le indica, percorrendola, la strada più facile per uscire dal dirupo. Zaira si chiede come abbia fatto a sdrucciolare così grossolanamente e poi si accorge che quello sperone nasconde una stretta apertura e il suo piede ha glissato sul bordo di questa crepa. «Una grotta, Fungo, andiamo a vedere!»

Zaira riesce a tirarsi su con fatica facendo leva sul ramo elastico. Segue il cane lungo un percorso più lungo ma più facile e finalmente, aggirando quel masso scivoloso, capitano davanti all'apertura della grotta.

«Per fortuna ho portato la pila» sussurra Zaira facendo segno al cane di avvicinarsi. «Che dici, entriamo?»

Il cane annusa l'aria movendo la punta del naso, quel cappuccio nero e lucido che assomiglia veramente ad un fungo cresciuto fresco nella notte.

«Senti niente?»

Il cane scodinzola e ad un gesto di incoraggiamento, la precede dentro la grotta infilandosi attraverso la fessura, stretta quanto basta per lasciare passare una persona magra di fianchi e di spalle. Non le rimane che seguirlo dopo avere estratto la pila dallo zainetto. Appena dentro, l'accende e fa qualche passo nel cono della pallida luce artificiale. Si trova circondata da pareti chiare stillanti di gocce. Il cane va avanti e lei, a piccoli passi, lo segue. Se ci fosse qualcuno, abbaierebbe. O no? Non lo conosce abbastanza per prevedere i suoi movimenti. Un cane può avvertire il pericolo quando non sa di cosa si tratti?

Un'altra decina di passi. Il piede tocca qualcosa di molle. Dirige la luce sul pavimento. C'è un cencio sporco e, vicino, i segni di un fuoco. Sotto la parete annerita alcuni sassi bruniti testimoniano di un falò acceso non molto tempo fa, magari per fare bollire un poco d'acqua per il caffè. Zaira tenta di tirare su il cencio con la punta del bastone. Ne sente il puzzo forte di capra. Dall'interno dello straccio ruzzola qualcosa che forma una macchia chiara sul pavimento. Si china a guardare: è un pezzo di cacio bianchissimo, con qualche rotella di muffa verdognola. Appartenuto a un pastore, forse lo stesso che ha incontrato per strada. A volte si riposano nelle grotte mentre le pecore pascolano. O vi si riparano quando piove. Accendono il fuoco, mangiano una fetta di cacio, si allungano per riposare.

Zaira prova a dirigere il raggio della pila in fondo alla grotta, ma le pareti si stringono fino a sparire in un cono nero. Segno che la cavità si rattrappisce ma continua chissà per quanto. Avanza a piccoli passi maldestri. Il piede di nuovo urta contro qualcosa che rotola per terra. È un barattolo pieno d'acqua. Una di quelle lattine di pomodori pelati che una volta liberata del coperchio e pulita, diventa un rudimentale bicchiere di metallo.

A questo punto la grotta sembra chiudersi. Il soffitto si fa sempre più basso e anche carponi un uomo non potrebbe entrarvi. Zaira si ferma ad annusare il forte odore di capre. Non c'è dubbio: questo è un rifugio per pastori quando fuori c'è il temporale. Anche se umido, fangoso, ci si può mettere a sedere davanti a un mucchietto di brace e mangiarsi un pezzo di pane. Da una parte, vicino al barattolo pieno d'acqua ci sono ancora dei rametti secchi pronti per accendere un altro falò.

«Andiamo, Fungo? qui non mi pare che ci sia nessuno. Ma prima proviamo a bussare sulle pareti, che ne dici?» Si avvicina al punto in cui ha trovato le tracce del fuoco e batte con le nocche contro la roccia. Sembra piena. Non nasconde altri spazi, buchi, corridoi, segrete. Zaira insiste con le nocche, più a lungo e più forte. Il cane la guarda perplesso come se si chiedesse che cosa stia facendo.

La donna si volta verso la fenditura e vede che fuori si è messo improvvisamente a piovere. «Ma come, poco fa c'era il sole, Fungo mio, e non abbiamo nemmeno l'ombrello, vogliamo aspettare che spiova?» Il cane scodinzola contento.

Zaira si siede per terra a gambe incrociate, usando lo zaino semivuoto come cuscino. Fra le mani tiene le due fette di pane e il pecorino. Il cane le si avvicina e in un balzo le strappa dalle mani sia il pane che il pecorino. Quindi scappa via con la coda tra le gambe. «Dove vai, delinquente? vieni

qui, torna qui, te lo do il pane, te ne do la metà, ma tutto tu
mi sembra ingiusto!»

È inutile, sta parlando da sola. Quel cane certamente
non lo rivedrà più. «Per questo mi hai seguito eh, maiale
d'un cane! e io credevo che mi volessi tenere compagnia.»

E ora, che fare? Ha fame, è infreddolita, nella grotta le
sembra che manchi l'aria. Sarà meglio sloggiare e affrontare
il viaggio di ritorno sotto la pioggia. Tanto più che la sua pila sembra perdere energia minuto dopo minuto.

Esce dalla fenditura mettendosi di traverso. Uno più
grasso di lei non ci passerebbe. Certo, come nascondiglio è
perfetto. Dovrà tornarci con più calma. E con una pila più
potente. Ora è venuta l'ora di rientrare a casa prima che faccia buio.

La donna dai capelli corti osserva apprensiva il suo personaggio mentre cammina rapida sui sentieri tracciati dalle
capre: l'acqua le inzuppa i capelli, le incolla la giacchetta di
cotone sulla schiena. Corre Zaira, a testa bassa, scansando le
buche più grosse, affondando le scarpe nella mota. Quando
ha quasi raggiunto i cespugli di ginepro dove ha nascosto la
bicicletta, sente una presenza alle spalle. Si volta di scatto,
impaurita. E si trova davanti Fungo, la lingua penzoloni, il
pelo fradicio di pioggia, gli occhi mortificati, la coda fra le
zampe, immota.

«Fungo! sei di nuovo qui? dopo quello che hai fatto, che
t' pòzzan vàtt'! Dovrei darti un calcio e mandarti via. Ma
guarda che carogna, non mi hai lasciato neanche un briciolo
di pane e io ora ho fame, una fame da morire. Ma tu forse
avevi più fame di me, vero, Fungo?»

Il cane la ascolta rizzando comicamente le orecchie e
piegando al solito il capo da una parte. Le parole di lei suo-
nano affettuose. Ha capito di essere stato perdonato. La coda prende a muoversi lentamente, poi sempre più veloce, fino a diventare una bandiera al vento che sventola allegra e
contenta.

Zaira solleva la bicicletta stillante d'acqua. Vi monta sopra e si precipita giù per la montagna schizzando fango, sdrucciolando nella mota. Due o tre volte ha rischiato di cadere, la ruota davanti ha scartato pericolosamente sui sassi aguzzi ma ogni volta è riuscita a riprendersi. Le gambe robuste hanno dato una spinta più energica sui pedali, le mani si sono strette sul manubrio con tutta l'energia di cui è capace ed è andata avanti.

Di lontano, se qualcuno oltre la romanziera fosse stato a spiare, avrebbe visto una donna dai capelli fradici stretti e saltellanti sulla nuca, scendere in bicicletta per un viottolo da capre, i pantaloni neri incollati alle gambe, le maniche della giacchetta che gocciolano sotto i gomiti, le scarpe zuppe, seguita da un cane bastardo dal colore incerto e le forme bizzarre, una gran coda pelosa ritta in aria come uno stendardo.

È la memoria che coglie le scaglie del tempo e le rimescola capricciosamente? o sono le scaglie del tempo che si insinuano nelle pieghe di una memoria ignara per costruire e resuscitare ricordi che vanno al di là dei limiti di una vita?

Ora la donna dai capelli corti appoggia il mento sul palmo aperto. Allunga lo sguardo sui faggi che cambiano delicatamente colore presagendo l'autunno. Ma c'è qualcosa che si muove in lontananza: delle figure che non sa da quale memoria nascosta saltino fuori improvvise e fuggevoli. Fra quei faggi gonfi che stanno per passare dal verde turchino al giallo uovo, le appare un brulichio di ombre striscianti. Prima una, poi tre, cinque, otto, dodici: sono tanti e si muovono con circospezione. Hanno una andatura scimmiesca, sono agili e goffi nello stesso tempo. Chi sono?

La foresta ha anche questa capacità: forzare le età, rimescolare le generazioni, fare sgusciare fuori da una terra addormentata, mai coltivata, che sembra arresa sotto le foglie morte, qualcosa di vivo e fresco come un fungo appena nato che appare improvviso dalla notte al mattino. È il frutto dei ricordi sepolti le cui radici si ramificano in lontananza, nel sottosuolo della memoria. Si nutrono di sostanze organiche, crescono nei sotterranei del tempo, hanno vita filiforme e silenziosa. E diventano visibili solo per un giorno, per un'ora, provocando sorpresa e ingordigia. Funghi di una mente saprofita. Molti di essi sono velenosi, portano nei loro colori seducenti, nelle loro cappelle profumate, la tentazione del delirio e della fine. È solo la conoscenza che preserva dall'orrore. Ma nessuno può dirsi veramente conoscitore di quella micologia del pensiero che è la memoria.

Le dita si posano rapide sui tasti del computer. La macchina fa sentire in sordina la sua presenza elettrica con uno sfrigolio fastidioso. Gli occhi, solo gli occhi, hanno le ali e al contrario del corpo che rimane inerte, quasi cucito alla sedia anatomica, gli occhi volano attraversano i vetri e vanno incontro alla foresta che respira inquietante. Faggi, gli eterni faggi di questo paesaggio abruzzese, il paesaggio della sua maturità e del suo pensiero profondo. Il paesaggio delle suggestioni potenti e arcane che penetrano nella mente con movimenti subdoli.

Ma chi sono quegli esseri scimmieschi che sfilano in lontananza fra gli alberi? Sono venti, trenta e poi altri venti, e altri ancora. Hanno le gambe e stanno ritti: quindi sono uomini. Eppure camminano col dorso chinato in avanti, alla maniera degli orsi. Il loro capo è coperto da un cappuccio di tela grezza che li difende dall'acquerugiola autunnale. Le dita di lei vanno al binocolo poggiato sul tavolo, lo punta su quella massa brulicante e vede che portano curiose calzature che si avvolgono sui polpacci con stringhe di pelle scura. I loro corpi sono coperti da pelli di pecora cucite insieme. Le gambe nude sono riparate in parte da stracci avvolti in forma di bende, e da ginocchiere metalliche legate dietro le cosce. In pugno stringono una lunga lancia dalla punta di ferro rozzamente incisa. Sul petto tengono, legato, uno scudo di bronzo, tondo e scuro. Ora li vede bene, sono tantissimi, un migliaio si direbbe, e si dirigono silenziosi verso Fresilia. Il sole sgusciando tra le nuvole illumina le loro schiene coperte dai ricci di lana bianca e la punta di metallo delle lance.

Sono soldati marsi o peligni? Sulle loro facce segnate dal sole c'è determinazione, ma anche paura. Di fronte, fra poco, si troveranno le file ordinate dell'esercito romano, condotto dal famosissimo Valerio Massimo. Sanno di essere in tanti, per una volta riuniti insieme, giovani di Milonia, di Visinio, di Plestina, di Fresilia, di Yoje, ma dall'altra parte si troveranno un esercito organizzato alla perfezione, con armi mille volte superiori alle loro rozze lance. Si favoleggia di gigantesche catapulte, di immensi massi che arrivano fra capo e collo scompigliando gli eserciti nemici, distruggendo tutto quello che trovano sul loro cammino. Si dice che i soldati romani, con addosso vesti calde e scarpe comode, dispongano di scudi di una lega di ferro così robusta da resistere a qualsiasi punta di lancia, di stiletto, di spada sannita. I loro cavalli poi sono talmente ben allenati, ben nutriti e ben addestrati che con pochi ordini appena pronunciati, si allineano verso destra e poi verso sinistra, in modo da costruire un quadrato perfetto in cui rinchiudono gli avversari come dentro una morsa fatale.

Per questo i loro piedi di montanari sanniti si muovono con tanta precauzione. Per questo le dita che impugnano le lance sono diventate bianche a furia di stringere il legno. Per questo le fronti si sono bagnate di sudore. Per questo le bocche si sono asciugate e gli stomaci si sono contratti in uno spasmo doloroso. I capi lo sanno e percorrono in su e in giù le file dei loro uomini incitandoli con parole ora suadenti, ora minacciose: «I romani non valgono un laccio dei vostri calzari. I romani vengono da lontano, sono stanchi, non conoscono queste terre, queste foreste, non lasciatevi spaventare! Voi siete più forti, anche se le vostre armi non scintillano come le loro. I romani sono abituati a tante comodità, non resisteranno ai primi freddi. Teniamoli in scacco. Non c'è bisogno di rimandarli a Roma adesso. Basta che non arrivino su queste montagne. Teniamoli fermi nella valle, addosso al lago. Li attaccheremo quando comincerà la neve. E sarà la rotta per loro, uomini molli abituati al vino, ai bagni caldi, noi li stermineremo. Qui ci sono le vostre case, le vostre famiglie, non possiamo lasciarci trucidare da questi soldati impennacchiati. Noi siamo fratelli dei lupi, degli orsi, delle linci. Loro hanno paura. Noi siamo amici della notte, delle grotte, degli anfratti. Tenetevi stretti, non fiatate, andate avanti. Li attaccheremo alle spalle e li vinceremo».

La donna dai capelli corti chiude gli occhi. Non vorrebbe assistere a un combattimento feroce, un corpo a corpo irrimediabile, ma la battaglia prende vita lì davanti ai suoi occhi, tra quei faggeti misteriosi che evidentemente hanno conservato una memoria più lunga e audace della sua. Presto viene raggiunta dal suono metallico delle lance che si abbattono sugli scudi, degli elmi che cadono, dei cavalli che nitriscono colpiti a morte, dei feriti che si trascinano per terra e vengono finiti al volo da un uomo a gambe nude, dei rantoli dei moribondi, del ragliare disperato dei muli della salmeria. Dove la sta trascinando l'immaginazione febbricitante? dove la sta conducendo la smania di entrare nei libri di storia e non saperne più uscire?

Quando riapre gli occhi è tutto finito: l'esercito safin è stato sbaragliato. In lontananza vede salire il fumo dei roghi, vede i corpi abbandonati dei soldati morti, il sangue e i lamenti di quelli ancora vivi che si torcono per terra e sa che quello è l'anno 295 avanti Cristo.

«Nonostante le parole incoraggianti dei capi marrucini, l'esercito sannita è stato sbaragliato dai dominatori del mondo di allora» puntualizza il compagno di passeggiate, mentre si tira su il cappuccio per ripararsi da una pioggia improvvisa. A lei è caro perché è stato il marito di una sorella che se ne è andata presto, troppo presto, lasciandole una ferita aperta. Le è caro perché è rimasto affezionato a lei e a sua madre, perché legge molto e soprattutto di storia, perché ha un modo silenzioso e ironico di capire e aiutare chi è più debole, senza farlo pesare. Le piace ascoltarlo raccontare dei sanniti mentre passeggiano tra i faggi antichi.

«Gli umbri si erano uniti agli etruschi, ai sanniti e ai galli per sconfiggere quelle "maledette" schiere venute da Roma, la città della confusione e della corruzione dove, secondo le voci correnti in provincia, le madri si accoppiavano coi figli maschi e i padri con le figlie femmine, dove il timore degli dèi era morto e la gente pisciava sugli altari tanto per divertirsi. Quegli uomini che tutti dicevano molli e amanti dei bagni caldi e dei buoni cibi, incutevano però paura. Quando affrontavano gli avversari, tutti disposti in righe ordinate, con il ginocchio piegato e gli scudi alzati a ricevere le frecce nemiche, non si poteva non ammirarli. Quei romani che le antiche popolazioni italiche detestavano e temevano, dettavano legge sul modo di vestire, sul modo di combattere, sul modo di pregare, di declamare versi, di mangiare, di giocare a dadi, di coniare denaro, di formare una famiglia, di usare gli schiavi, di lavorare la terra. Erano i signori del tempo, i signori del grano, i signori delle città, i signori del mare.

«Durante la tregua che era durata qualche settimana i piccoli e coraggiosi guerrieri marrucini scendevano dalle montagne come scoiattoli a fare azioni di guerriglia, uccidendo cavalli e cavalieri romani nelle notti senza luna; togliendo le ruote ai carri mentre tutti dormivano; razziando polli e maiali che erano tenuti chiusi nei recinti per la truppa. Erano bravissimi in queste incursioni rapide e silenziose. I romani si infuriavano, giuravano vendetta ma non riuscivano mai a prenderli. Salvo una volta che tre giovanissimi ragazzi di Yoje dei Marsi, scesi di notte strisciando fra le erbe alte, scivolati senza farsi notare fra le masserizie dell'esercito romano, furono tanto audaci da infilarsi nella tenda delle prostitute, in mezzo a cui sapevano di trovare, fatte schiave, alcune ragazze del loro paese.

«Le giovani dormivano infagottate in spesse coperte di lana grezza, le teste avvolte in stracci colorati. All'ingresso dei tre giovanotti un gatto era saltato via soffiando spaventato. Ma le ragazze, che avevano bevuto molto vino mescolato col miele, non si erano svegliate. I tre di Yoje si erano fermati, tremando, sui bordi di quei letti improvvisati e avevano perso tempo nel contemplare i visi addormentati di quelle adolescenti già segnati dalla violenza dei soldati. Avevano riconosciuto fra queste una delle loro compagne di giochi, l'avevano sollevata così com'era, avvolta nella coperta e stavano per portarsela via, quando furono sorpresi da due guardie romane preposte al controllo notturno del campo.

«Portati davanti al capocenturione, furono interrogati. E poiché erano muti dal terrore e anche ignoranti della lingua latina, fu chiamato un vecchio romano di origine marrucina che pose loro delle domande. I ragazzi non risposero neanche a lui ma rimasero immobili a bocca aperta, mentre un romano dalle braccia pelose strappava la coperta dal corpo infreddolito della loro compagna e le puntava il coltello alla gola: se parlate la risparmio. Da dove venite? volevate fare un agguato? chi vi manda? dove sono gli altri? quanti sono?

«E poiché i ragazzi tacevano, fu chiamato un altro romano dai muscoli massicci che, come fa un venditore di polli, li afferrò per il collo e non li lasciò finché non li ebbe mezzo strangolati. La ragazza inorridita guardava senza vedere. I suoi occhi erano spenti e opachi. I tre yojesi non parlarono neanche questa volta. Forse solo perché le loro gole erano state schiacciate e non riuscivano a tirare fuori un filo di voce. Il venditore di polli chiese al militare cosa dovesse fare. Il militare accennò un gesto col capo e l'uomo con poche mosse rapide finì di strangolare i due. Il terzo cadde svenuto. Il venditore di polli provò a rimetterlo in piedi a furia di calci e pugni, ma il giovane non reagì. Il militare gli si avvicinò, gli conficcò il coltello nel petto.

«I tre corpi furono sepolti prima dell'alba da due

schiavi africani. La ragazza invece fu risparmiata perché servivano donne giovani e graziose per la truppa e fu riportata fra le altre dopo che ebbe ricevuto dieci scudisciate sulla schiena.»

«Racconta, ma'.»

La giovane madre stamattina indossa un paio di calzettoni a righe bianche e rosse che sporgono da sotto la gonna di lana che le scende fino ai polpacci. Per quanto invecchi non riesce a perdere quell'aria di bambina indaffarata che l'ha sempre accompagnata. Puntando gli occhi su quei calzettoni a righe rosse la bambina si domanda se sua madre fosse così anche da piccola. Non smetterà mai di essere una ragazzina, si dice, sebbene sia dotata di una voce sapiente, adulta e profondamente consapevole della propria potenza narrativa.

«Racconta, ma'.»

«In famiglia il nome di Zaira si ripeteva di generazione in generazione» prende a raccontare la giovane madre e la donna dai capelli corti ha un sussulto di stupore. Come è successo che due personaggi così diversi si siano incrociati? come fa quella madre dai calzettoni a righe bianche e rosse a conoscere la storia di Zaira? Non sarà che proprio Zaira ha fatto il salto del canguro? È stata certamente lei, con la sua invadenza a raggiungere furbescamente l'altra storia, a insinuarsi nei pensieri di una madre perché li comunichi alla figlia bambina.

La ragazza senza collo della fotografia del 1889 se ne sta ora voltata di spalle. Le spose non si devono guardare in faccia altrimenti avranno parti travagliati, così dice la tradizione. Ma quando la comare le tocca con la mano gelata il collo, Zaira si gira di scatto e le donne la guardano spaventate. Non c'è dubbio, avrà delle gravidanze tormentate, l'ha voluto lei. Ma che ne sa Zaira delle usanze di Touta? A casa sua nelle Madonie la sposa può scrutare la faccia di tutti, compreso il marito, anche prima che sia diventato tale.

La comare le afferra la testa con le due mani e gliela raddrizza in modo che stia con la nuca rivolta alla stanza. Le donne alle sue spalle approvano chinando il capo mentre preparano i ceci bagnati nello zucchero fuso per la festa delle nozze. Saranno il solo dolce di quella cerimonia. Una pecora verrà sacrificata per l'occasione, cucinata all'aperto con rosmarino e sale e poi divisa meticolosamente fra gli invitati. In tutto saranno una quindicina. Ai suonatori venuti da Cocullo coi loro serpenti e che si esibiranno durante la festa, saranno destinate la testa della bestia e le zampe. Col sangue si faranno i sanguinacci, con la pelliccia un giubbetto. Niente andrà buttato, nemmeno le interiora, che pulite e lavate, verranno poi farcite di grasso, frattaglie e lupinella.

Il parroco li ha benedetti, lo sposo ha infilato l'anello d'oro al dito della sposa, il chierichetto Trott'l ha sparso l'incenso con gesti rapidi e cerimoniosi. L'aria si è riempita di un odore forte e pungente. La sposa lo respira e chiude un momento gli occhi. I ricordi di un'altra chiesa vengono a galla nella sua mente vuota: una chiesa siciliana, le mani grassocce e calde di una madre apprensiva, una Madonna dal manto turchino disseminato di stelle. In quella chiesa si erano innamorati, occhi negli occhi, lei e Minuccio, di un anno più giovane. L'aspettava fuori dalla chiesa, le faceva un piccolo cenno col capo. Non era permesso alle ragazze da marito parlare con i coetanei. Tutto avveniva attraverso gli sguardi. Interi discorsi muti, domande, raccomandazioni, promesse, esclusivamente con la forza degli occhi che da soli sapevano superare le proibizioni, le regole, i divieti. Si erano parlati d'amore da lontano e si erano promessi il matrimonio. Così credeva Zaira che aveva allora quindici anni ed era bella come una pesca appena spiccata dal ramo.

Una mattina il padre carabiniere aveva annunciato alla figlia sbalordita che dalla settimana successiva sarebbero stati trasferiti, lui e tutta la famiglia, negli Abruzzi lontani. Ma dove? dove? Zaira che non era mai andata a scuola aveva un'idea molto vaga della geografia. Sapeva che l'Italia era fatta in forma di stivale, al cui fondo si trovava la Sicilia che era una trinacria tenuta a galla, anzi sorretta da un mitico nuotatore chiamato Colapesce. Il resto era molto confuso. Al centro dello stivale ci sta il papa, diceva il carabiniere suo padre, ma lei faticava a immaginare il centro di un paese fatto a stivale: era all'altezza del ginocchio? o all'altezza del polpaccio? È un paese di montagna, aveva spiegato il padre con pazienza, come il nostro, chiuso negli Appennini, le montagne più alte dopo le Alpi e lì ci mandano e non possiamo rifiutare, «'u capisti?». Lei non aveva fiatato. Aveva subito pensato a Minuccio. Come fare senza di lui?

Aveva aspettato impaziente la domenica per poterlo vedere di lontano alla messa delle nove. Gli aveva parlato con gli occhi e lui sembrava avere capito. La faccia gli si era svuotata di sangue. Ma poi quella sera stessa, le aveva fatto recapitare da una comare amica di sua madre, un foglietto in cui c'era scritto che sarebbe passato a prenderla il sabato notte, alle tre. Sarebbe stata "na fujiutina" come si diceva laggiù e una volta consumato l'accoppiamento nessuno si sarebbe opposto al matrimonio.

Zaira non sapeva leggere. Perciò tormentava quel foglietto correndo dalla camera da letto alla cucina, dalla cucina alla stalla. Farlo leggere a qualcuno? ma a chi? sua madre era analfabeta come lei. Suo padre certamente si sarebbe arrabbiato solo per il fatto che aveva accettato il biglietto scritto da un uomo. La comare ignorava la scrittura, e poi se n'era andata in fretta dopo averle messo in mano il pizzinello, come a dire che non voleva guai. Ma come faceva Minuccio a essere così sicuro che lei sapesse leggere? Era bello che la pensasse sapiente, ma poteva pure immaginare, si diceva indispettita, che come tutte le altre ragazze campagnole, non le era stato permesso di andare a scuola. Anche suo padre lo diceva: «A che ci serve la scola alle picciottedde, forse a farci fari cchiù figghi?».

La notte di sabato era venuta. Zaira, come intuendo il contenuto del biglietto, si era affacciata più volte alla finestra. Ma l'appuntamento era alla porta della stalla e lei come faceva a saperlo? Non sentì il fischio prolungato del ragazzo che la chiamava, né il rumore delle ruote del carretto sulla terra gelata della straducola che portava verso il porcile. La stanza da letto dove dormiva con la zia Agatina e la nonna centenaria dava sull'altro lato della casa e d'altronde non avrebbe potuto uscire senza passare sul letto della zia e quindi svegliarla.

Finì per addormentarsi verso le cinque, disfatta, tenendo stretto fra le dita il pizzino maledetto. Sognò di essere in chiesa con Minuccio e di essere avvolta in una nuvola di incenso. L'odore era così intenso che la svegliò. Era mattina e la madre stava preparando il caffè che aveva uno strano profumo di incenso. I bagagli furono confezionati in poco tempo. Presero prima un autobus per Palermo, dove dormirono una notte in una pensione vicino alla stazione e si trovarono la mattina con le pulci addosso. Nel pomeriggio si imbarcarono su una nave per Napoli e da lì in carrozza raggiunsero Frosinone da dove un carretto tirato da due asini li portò fino a Touta.

Il pizzino di Minuccio era rimasto fra le sue cose più preziose e l'aveva dato da leggere dopo un anno, a un ragazzino che era venuto ad aiutare il padre carabiniere e aveva frequentato le elementari. Da lui aveva saputo che quella notte Minuccio l'aveva aspettata fuori dalla porta della stalla per fare la fujiuta. Chissà dove sarebbe adesso se avesse saputo leggere!

Il matrimonio con Mosè Salvato era stato solo un contratto. Il padre carabiniere l'aveva conosciuto, l'aveva giudicato adatto per la figlia e gliela aveva data in cambio di una stanza senza gabinetto che affacciava sul cortiletto della casa. A Touta non c'era una caserma e i militi dovevano arrangiarsi per conto loro. Mosè Salvato d'altronde aveva bisogno di una ragazza robusta che lo aiutasse con le bestie e le faccende. L'aveva vista due volte in chiesa e gli era sembrata adatta. Così si erano sposati ed erano andati a vivere nella casa di Mosè che era anche un ricovero per gli animali. Dormivano in un letto grande, separato da una tenda, nella stanza dove si riparavano le pecore e la vacca, d'inverno anche le galline. Il gabinetto era fuori, nel cortiletto e consisteva in un baracchino di legno puzzolente, occupato da un grande cesso di pietra col buco. Serviva per tutte le case dei dintorni. Quando si riempiva il pozzo nero, veniva un giovanotto chiamato Puzzacchie, e a mani nude, con un secchio, riversava il liquame dentro un barile che poi issava su un carretto e lo portava a vendere come concime nei campi della valle.

La madre osserva la figlia che dorme, una mano chiusa a pugno contro la tempia sinistra. Fa per alzarsi lentamente. Ma la vede agitarsi.

«Raccontami un'altra volta della famiglia di Zaira, ma', ti prego!»

La giovane madre non è scontenta di riprendere il racconto. La fotografia di Zaira e Mosè ce l'ha davanti agli occhi e le sembra di averli sempre conosciuti.

«Zaira e Mosè hanno imparato ad amarsi vivendo insieme, come succede qualche volta alle coppie nate per volere altrui. Segno che il padre carabiniere non aveva visto male. Mosè Salvato apprezzava la silenziosa laboriosità della moglie e Zaira gradiva la tenacia e la cieca dedizione di lui. Per anni erano vissuti nell'indigenza: ogni giorno lei si alzava al buio: mungeva le pecore, preparava il pentolone in cui bollire il latte per la ricotta, dava un po' di mangime alle due galline che teneva in cucina. E lui andava per i prati a pascolare le pecore. Con l'aiuto di due cani pastore, le conduceva oltre i faggeti, nei praticelli più nascosti. A volte si distribuivano in modo da scomparire come inghiottite dagli alberi e dalle rocce. Ma bastava che lui lanciasse un verso con la bocca, brrr faceva, brrr, tè, tè! e loro venivano saltando giù dalle cime, superando sassi e dirupi.

«D'inverno Mosè Salvato partiva per le Puglie a portare le pecore: le sue, poche e quelle numerose di due toutani che gliele affidavano fino alla primavera. La transumanza, la chiamavano così, te ne ho già parlato, partivano tutti gli uomini validi del paese e rimanevano assenti per cinque, sei mesi. Imparavano il pugliese, si accoppiavano con donne del luogo, qualche volta facevano un figlio. Ma ai primi caldi tornavano, tornavano sempre. Dovevano riportare le pecore al fresco. Nei lunghi inverni, sulle montagne restavano le donne, spesso prigioniere della neve e del ghiaccio per mesi. I soli uomini che si vedevano in giro erano il parroco, lo speziale, qualche cavallaro, il maniscalco, il fabbro e due o tre signorotti che possedevano le pecore ma le facevano curare da altri. Erano anni di grande povertà: si viveva con due patate, un mucchietto di ceci, l'erba colta nei boschi, fra cui i deliziosi orapi che si possono trovare solo al di sopra dei millecinquecento metri, funghi secchi, pane fatto in casa con farina di granturco e di patate. Fragole selvatiche e lamponi ce n'erano tanti e li contendevano agli orsi. Ma solo d'estate. Con le fragoline e con il ginepro ci facevano il liquore. D'inverno niente verdura e niente frutta. Per questo si vedevano in paese tanti ragazzini con il gozzo. Zaira che, come siciliana, era abituata alla frutta, faceva seccare i fichi che andava a cogliere d'estate verso Pescina: li appendeva in fila sotto l'alto letto matrimoniale. Venivano fuori dei buonissimi fichi secchi, pallidi, morbidi e con un leggero sentore di lana vecchia.

«I cavalli non si uccidevano, servivano per andare in città quando mancava il sale o il sapone, servivano per portare un bambino dal dottore quando aveva la febbre alta o per trasportare la legna dai boschi in paese. I cavalli venivano calcolati fra le ricchezze di una famiglia: un capofamiglia con dieci cavalli si considerava benestante, un capofamiglia con cinque cavalli era quasi povero, chi non ne aveva affatto era un miserabile, come Mosè Salvato Del Signore, che possedeva solo un asino e una decina di pecore che gli davano latte e lana. Con quelle bestie doveva sostenere una famiglia di cinque persone: la moglie Zaira, la nonna cieca di lei, due zie ottantenni che erano venute dalle Madonie in occasione del matrimonio e non se n'erano più andate, e il figlio Pietr' i pelus'. Le due zie cucivano e lavoravano la lana per tutta la parentela. La nonna curava le galline che facevano preziose e sostanziose uova per la famiglia, ma d'inverno diventavano sterili e se ne stavano rintanate, infreddolite, in un angolo della cucina scaldata a legna dove c'era sempre una pentola con l'acqua che bolliva.»

Alla fine dell'anno 1890 Zaira, nonostante l'epidemia di vaiolo avesse devastato il paese di Touta, uccidendo soprattutto vecchi e bambini, nonostante il morbo della lingua blu avesse contagiato e sterminato gran parte delle pecore che costituivano la ricchezza della comunità, era rimasta incinta e in primavera aveva dato alla luce un bambino che battezzarono col nome di Pietro, soprannominato Pietr' i pelus' perché era coperto di peli come una pecorella. Sua madre li chiamava riccett', il padre setule. La nonna diceva di lui: «È pelus' quante 'n orse». Era un bambino fragile e molto intelligente. Due volte stette per morire, e la madre, un po' col calore del suo corpo a cui lo teneva sempre stretto, un po' somministrandogli ogni mezz'ora una pozione di corteccia di salice, l'aveva salvato. Crebbe inquieto, desideroso di apprendere. Tanto che il padre, contro il parere dei parenti di sua moglie e degli amici toutani, lo mandò a scuola dai preti ad Avezzano. Da Avezzano, dopo anni di apprendistato in cui si era mostrato sempre il primo della classe, era stato mandato a Torino a continuare le scuole superiori. Zaira quasi ne era morta di dispiacere. Ma poi si era abituata e aveva riversato il suo affetto su un capretto chiamato Pelusinuzzu che quando era cresciuto, aveva messo su due corna robuste con cui prendeva a cornate le porte di casa. Ma era tanto affezionato a Zaira che la seguiva passo passo e quando poteva, le appoggiava la testa, con tutte le corna, sul grembo, come fosse un bambino.

Ma un giorno il capretto diventato ormai un caprone, mentre gironzolava nei boschi dietro il cimitero, fu attaccato dai lupi e tornato a casa ferito, era morto dissanguato. Zaira lo pianse fino a rimanere senza lacrime. Ormai Mosè Salvato si era fatto anziano, non andava più d'inverno in Puglia, aveva preso a trascorrere le giornate con amici anziani come lui in una bettola fumosa che si chiamava Z' Marì, dove si beveva un vino forte e asprigno che proveniva dalle vigne intorno al lago del Fucino. Versato in botticelle di rovere arrivava a Touta appeso ai fianchi di due cavalli.

Intanto Pietro scriveva da Torino che aveva superato gli esami, era entrato all'università dove studiava per diventare avvocato. Non si sarebbe fatto prete nonostante le molte proposte vantaggiose. Anzi pensava di sposarsi con una certa Amanita, figlia di un illustre botanico, specialista in micologia che aveva conosciuto attraverso un amico abruzzese. Che vorrà dire micologia? si chiese Zaira preoccupata ma non c'erano spiegazioni. Pietr' spedì per lettera una fotografia di questa Amanita: una donna alta, formosa, dai capelli neri raccolti dietro la nuca ed ebbe l'approvazione della madre, «quasi quasi na siciliana», disse ed era per lei il più alto dei complimenti.

Passarono i mesi, in paese si parlava della quinta battaglia sull'Isonzo, delle spedizioni punitive ordinate dall'Arciduca Carlo contro gli italiani, di un certo generale Cadorna che teneva testa alle truppe austriache. Un ragazzo del paese, un tale P'gnatelle, nel dicembre del 1916 era tornato ferito dal fronte e tutti gli facevano domande. Ma lui sembrava sordo e muto. Girava per il paese con una larga benda bianca che gli fasciava la testa e aveva preso a frequentare anche lui la bettola Z' Marì, dove si beveva quel vino rosso che sembrava sangue di capretto tanto era spesso e colorito.

Qualche volta però, quando aveva bevuto più del solito, si metteva a chiacchierare confusamente: raccontava di un obice austriaco che lo seguiva dovunque andasse, raccontava di Cecco Beppe, l'imperatore di tutte le Austrie che era morto mentre lui era in guerra e fra commilitoni avevano inscenato un funerale pomposo, con una bara fatta di escrementi secchi di vacca, e avevano sfilato lungo le strade di Asiago e poi avevano bevuto tutta la notte fino a rotolare per terra senza conoscenza. Raccontava di un certo Cesare Battisti impiccato dagli austriaci in un castello di Trento e diceva che questo Battisti era suddito austriaco ma lo stesso era stato giustiziato perché si era arruolato nell'esercito italiano e prima di essere appeso andava in giro con una fascia bianca sul capo, proprio come lui e recitava a voce alta una poesia di Pascoli: *Che nera notte, piena di dolore / pianti e singulti e risa pazze e tetri / urli portava dai deserti il vento.*

In paese dissero che P'gnatelle era diventato matto. Però lo ascoltavano quando raccontava della trincea dove stavano rintanati e se uno moriva, le pulci si allontanavano dal cadavere formando una lunga striscia nera che si seguiva a occhio nudo e tutti si scansavano bestemmiando; del fango che nei mesi invernali entrava nelle scarpe, nei pantaloni, perfino nelle orecchie. E di un tenente che si era innamorato di un bellissimo granatiere e quando questi fu raggiunto dalla giovane moglie che aveva fatto sistemare in un paese vicino, lo mandò da solo a sminare un campo e quello saltò in aria verso sera un giovedì di maggio. Raccontava anche della visita di un principe Savoia che era passato sopra un cavallo altissimo, impennacchiato, senza guardare né a destra né a sinistra. In occasione di questa visita avevano ordinato a tutti i soldati il bagno nell'acqua calda e avevano distribuito delle bende nuove per le gambe e delle giacche di lana ruvida che poi tutti si grattavano, non si sapeva se più per le pulci cacciate fuori dai loro rifugi o per la lana spinosa.

Un giorno arrivò una lettera a Zaira in cui il figlio Pietr' i pelus' le annunciava che stava per partire per la guerra pure lui. Era il luglio del 1917. Zaira impastò per tutto il giorno farina e acqua, tanto da formare un grosso pane come una palla schiacciata, sopra ci incise una croce profonda e lo portò al forno. La sera stessa ritirò il pane e vide subito la croce crepata e da questo intuì che la sorte del figlio era segnata. Pregò la Madonna di proteggerlo, ma fu inutile. Il 3 novembre dello stesso anno, il postino le consegnò solennemente una lettera del Ministero della Guerra in cui le si annunciava che il capitano Pietro Del Signore si era immolato per la Patria e che all'ultimo, proprio per il suo comportamento generoso ed eroico era stato nominato capitano, da tenente che era. L'esercito ora lo proponeva per una medaglia d'argento al valor militare. Si mandavano le congratulazioni al padre e alla madre e si annunciava loro che il corpo del capitano era stato sepolto in un cimitero militare in quel di Arsiero.

Mosè Salvato l'aveva presa così male che in capo a qualche mese era diventato uno stecco. Non mangiava, beveva soltanto e quando rientrava a casa maledicendo l'esercito, gli alpini e tutto il mondo, insultava pure la moglie gridandole che non era stata buona di dargli altri figli e guarda un po' il solo che avevano era morto in guerra e faceva per picchiarla. Ma Zaira era più forte di lui e gli teneva le mani finché non gli passava. Quando ridiventava sobrio si mangiava un tozzo di pane con l'aglio e piangeva la morte del figlio. Da ultimo se la faceva pure addosso e Zaira lo puliva senza dire niente. Fingeva che fosse un bambino e lo lavava con l'acqua tiepida, gli metteva il borotalco e poi lo aiutava a sdraiarsi fra le lenzuola sempre fresche.

Una mattina tornando dalla stalla dove aveva munto la vacca che non era ancora l'alba, lo aveva trovato morto nel letto. Lì per lì aveva pensato che fosse ancora ubriaco e non riuscisse a svegliarsi. Lo aveva scosso e da come gli ciondolava la testa aveva capito che era proprio andato via per sempre.

Aveva chiamato le vicine, il prete e tutti insieme lo avevano vegliato nella camera da letto piena di candele accese. «Nun ce s'è fatt' a regge la morte d' figlie» dicevano i vicini, intingendo i biscotti alla finocchiella che Zaira aveva appena sfornato, dentro grandi tazze di latte fresco cremoso.

Così era rimasta sola, la vecchia Zaira e si incolpava di non avere avuto altri figli. Ma due erano morti appena nati e altri due erano abortiti spontaneamente al terzo mese. Non ci poteva fare niente. Il Signore aveva voluto così.

Qualche mese dopo, mentre stendeva i panni dietro casa e il sole le scaldava la schiena e gli uccelli erano tornati a cantare dopo un inverno gelido e i due cani che Mosè Salvato aveva lasciato morendo si stavano leccando le ferite di una rissa canina, sentì qualcuno che bussava alla porta. Si stupì perché ormai, dopo la morte della nonna cieca, delle due zie ottantenni e del marito alcolizzato quasi nessuno veniva a trovarla e certamente non a quell'ora della mattina. Si asciugò le mani bagnate e andò ad aprire. Si trovò davanti una ragazza mingherlina, piccola e bruna, pallidissima, che teneva fra le braccia un bambino avvolto in un vestitino bianco tutto nastri e pizzi.

«E tu che vo'?» l'aveva apostrofata con una certa bruschezza. Pensava che fosse una zingara.

Ma la ragazza non si fece intimidire. Prima la guardò ben bene come a riconoscere in lei i tratti dell'uomo amato e poi disse lenta, a voce bassa: «Chistu è figghiu a Pietruzzu, so' figghiu» e sollevò in alto il bambino che era bianco, paffuto e sorridente come un Gesù dipinto dentro una chiesa.

Zaira, pur essendo sospettosa e diffidente, le credette. C'era qualcosa in quel quatranelle, che la fece pensare subito a Pietr' i pelus'. Peli delicati come virgolette bionde gli sgusciavano fuori dalle trine del colletto, dalla cuffietta che copriva le orecchie. Gli occhi poi erano proprio quelli di suo figlio e prima ancora di suo marito Mosè Salvato. Erano occhi supplici e impauriti ma anche dolci e fiduciosi. Allungò le braccia senza dire niente e strinse al petto quel bambino robusto che non assomigliava per niente alla madre.

Ora questa vorrà dei soldi, si era detta Zaira e come farò che non ho niente? Invece no, la ragazza le spiegò che aveva preso la sifilide e non essendosi curata, ormai le rimaneva poco da vivere. Doveva lasciare il bambino a qualcuno e siccome Pietr' le aveva parlato di lei e della casa in montagna negli Abruzzi, era venuta a lasciarle il figlio e addio.

Non aveva voluto né mangiare né bere e se n'era andata arrampicandosi sopra un carretto tirato da un ciuco che lei guidava con due redini logore.

Di Pina non si è saputo più niente. Il bambino che veniva chiamato Pitrucc' i pelus' cresceva robusto e sano con la nonna Zaira. Era forse un poco lento nel capire le cose. A scuola si era fatto bocciare diverse volte. Le maestre dicevano che era apatico, per non confessare che lo trovavano tardo. E questo doveva tormentare il piccolo, perché un giorno decise che a scuola non sarebbe più andato e Zaira non riuscì a fargli cambiare idea. Più avanti dimostrò di avere cervello e tanta voglia di apprendere, ma ebbe maestri diversi da quelli che gli assegnava la scuola.

Intanto imparò a scremare e lavorare il latte delle pecore per farne cacio. Vendendo il formaggio ne ricavò abbastanza per comprarsi due muli. Con quelli si mise a trasportare la legna su e giù dai boschi e poi la rivendeva ai paesani che non avevano il tempo di raccattare fascine per le loro stufe. Coi soldi comprò un paio di scarpe nuove per la nonna Zaira, quelle che indossava erano state rattoppate mille volte e non reggevano più i chiodi e la colla. Nelle ore di ozio accanto al fuoco leggeva, anche se la luce era poca. Sprofondava nella *Bibbia* come fosse un romanzo, imparava a memoria la *Divina Commedia* e poi sorbiva con grande interesse certi librucoli che parlavano di libertà e di uguaglianza.

Non assomiglia molto al padre, si diceva Zaira, salvo per i peli che gli uscivano rigogliosi dalle orecchie e il collo. Da biondi che erano quando non sapeva ancora camminare, si erano fatti scuri e folti. Ma mentre il figlio Pietr' se li tagliava coscienziosamente ogni mattina, il nipote Pitrucc' li lasciava crescere e da adulto sembrava davvero un uomo delle caverne. La barba gli scuriva il viso, i capelli inanellati gli cascavano sul collo e sulla fronte dandogli un'aria tenebrosa. Ma di carattere non era affatto tenebroso, solo taciturno.

Chissà che gli passa per la testa, si diceva Zaira, ansiosa. Vedeva quel bambino scuro e peloso, che aveva rifiutato caparbiamente ogni scuola, chinarsi sui libri la sera dopo avere lavorato tutto il giorno e si chiedeva che futuro avrebbe apparecchiato il destino per lui. Cresceva in altezza, aveva due occhi azzurri limpidi e innocenti, una bocca ben tornita e le mani callose del lavoratore precoce, due spalle che sembravano pronte per reggere il mondo intero, come un Atlante vigoroso. Era bello, sembrava un antico profeta con quel barbone scuro e i capelli ricci e folti che gli incorniciavano la faccia abbronzata. Le ragazze lo guardavano, ma lui sembrava disinteressato. Fin da piccolo si era legato a una vagliola che si chiamava Antonina ed era la figlia del macellaio del paese. Avevano giocato insieme quando avevano cinque o sei anni, prima che "i quatrane" venissero divisi secondo i sessi e le mansioni: da una parte le femmine in casa ad aiutare le madri, dall'altra i maschi dietro i padri in montagna, appresso alle pecore. Ma mentre gli altri vagliole scendevano con gli armenti in Puglia ogni autunno, Pitrucc' i pelus' che era orfano, rimaneva con la nonna a occuparsi dei muli, della legna, dei formaggi da stagionare. Con Antonina si vedevano poco ma non avevano mai smesso di cercarsi con gli occhi, sia in chiesa la domenica che nelle occasioni delle feste di paese, alla processione, alla Via Crucis. Si lanciavano lunghi sguardi d'amore e si promettevano un futuro insieme.

Una sera Pitrucc' i pelus' si era seduto davanti al focolare acceso e aveva guardato in faccia la nonna Zaira, cosa che faceva raramente.

«Ch'è success'?» gli chiese lei impaurita.

«Aggie messe incinda na vagliola.»

«E cu è?»

«La figlie d'Evelina, la moglie d'i macellare.»

«Antonina? E mò te l'ha da sposà, se no i patr' t'accide.»

«Me só fatte le carte pe arrivà all'Australia, nonna. M'hanno date l'autorizzazione. Te voleve dì ca me tengh' de vende i mule pe piglià i quatrine.»

«Accuscì te ne va'? Nun ce penze a quela poverella?»

«Me la porterei appresse nonna, ma co quale solde? I padr' non vole sendì, e mangh'essa.»

«Prima te mariti e po' va' addó te pare.»

«Se metto i quatrine pe i spusalizie, no me remane nend pe i bigliette d' la nave.»

Zaira aveva guardato il nipote con profonda delusione. Possibile che quel ragazzo gentile e taciturno con cui aveva diviso tante cene e tanti sonni, quel ragazzo per cui aveva patito e lavorato, che era rimasto il suo solo parente al mondo, volesse andare via senza una parola di dispiacere per lei che rimaneva sola, per la ragazza che aveva messo incinta, per il figlio che sarebbe nato?

Ma Pitrucc' i pelus' era determinato a partire. Aveva già il biglietto per la traversata. E si era messo d'accordo con un amico che sarebbe venuto a prenderlo all'Aquila per portarlo a Napoli da dove salpava la nave. I muli erano stati venduti e coi soldi aveva comprato un vestito nuovo di panno scuro, una camicia di cotone dal colletto ricambiabile, una valigia di seconda mano, di cartone robusto, già piena e già tutta legata con il cordello che usava per attaccare le pecore al palo mentre le mungeva.

Zaira aveva pensato che doveva fare qualcosa, non poteva lasciarlo partire come un ladro. Così la sera stessa era andata da Evelina la moglie del macellaio e le aveva proposto di mettere insieme i soldi per fare partire i due innamorati dopo averli fatti sposare. Ma aveva trovato una donna brusca e ostile che le aveva quasi chiuso la porta in faccia appena visto chi era. Il fatto è che avevano già trovato a chi maritarla la vagliola prena, ed era uno più ricco di Pitrucc'. Uno che le stava dietro da anni e possedeva una decina di cavalli, un centinaio di pecore e almeno trenta galline.

«Ma le sa isse ca figlieta sta incinta?» aveva insistito Zaira.

«Le sa, le sa. Só gli altre che non l'hanno a sapè.»

«E non se l'addunano?»

«Hanne fatte i guaie. Penzaranno ch'i quatrane è d'isse. Quante vagliole se maritano, i doppe quattro, cinque mese fanne i figlie.»

«Se só acquecchiate mentre stava co figlieme? Bella zocc'la!»

«Ma no, che sta' a dì, gl'hanne fatte doppe ch'ha sapute ca se ne java all'Australia.»

«Ma i figlie è de Pitrucc'.»

«Embe'? Isse se ne vò annà all'Australia, essa non vò. Cignalitt' se la piglia pure co i figlie. Nui seme cuntente.»

«Ai paese se resà tutte cose...»

«I da chi? Pitrucc' se ne sta a partì, Antonina no rifiata manche se ciàpre la bocca con 'n ferr'. De tì me fide comme de mì. Tu nun va' a spubblicà. I va bbone pe tutte quant'.»

Alla fine le aveva pure impresso un bel bacio sulla guancia e le aveva chiuso la porta alle spalle, non prima di avere ordinato il silenzio pigiandosi il dito ritto sulle labbra.

E così era stato. Pitrucc' i pelus' era partito. La bella Antonina si era fidanzata in casa con Cignalitt', un uomo stimato in paese per la sua laboriosità e il suo buon umore. Per lei aveva comprato una casa dai muri antichi, tutta rammodernata all'interno, tappezzata di quadri rappresentanti fatti della *Bibbia*, un letto gigante, degli armadi pieni di biancheria ricamata, una cucina stipata di pentole di rame e di prosciutti appesi.

Zaira aveva dovuto accettare il fatto compiuto. Ma di nascosto, si era messa a spiare la figlia della macellaia Evelina, la piccola Antonina. Era corta ma ben fatta e aveva un capino nero e dolce come una Madonna. Ora capiva perché il ricco Giovannantonio Bigoncia, detto Cignalitt', la sposava. Era basso e grasso, aveva una testa che sembrava direttamente avvitata sulle spalle, le sopracciglia scure gli tagliavano la fronte con una striscia nera e ispida, le orecchie sporgevano sotto i capelli irsuti e i denti erano forti, bianchi e appuntiti proprio come quelli di un cinghiale. Brutto e sgraziato, dicevano che avesse un cuore come il burro e da innamorato era proprio un allocco. Antonina l'aveva conosciuta ai tempi del pellegrinaggio alla grotta di santa Colomba sul Gran Sasso e da allora l'aveva sempre tampinata, anche quando lei si mostrava innamorata di Pitrucc' i pelus'.

Per sposarla aveva chiesto aiuto alla santa Colomba che venerava da quando era piccolo. Era andato più volte alla grotta dove la giovanissima Colomba Pagliara si era ritirata a meditare e l'aveva pregata con le lacrime agli occhi di dargli questa grazia. Santa Colomba, prima gli aveva sorriso e poi lo aveva accontentato. In compenso gli aveva chiesto un cuore d'argento puro, grande come una pagnotta. E lui non si era tirato indietro. Era talmente contento di avere avuto la sua Antonina che era salito alla grotta a piedi nudi, col pesante fardello del cuore d'argento in braccio. «Tu che sì lassate i casteglie piene d' serve i servitori, i vestite de broccate ricamate d'ore, tu che sì lassate pure le collane de perle grosse comm' vellane e le scarpucc' de rase pe irtene a ffà l'eremite, a vivere dentra na grotta fridda i umida, 'n mezz' ai pipistreglie i ai lupe» aveva pregato a voce alta il robusto cinghialetto, continuando: «tu che hai lasciato i tetti di legno di rosa per un poco di paglia fradicia, tu che hai abbandonato i piatti di porcellana pieni di ogni grazia di Dio per mangiarti l'erba amara delle montagne. Tu che oggi hai voluto ascoltare la voce di un uomo piccolo, senza collo e senza importanza, sei veramente una santa di parola e per questo sono venuto a ringraziarti portandoti il cuore di argento che ti avevo promesso, non perché tu abbia interesse a qualche ricchezza, ma per fare vedere al mondo intero che pure da morta sai fare i miracoli. Ti ringrazio, santissima Colomba e ti prometto che quando avrò una figlia, la chiamerò come te, Colomba».

Invece la figlia, che d'altronde non era sua, fu chiamata Zaira, come la nonna che era venuta su dalla Sicilia nel lontano 1889. Ma era rimasta la promessa, e fu onorata due generazioni dopo, chiamando Colomba la figlia di Angelica, nipote di Cignalitt'.

Finché fu in vita, tutti gli anni Cignalitt' andò a venerare santa Colomba, assieme a tanti devoti che prendevano la bicuccia tirata dal mulo, il cavallo e si dirigevano di notte verso la grotta che sorge sul monte Infornica della catena del Gran Sasso. Lì, a 1230 metri si apre la caverna bassa e profonda dove visse la santa fino alla morte. Dicono avesse i capelli così lunghi che per pettinarli doveva salire su una roccia. Questa venne chiamata la roccia del pettine di santa

Colomba. Dicono che in pieno inverno la santa eremita fece fiorire i ciliegi e ancora oggi si possono vedere gli alberi di ciliegio a una altezza alla quale di solito non crescono. Lì convenivano i fedeli da tutto l'Abruzzo per chiedere guarigioni e miracoli. La leggenda vuole che santa Colomba, diventata tutta verde perché mangiava solo erbe e fogliame, appoggiasse una delle piccole mani color smeraldo sulla parte malata e dopo due giorni la ferita era rimarginata.

Nella famiglia Pagliara però ci fu un altro santo: il fratello Berardo che, al contrario di Colomba, andò per il mondo, conobbe i dolori e i piaceri della politica e divenne vescovo di Teramo. Dicono che san Berardo, quando seppe che la sorella eremita stava per morire, si recò nella grotta sul Gran Sasso con i suoi scudieri e le sue vesti preziose. Ma appena vide Colomba ridotta uno scheletro e toccò quelle mani verdi e grinzose, ebbe vergogna, si spogliò del suo cappello, dei suoi anelli, del suo mantello, delle sue scarpe di seta e si fermò seminudo a piedi scalzi, a pregare presso di lei.

Antonina e Cignalitt' si sono sposati nella chiesa Madre, il 6 luglio del 1940 con la benedizione del papa Pio XII arrivata in un rotolo di cartone, per concessione del vescovo della diocesi a cui Giovannantonio Bigoncia detto Cignalitt' aveva appena rifatto gratuitamente tutte le vetrate della cattedrale. Quattro mesi dopo era nata una bambina, piccola, robusta, allegra e cicciotta che era stata chiamata Maria Beatrice Zaira.

In seguito alla partenza di Pitrucc' i pelus' per l'Australia, erano venuti i militi nazifascisti a rovistare e mettere a soqquadro tutta la casa. Così Zaira aveva scoperto che suo nipote era diventato comunista e i fascisti lo cercavano per farce na mazziature. C'era chi voleva metterlo sotto processo per attività antitaliane e farlo fucilare in quattro e quattr'otto.

In casa non avevano trovato niente, salvo i libri di Marx ed Engels che lui leggeva da ragazzo, ma le camicie nere avevano sfasciato lo stesso tutti i poveri mobili che aveva costruito Mosè Salvato con il legno di faggio stagionato in casa. La vecchia Zaira non l'avevano toccata. «Sule perché sì viecchia i puzze come na crapa!» le aveva detto un tipino elegante in divisa, sparando un calcio al povero gatto che si era messo in mezzo. E pensare che la nonna Zaira era la persona più pulita del mondo: si lavava in continuazione, anche quando faceva freddo e l'acqua scaldata sui carboni si raffreddava subito; metteva sotto lisciva gli indumenti intimi ogni giorno che Dio mandava in terra. Dietro casa sua era un continuo sventolio di panni stesi: lenzuola, sottovesti, mutande, maglie a pelle, tutto pulito e profumato di lavanda.

Ma per quei barbari ogni donna anziana non poteva che puzzare. «Sapisse come puzzane le cervella vostre!» si era messo a gridare Pitrucc' i pelus' quando aveva saputo da una lettera della nonna quello che avevano fatto e detto le camicie nere sconquassando la sua casa. Prima di andare via avevano legato le pecore con la corda, avevano infilato in un sacco tutte le forme di cacio che stavano a stagionare su uno scaffale della cucina, e si erano portati pure le sedie di legno, impagliate da Mosè Salvato.

La vecchia Zaira non si era mai ripresa da quelle brutalità. Era rimasta sconvolta e impaurita fino alla morte che l'aveva colta molti anni dopo sola e senza un soldo. L'aveva trovata il postino che era andato a cercarla per consegnarle una lettera del nipote Pitrucc' i pelus' dall'Australia. Stava seduta su una sedia a dondolo, col gatto in braccio che piagnucolava per la fame.

La donna dai capelli corti deve ammettere, a questo punto della storia, che si è affezionata alla famiglia Bigoncia Del Signore, che aspetta con trepidazione le parole di Zaira per saperne di più, di più ancora, come faceva con sua madre da bambina, quando la subissava di domande su storie vere e inventate raccontate prima che si addormentasse. E cosa è successo di Pitrucc' i pelus' in Australia? e come ha vissuto la piccola Zaira, nata da Antonina la figlia del macellaio?

Zaira sapeva poco di quello che era successo a Pitrucc' i pelus' in Australia. Era troppo lontano e non arrivavano lettere da quelle parti. Mentre sapeva della piccola Zaira detta Zà e di sua madre Antonina la bella che aveva la faccia da Madonna e si era sposata con Cignalitt', incinta di cinque mesi. La pancia non si vedeva perché lei la schiacciava con bende e pezzuole, ma tutti in paese erano a conoscenza dell'inguacchio e fingevano di non sapere, ma ne chiacchieravano dentro i letti a notte fonda, oppure al lavatoio o in chiesa mentre aspettavano la benedizione del parroco. Cignalitt' però se ne infischiava. Lui l'amava quella madonna dagli occhi di velluto e tirava dritto per la sua strada pensando alle sue pecore, ai suoi cavalli, al suo commercio di legna e di farina di ceci.

Maria Beatrice Zaira, detta Zà, era cresciuta nell'agiatezza e nell'amore del patrigno che stravedeva per lei. Nessuno le aveva spiegato che non era il vero padre e lei lo chiamava papà. La madre Antonina, che da ragazza pareva una rosa bellissima e profumata e tutti in paese la volevano, dopo il parto si era fatta secca e striminzita. Dimagriva dimagriva e diventava sempre più piccola, come se tornasse bambina. A trent'anni anni aveva perso una metà dei denti, due spallucce tutte ossa bucavano i vestiti e per la vergogna di quella magrezza non usciva quasi più di casa. Il marito però le voleva bene e la trattava con affetto, cosa che lei non apprezzava come avrebbe dovuto. In cuor suo forse pensava a Pitrucc' i pelus' partito per l'Australia nel 1940. Era diventato comunista e portava i fazzoletti rossi nascosti nelle tasche, teneva il ritratto di Stalin sotto il materasso. Chissà chi gli aveva insegnato la politica, lui che non frequentava affatto la bettola Z' Marì, né la piazza del paese. Dissero che era stato il nuovo parroco, don Pasqualino, ancora imberbe, venuto da Napoli nel '38, a sostituire il vecchio parroco morto da poco. Don Pasqualino era piccolo, aveva la faccia rossa, il naso a becco e gli occhi acuti e sorridenti. Al contrario dell'altro prete che stava ogni momento a benedire le parate e i raduni dei fascisti, si era messo in mente di aprire una scuola per i figli dei pastori, conosceva a memoria Bakunin, Stuart Mill e Malatesta, era sempre in giro nelle case dei più poveri a portare quando un sacchetto di fagioli, quando una forma di pecorino. I parrocchiani lo guardavano con un misto di ammirazione e timore. Che ire avrebbe attirato questo originale parroco napoletano, pensavano i paesani che si appiattivano contro le montagne per non farsi notare dai grandi censori cittadini! Alcuni dicevano che era un santo, altri che era 'n anarchiche periculuse e come poteva succedere che un prete fosse anarchico? Inutile ripetesse che lui era solo un cristiano. I vecchi paesani chiusi nei loro mantelli a ruota, il cappello calato in testa, facevano mille congetture mentre chiacchieravano in piazza nelle ore serali. Anche alla bettola Z' Marì si parlava di lui, si diceva che era un sovversivo perché non si curava delle parate, sul pulpito poi non accennava mai alla guerra "vittoriosa delle Afriche Italiane!" ma anzi, con grande coraggio dichiarava che tutti gli uomini sono uguali davanti a Dio, che africani, cinesi, ebrei, vanno rispettati come diceva Cristo: ama il prossimo tuo come te stesso!

Alcuni ragazzetti che avevano appreso la dottrina politica a scuola, gli ribattevano che gli africani non erano proprio

uomini ma qualcosa di molto vicino agli animali: andavano
con il cerchio al naso e invece di parlare, ballavano a piedi
nudi sollevando una gran polvere, come venivano rappre-
sentati nei tanti giornali di regime. In quanto agli ebrei, erano comunisti e volevano portare via le pecore ai pecorai,
mettere Cristo in croce per la seconda volta, per carità, facevano bene i tedeschi a cacciarli tutti dentro il pollaio. Don
Pasqualino non perdeva la pazienza. Sorridendo ripeteva
che Cristo, anche sulla croce, aveva perdonato. Per lui quel
Manifesto della razza che espelleva gli ebrei dalle scuole, andava contro la parola di Cristo. Se non lo avevano picchiato
fino a quel momento era per rispetto al suo abito che per loro significava ancora qualcosa di sacro.

Al centro del paese sorgeva una villetta dalle finestre a
ogiva, gli archi traforati, le colonnine ai balconi, le guglie sul
tetto e un immenso giardino pieno di fiori, chiuso da un alto
muro di recinzione. Di quella villa si erano impadroniti i tedeschi durante la guerra. Il giardino era stato spianato e dal
cancello entravano e uscivano camionette militari che portavano gente da tutti i dintorni: Villetta Barrea, Opi, Castel di
Sangro, Civitella Alfedena, Roccaraso. Le camionette erano
chiuse con teli marrone e verdi, ma la gente in paese sapeva
che dietro quelle tende c'erano prigionieri che poi sarebbero
stati fatti scendere davanti all'elegante costruzione liberty,
condotti ai piani inferiori dove si trovava una stanza per gli
interrogatori e, dicevano, anche per la tortura nel caso non
volessero parlare.
    I toutani passavano alla larga dalla villa ma anche da lon-
tano si potevano sentire i lamenti dei prigionieri. Una volta
si erano uditi anche degli spari e poi una camionetta era partita a razzo per la valle. Gli abitanti del paese non dovevano
sapere cosa succedeva in quella palazzina che nel dopoguerra sarebbe diventata un elegante albergo a quattro stelle dal
nome poetico: Hotel delle Gardenie.

Una mattina, mentre andava a dare l'estrema unzione a un pastore che viveva ai margini del paese, don Pasqualino era stato avvicinato da un gruppo di ragazzi venuti dalla valle che gli avevano dato del comunista prendendolo a calci e a pugni, poi lo avevano costretto a ingurgitare una bottiglia intera di olio di ricino e quindi si erano dileguati su un sidecar color oliva. Nessuno aveva capito se fossero militi che eseguivano un ordine o semplicemente dei ragazzi in vena di punizioni politiche. Don Pasqualino aveva vomitato per un giorno intero. Poi erano cominciate le corse al gabinetto e i ragazzacci che ciondolavano attorno alla sacrestia, si tenevano la pancia dal ridere. Era stato punito come comunista e ben gli stava! tutti i comunisti dovevano finire come lui, prima purgati e poi appesi. Questo era il pensiero dei fanatici. Gli altri, i più savi, i più sensibili, chinavano la testa impensieriti e tiravano dritto. La paura tratteneva da qualsiasi commento.

Erano anni dolorosi, spiega Zaira alla donna dai capelli corti, in cui l'Abruzzo era diviso, affamato e i tedeschi, innervositi dalle sconfitte e dall'avanzata degli alleati, perdevano la testa e colpivano con ferocia chiunque gli capitasse a tiro. Fra il '40 e il '44 avevano costruito ben 16 campi e 59 località di internamento. Dentro si trovavano ebrei, antifascisti italiani, prigionieri inglesi e francesi.

I magnapatate si erano innervositi soprattutto per l'improvvisa crescita di una resistenza abruzzese che non si aspettavano e che invece si faceva sentire di qua e di là, ogni giorno più organizzata. Gli eleganti giovanotti nazisti che frequentavano la villetta fiorita erano imbufaliti contro quelli che loro chiamavano traditori altamente infidi. E facevano di tutto, pagando spie, pedinandoli, precipitandosi nelle case sospette, per sorprenderli e quando riuscivano ad acciuffarli, li impiccavano senza tante storie. Oppure, se li vedevano giovani e robusti, li mandavano nei campi di concentramento oltre frontiera. E lì venivano inghiottiti da strani nomi che allora si conoscevano appena come Buchenwald, Dachau, Auschwitz.

Tutte queste cose gliele ha raccontate tata Raffaele che pure lui odiava i tedeschi e cercava di cacciarli dal paese. Il gruppo più popolare si chiamava Brigata Maiella ed era comandato da un certo Ettore Triolo, e poi c'era la formazione Bosco Maltese in memoria dello scontro sanguinoso che c'era stato appunto a Bosco Maltese nel '43 fra i soldati della Wehrmacht e un manipolo di antifascisti abruzzesi che erano riusciti, dopo molto sparare, a farli ritirare e di questo andavano orgogliosi. In paese se ne parlava, anche se di nascosto.

Il 21 novembre del '43 don Pasqualino era stato chiamato d'urgenza a Pietransieri vicino Roccaraso perché «è success' 'n grannissime casine!». Lui era subito partito prendendo a prestito l'auto di Cignalitt', il padre di Zà.

«Ch'è success'? ch'è success'?» gli chiesero i parrocchiani quando ritornò la sera pallido, stanco e sporco di sangue. Don Pasqualino sembrava troppo sconvolto per parlare, ma poi raccontò, a pezzi e bocconi, che in contrada Limmari, accanto a Pietransieri, aveva trovato i corpi trucidati di un centinaio di persone, fra cui bambini e anziani, donne e uomini, colpiti dalla Wehrmacht con bombe a mano e mitragliatrici. E questo perché non avevano ubbidito agli ordini di sgombrare il paese entro un'ora. Sotto i fucili puntati erano usciti sui campi vicini, ma poi erano rimasti lì, per non allontanarsi troppo dalle loro bestie, dalle loro case. E per questa disobbedienza erano stati trucidati tutti, l'intero paese. Raccontava di cani che guaivano disperati accanto ai corpi straziati dei loro padroni, raccontava di pezzi di braccia e di gambe che erano volati nei campi vicini e del muggito delle vacche chiuse nelle stalle mentre un silenzio irreale circondava quei corpi morti ammucchiati gli uni sugli altri. C'erano madri che stringevano ancora al petto il loro figlioletto di pochi mesi, c'erano uomini che avevano cercato di proteggere le loro donne mettendosi davanti e avevano il petto tutto forato di colpi col sangue raggrumato sulle camicie. I nazisti non avevano avuto pietà: chi era ancora in vita dopo il lancio delle bombe a mano e la sventagliata delle mitragliatrici veniva finito con un colpo di pistola in testa. Molti bambini, forse perché più bassi e quindi sfuggiti ai primi colpi delle mitragliatrici, erano stati uccisi con una pistolettata sparata a bruciapelo. Una immagine in particolare aveva colpito il prete: quella di una vagliolella aggrappata al collo della madre che giaceva riversa per terra, con il sangue che le usciva dalla bocca. La bambina doveva essere rimasta a lungo addosso alla madre morta perché aveva le mani impiastricciate di sangue e la donna portava sul viso e sul collo le impronte perfettamente riconoscibili delle manine insanguinate della figlia. Segno che aveva avuto il tempo di carezzarla e invocarla prima di venire zittita con un colpo in piena schiena. I capelli fini, di un biondo carico, erano mossi dal vento, e davano l'impressione che il capo della bimba si muovesse.

Don Pasqualino non ha mai dimenticato quell'eccidio e ancora dopo molti anni, anziano, secco come un piolo, se qualcuno gli chiedeva dei tedeschi e della guerra, si offriva di accompagnarli a Pietransieri dove c'è una lapide con i nomi dei 128 trucidati, con tanto di data di nascita e di morte. Il suo dito bitorzoluto si soffermava sui nomi di 34 bambini che erano all'epoca sotto i dieci anni.

Dal giorno della purga, don Pasqualino era diventato più prudente ma non per questo aveva cambiato idea. Le sue prediche la domenica si erano trasformate in un groviglio di citazioni dal *Vangelo* e dalla *Bibbia*, da cui si ricavavano insegnamenti contraddittori. Chi poteva protestare contro le dichiarazioni di Cristo? Non pronunciava più la parola ebrei, ma non mancava l'occasione per ribadire che gli uomini hanno tutti un'anima, buona o cattiva che sia, e non va disprezzata, perfino gli animali, continuava facendosi rosso, perfino loro sono dotati di un'anima e perciò vanno trattati con considerazione. Su questa ultima affermazione molti paesani erano assolutamente contrari, gli davano del pazzo idealista. «Mangh' fusse san Francische!» dicevano, e lo prendevano in giro perché teneva un passero libero in casa e gli parlava come fosse un amico. Gli animali sono fatti per essere cacciati, tagliati a pezzi, mangiati, sostenevano gli uomini e le donne acconsentivano un poco intimorite, indecise se dare retta al parroco napoletano che sconvolgeva tutte le tradizioni, oppure ai loro mariti e figli che avevano l'abitudine di andare a caccia, si prendevano cura dei cani solo se mostravano un buon fiuto e quando davano prova di non sapere tenere a bada le pecore, li ammazzavano con un colpo di fucile. «Criste non disse pigliate e magnate?» replicavano timidamente al prete. Era inutile che don Pasqualino si accalorasse a sostenere che Gesù aveva dato sì da mangiare il suo stesso corpo fatto a pezzi, ma era solo un atto simbolico. Loro scuotevano la testa e per quanto lo rispettassero per la sua generosità e la sua onestà, lo consideravano un poco tocco. Don Pasqualino, a ottant'anni, ancora correva in bicicletta, ancora si arrampicava sulle rocce, ancora tirava fuori una voce potente quando predicava la domenica il bisogno di giustizia, di rispetto per il prossimo. Qualcuno metteva un dito sulla tempia e lo girava come a dire: non bisogna dargli retta, gli manca qualche rotella, ma è innocuo, non fa male a nessuno, è solo un poco tocco.

Don Pasqualino aveva battezzato la piccola Maria Beatrice Zaira detta Zà, le aveva dato la prima comunione e, quando l'aveva avuta in chiesa per la preparazione alla cresima, aveva scoperto che era una bambina intelligente e pronta. Aveva chiesto alla madre Antonina di farla entrare nel coro delle voci bianche. Ma lei lo aveva guardato spaventata. Non poteva prendere decisioni senza chiedere al marito. «E domandatelo a Cignalitt'!» aveva ribattuto lui sorridendo. Quella donna gli faceva pena, sembrava attaccata alla vita da un filo e neanche tanto robusto. Dicevano che avesse un cruccio d'amore, ma con lui non ne aveva mai parlato, neanche in confessione. Sapeva, per via di chiacchiere di sagrestia, che aveva sposato Cignalitt' già incinta di cinque mesi, sapeva che era stata fidanzata con uno che aveva fama di sovversivo ed era partito per l'Australia vendendo i muli e le pecore per comprarsi un biglietto di terza sul piroscafo per Sydney.

Ma i pettegolezzi non lo interessavano. A lui bastava che quella madre tremebonda gli lasciasse in affidamento la figlioletta a cui insegnava la musica, la geografia e anche la letteratura italiana. Le faceva leggere a voce alta Ludovico Ariosto: *Timida pastorella mai sì presta / non volse piede inanzi a serpe crudo / come Angelica tosto il freno torse / che del guerrier, ch'a piè venia s'accorse.* Le raccontava di questa Angelica che, innamorata di Rinaldo, lo inseguiva per tutta Europa, attraversando a cavallo, da sola, boschi abitati da draghi volanti e maghe infide, battendosi contro cavalieri armati, rendendosi invisibile con un anello fatato, dormendo *fra oscuri sassi e spaventose grotte.* Le raccontava di Napoli e del mare che lei non aveva mai visto.

«E com'è il mare?» chiedeva Zà alzando la faccia dai pomelli rossi verso don Pasqualino. Lui allargava le braccia e diceva: «È grosso accuscì».

«Più grande della piazza San Giovanni decollato?» chiedeva lei.

«Molto più grande.»

«Più della valle del Fucino?»

«Di più.»

«E come si fa a non affogare?»

«Si piglia una barca e ci si mette sopra.»

Giovannantonio Bigoncia, detto Cignalitt' aveva permesso alla figlia di andare a scuola dal nuovo parroco, aveva acconsentito che entrasse nel coro della chiesa, sapendo che la moglie Antonina la controllava, nascondendosi dietro una colonna per ascoltarla, estasiata. Don Pasqualino le aveva inculcato l'idea che gli uomini sono tutti uguali, che ogni discriminazione è stoltezza e peccato, che più che obbedire bisogna imparare a ragionare con la propria testa. Anche se, non lo nascondeva, il ragionare con la propria testa può comportare qualche pericolo di tipo sociale. Non era stato picchiato lui da quei facinorosi venuti su dalla valle col sidecar color oliva? non gli avevano fatto ingollare l'olio di ricino che poi per una settimana era stato male con la pancia? Ma l'amore per Dio è più forte dell'odio politico, le diceva e le dava da leggere il Vangelo di Matteo: "Beati gli operatori di pace perché saranno chiamati figli di Dio".

Maria Beatrice Zaira, detta Zà, era ancora una vagliolella quando la guerra era finita. In paese si erano sentiti i bott' che di solito si fanno per la fine dell'anno. Era la conclusione di una dittatura come dicevano in molti, usando per la prima volta apertamente questa parola che fino a pochi mesi prima era stata pronunciata solo nel segreto delle camere da letto. Si era sempre saputo ben poco di quello che succedeva fuori dal paese: i giornali scrivevano le stesse cose e raccontavano che tutto andava bene e la guerra sarebbe stata vinta dal fascismo, assieme con la Germania, contro «le canaglie del mondo». Contro la vile Albione e gli imbelli seguaci di Giovanna D'Arco, una eroina a dir poco ambigua: quando mai si è vista una donna a cavallo che guida un esercito? Intanto i comunisti, questa mala erba che sbucava fuori come la gramigna anche dal terreno protetto del proprio giardino, si davano da fare in tutto il mondo per «distruggere ogni chiesa, portare via i poderi ai contadini e le bestie ai pastori, chiudere le figlie nei bordelli e mettere in comune le mogli», roba che solo a sentirla veniva il voltastomaco.

Ma, nonostante la gran retorica sull'impero e le nuove colonie, la gente pativa la fame e molti partivano per l'estero. A Touta era apparso un manifesto grande quanto un lenzuolo che prometteva paghe favolose per chi raggiungesse le miniere belghe. Erano quelli della Federazione Carbonifera Belga che invitavano gli abruzzesi, "gente forte e di buona volontà", a trasferirsi nelle miniere di Dreslera. Avrebbero ricevuto 20 franchi al giorno, più la casa e il cibo gratuito.

Molti erano partiti lasciando le mogli, le fidanzate. Alcuni erano tornati, altri no. Ogni tanto arrivavano delle cartoline con i saluti. Giungevano lettere giganti, con dentro i soldi e qualche volta una fotografia. Come quella che aveva mandato a Zà il cugino della madre, Gerardo, seduto su un sasso con una gamella in mano, la faccia sporca di carbone, in testa un cappello a elmetto munito di lampadina e una piccozza infilzata nel terreno davanti a sé. Sorrideva lo zio Gerardo, come se avesse conquistato il mondo. Ma si capiva dalla sua magrezza che non se la passava tanto bene. Comunque ogni mese spediva per posta quei pochi franchi che servivano per la moglie incinta del quinto figlio e per tutti gli altri piccoli che venivano su rachitici e gozzuti.

Don Pasqualino intanto, per la gran fame e il freddo si era ammalato di tisi, ma non se ne curava. Tossiva talmente che durante la messa la gente provava pietà. Ma tutti dicevano: «Guarirà, Criste glie segue co gl'occhie», il Signore lo tiene d'occhio. Senza pensare che proprio coloro che sono nelle pupille del Signore spesso finiscono male, forse perché, azzarda qualcuno, amandoli troppo, li vuole accanto a sé in paradiso anzitempo.

Eppure don Pasqualino non mancava mai la sua predica della domenica e i parrocchiani lo ascoltavano con grande rispetto, anche coloro che non condividevano le sue idee, perché era un uomo che conosceva la dignità e perché si sapeva che regalava tutto quello che gli veniva dato e si occupava dei poveri come nessun parroco aveva fatto fino ad allora. Scoraggiava i giovani dal partire per le miniere belghe o francesi. Diceva che avrebbero mangiato solo bocconi amari e sarebbero tornati coi polmoni rovinati e pochi soldi in tasca. Ma la fame era tanta e i giovani partivano lo stesso, non ce la facevano a sopravvivere in famiglie di otto, dieci figli, con solo poche pecore da cui ricavare lana e latte.

Quando, dopo le cure in un sanatorio di Sondrio, don Pasqualino tornò nel 1955 guarito, i parrocchiani dissero che era un miracolo e gli regalarono un sacco con trenta chili di patate, quelle patate della piana del Fucino che hanno la pasta gialla e sono dolci e nutrienti come castagne.

Per un periodo fu trasferito a Lecce dei Marsi. Dove trovò altri amici ed estimatori. Ma anche lì dicevano che era un poco picchiato: non si era messo contro i cacciatori rifiutandosi di benedire i fucili nel giorno dedicato a sant'Antonio Abate?

Poi, in seguito a una petizione degli abitanti di Touta, tornò da loro e riprese le sue appassionate prediche domenicali. Ora se la prendeva con le ingiustizie sociali, con le guerre di tutto il mondo e con gli abusi edilizi. Il sindaco qualche volta lo andava a trovare in sacrestia e lo rimproverava bonariamente: «Lei, don Pasqualino, mi infiamma gli animi contro l'ordine democristiano».

«Lei pensi all'ordine democristiano, io penserò all'ordine cristiano.» Tutti avevano saputo in paese di questa sua risposta e se l'erano ripetuta mille volte. Anche se poi avevano continuato a votare per la DC.

Zaira, a diciotto anni era una ragazza alta, robusta, mortificata dalla timidezza. Eppure, con la baldanza dei timidi aveva dichiarato al padre che non sarebbe rimasta in paese. Voleva andare in città a studiare. Cignalitt', che non era capace di negarle niente, soprattutto dopo la morte di Antonina, l'aveva mandata a Firenze e lei gli aveva dato delle soddisfazioni. Prendeva tutti buoni voti, era modesta e prudente. Non beveva, come facevano molti suoi compagni, non passava le notti a ballare e amoreggiare. Aveva conservato una riservatezza montanara che la rendeva poco amabile presso i compagni festaioli, ma altri le erano diventati amici proprio per quella sua ritrosia un poco selvatica.

A Firenze abitava nel quartiere popolare di San Frediano, in una pensione dal nome romantico Rêverie, che in francese vuol dire sogno. Ma le regole della casa erano tutt'altro che sognanti. La padrona, signora Buccini, aveva la mania del risparmio: dopo le undici tutte le luci dovevano essere spente, altrimenti aggiungeva il costo del consumo sul conto alla fine del mese. L'acqua calda si poteva usare solo una volta alla settimana e la doccia non poteva durare più di tre minuti, pena la chiusura del gas. Zaira non ne parlava con Cignalitt' per non inquietarlo, ma certo non si trovava a suo agio. Per risparmiare la carta igienica la padrona di casa tagliava i vecchi giornali in tanti piccoli quadrati e li ammucchiava vicino al cesso. Nel ballatoio aveva appeso un congegno per misurare la luce, che rimaneva accesa solo pochi secondi e ogni volta si rischiava di ruzzolare giù per i gradini. Da mangiare preparava minestre di fagioli più o meno tutti i giorni, mai carne o pesce, e le zuppe della sera erano lente lente, quasi fatte di sola acqua, col "pesce a mare", come commentavano i pigionanti pescando nel piatto una lisca. Erano soprattutto studenti quelli che affittavano le stanze e tutti si lamentavano della fame che faceva loro patire. «Non c'è una lira, non c'è una lira e voi pagate pochissimo» ripeteva la signora Buccini stropicciandosi le mani e se gli inquilini non si attenevano alle sue regole, faceva trovare il letto disfatto col materasso arrotolato e la valigia posata sopra.

Per questo le salsicce montanare, le forme di pecorino e i biscotti col mosto che Cignalitt' portava a Firenze almeno una volta al mese, erano molto attesi. Zaira spartiva quel ben di Dio con gli studenti che per ringraziarla le regalavano romanzi e libri di poesia. Poi un giorno la padrona della pensione è morta in modo grottesco: cercando di acchiappare un ragno che aveva fatto una ragnatela sul soffitto. Montata in cima a una scaletta sgangherata che teneva nel ripostiglio, si era sbracciata. La scala, priva di alcune viti che lei non aveva sostituito per risparmiare, si era aperta come un quaderno mandandola a sbattere la testa contro uno spigolo del battiscopa. Si può dire che sia morta di avarizia. Se solo avesse sostituito quelle viti mancanti sarebbe ancora viva. Qualche giorno dopo venne Cignalitt' da Touta e trasferì la figlia in una casa di Santa Croce, da una sua parente che si chiamava Cesidia.

In casa di questa Cesidia che viveva rammendando lenzuola e vestiti per il vicinato, Zaira studiava dalla mattina alla sera chiusa nella sua minuscola stanza con una finestra che dava sui tetti. La padrona di casa la vedeva solo all'ora dei pasti sempre rapidi perché sia l'una che l'altra avevano premura di tornare al lavoro. La camera sui tetti era silenziosa e accogliente anche se molto piccola. Non disponeva neanche di un armadio e Zaira era costretta ad affastellare la sua roba sotto il letto. Il tavolino di legno tarlato accanto alla finestra era la sua gioia: lì si immergeva nei libri. Lì, quando sollevava la testa, poteva scorgere le tortore che se ne stavano appollaiate sul tetto di fronte e andavano su e giù indaffarate, gorgogliando.

Ogni tanto veniva distratta dalle note di un pianoforte che qualcuno suonava in un appartamento nelle vicinanze. Da principio non ci aveva fatto granché attenzione, ma poi, con l'andare dei giorni, aveva avuto modo di ammirare la destrezza di quelle dita che correvano sui tasti chissà in quale stanza non lontana da lei. La curiosità per il proprietario di quelle mani, così delicate e sicure, la ossessionava. Chi poteva essere? Se lo chiedeva alzando gli occhi dal libro e ascoltando con sempre maggiore rapimento quelle note limpide e corpose che la strappavano allo studio.

Talvolta era costretta a tapparsi le orecchie per non essere distratta dalle sue letture, ma la curiosità la tormentava. E così si mise a sbirciare fuori dalla finestra allungando il collo, le orecchie tese verso tutte le finestre. Finché non aveva scoperto che quelle note leggere e nello stesso tempo potenti, provenivano da un appartamento del quarto piano.

La stessa sera era salita al piano di sopra e si era fermata davanti alla porta su cui c'era scritto a stampatello in oro Pensione Paffudi. Ma non aveva trovato il coraggio di bussare. Voleva vedere chi era il pianista o la pianista che ascoltava dal suo studiolo. Sembrava che quella porta non dovesse aprirsi mai. Solo la mattina presto, mentre ancora dormiva, sentiva lo scalpiccio di passi frettolosi giù per le scale e la porta della Pensione Paffudi che sbatteva. Ma chi suonava il pianoforte non usciva a quell'ora. Poco dopo le nove, puntualmente, udiva le sonatine di Czerny con cui il pianista si esercitava. Poi, quando si era scaldato, affrontava i pezzi più impegnativi.

Un giorno, dopo avere ascoltato una sonata di Brahms, aveva sentito dei passi sulle scale ed era corsa, sperando che fosse la persona che cercava. Superò un ragazzo quasi urtandolo con la spalla. Chiese scusa. Lui la guardò stupito. Lei prese il coraggio a due mani e gli chiese se era lui che suonava nell'appartamento al quarto piano.

«Sono io, perché?»

«Ah!» sussurrò contenta Zaira, ma la timidezza le impedì di continuare. Non sapeva più che dire. Intanto lui aveva finito di scendere gli scalini e usciva sbattendo il portone a molla.

Il ragazzo le era piaciuto quanto la musica che suonava. Era alto, magro, con una testa bionda, luminosa e gli occhi grandi, distratti, un modo di muoversi fra lo sbadato e l'irruento.

Una mattina felice l'aveva incrociato mentre saliva lentamente le scale leggendo uno spartito. Si era fermata per dirgli quanto le piacesse la sua musica. Aveva preparato una frase che era anche un poco cerimoniosa. Ma lui l'aveva preceduta e con un gesto rapido le aveva cinto le spalle, l'aveva stretta a sé e l'aveva baciata. Così, senza una parola. Lei si era liberata, indispettita da quella fretta: non le aveva nemmeno permesso di dire le cose che si era preparata. Ma lui era sparito anche questa volta senza una parola.

Da quel giorno Zà fece in modo di scendere le scale nell'ora in cui lui le saliva e se non c'era gente, si scambiavano un rapido bacio, altrimenti si salutavano e correvano via. A casa, mentre studiava lo ascoltava suonare e si innamorava ogni giorno di più, sia di lui che della musica di Bach, di Scarlatti, di Chopin.

Una sera si incontrarono davvero per caso, sul portone, lui le chiese se volesse accompagnarlo alla latteria d'angolo a prendere una tazzina di panna fresca coi cialdoni. Lei acconsentì e lì, seduti su due sedie di ferro, circondati da pareti ricoperte di mattonelle bianche, Roberto le raccontò che veniva dalle montagne del Veneto, che studiava al Conservatorio di Firenze perché era fra i più rinomati in Italia. Le confessò che i suoi gli mandavano un tanto al mese, giusto per pagare la stanza e qualche libro. Era lì ospite della Pensione Paffudi ormai da un anno e la signora lo trattava molto bene riempiendolo di dolci perché a lei piaceva cucinare torte e lo faceva anche a pagamento, per le sue amiche e per gli inquilini del palazzo che bussavano alla pensione per chiedere una torta alle mele, un babà al rum, uno spumone alla cioccolata. A casa Paffudi infatti c'era sempre un buon odore di burro fuso, cannella e pasta cotta al forno con lo zucchero.

Zaira gli aveva confidato di venire dalle montagne abruzzesi, e precisamente da Touta, un piccolo paese fra le cime più alte degli Appennini, di avere perso la madre, morta di una malattia misteriosa e di avere un padre che faceva commercio di pecore e di lana.

Da allora si erano visti spesso, ma sempre castamente, o in latteria dove una tazzina di panna con i cialdoni costava sette lire, oppure ai giardinetti, sotto un pino centenario, talmente carico di uccelli che sembrava di stare al mercatino della domenica. Ogni tanto cascava pure un piccolo escremento bianchiccio sui cappotti, ma loro ne ridevano e continuavano a baciarsi.

Un giorno Cesidia, che lei credeva fosse appena una conoscente, le confessò di essere l'amante di Cignalitt'. Bevendo un caffè bollente e guardandola negli occhi, le aveva detto senza pudore che suo padre era propria na meraviglia a letto. Zà si era alzata di scatto e se ne era andata in camera. Ma perché quella donna era così indiscreta? «Cignalitt', sai, è sempre stato brutto anche da quatrane» aveva proseguito la sera stessa, a cena, Cesidia, «ma ha il corpo di un toro e il cuore di burro.» E poi aveva finito per svelarle che in realtà lei e Cignalitt' non si erano mai lasciati, neanche dopo il matrimonio di lui con Antonina. Ogni tanto Cignalitt' prendeva il treno da Touta ad Avezzano e da lì a Roma e da Roma a Firenze, con la scusa del lavoro, la vendita della lana o l'acquisto di un nuovo macchinario. Si incontravano in quella casa, dove c'era sempre il ricambio pronto: camicie pulite, scarpe lustrate a puntino, pigiami profumati di spigo chiusi nei cassetti ad aspettarlo.

Le aveva esibito ogni cosa con impudenza, non si capiva se per stupirla o per conquistare la sua confidenza, o semplicemente per mostrarle che, nonostante l'amore per Antonina e per Zà, la vera compagna d'amore di Cignalitt' era proprio lei, Cesidia.

In seguito Cignalitt' era venuto a trovare Cesidia mentre Zà era da lei. Aveva preso posto con naturalezza nella camera della donna e la sera aveva indossato quel pigiama che le aveva mostrato Cesidia, pulito e piegato in quattro dentro l'armadio. Insieme i due si erano chiusi nella stanza grande dopo avere ingollato un piatto di spaghetti ai funghi porcini, accompagnato da un Chianti denso e quasi nero.

La mattina dopo Zà era uscita presto e non era tornata a casa per tutto il giorno. Cignalitt' si era preoccupato, l'aveva cercata prima a scuola e poi perfino negli ospedali della città. In realtà Zà se ne stava seduta su una panchina delle Cascine con gli occhi fissi nel vuoto, pensando all'inganno che sua madre Antonina aveva subìto per anni. Forse per quello era così pallida e poco vogliosa di vivere. Tanto che era morta giovane. E se invece l'avesse saputo e tollerato? Si diceva in famiglia che Antonina era stata fidanzata con uno che era partito per l'Australia e che non aveva mai perdonato ai suoi di averle impedito di andare via con lui, forzandola a sposare questo Cignalitt' dalle gambe corte, il collo taurino e le braccia da lottatore, anche se poi si era dimostrato un buon marito e un buon padre.

Pensava tutte queste cose, quando si sentì chiamare. Alzò gli occhi e lo vide venire verso di sé: piccolo, corpulento, chiuso in un impermeabile bianco che gli svolazzava fra le gambe arcuate. Senza volerlo aveva pensato, con sorpresa ma anche con un certo senso di sollievo, che quello non poteva essere il suo vero padre: probabilmente lei era figlia di quell'altro che era partito per l'Australia.

Più tardi, seduti attorno al tavolo, nella cucina di Cesidia, Cignalitt' le aveva chiesto perché fosse scappata e lei aveva risposto che si sentiva offesa per sua madre Antonina che sempre gli era rimasta fedele ed era morta infelice. E allora per la prima volta Cignalitt' le aveva parlato a cuore aperto. Le aveva detto che sua madre Antonina, quando l'aveva sposata, era incinta di un altro e precisamente di quel fidanzato che si chiamava Pitrucc' i pelus', partito per l'Australia. Lui lo sapeva che Antonina e Pitrucc' si erano amati, ma l'aveva sposata lo stesso, perché ne era innamorato, perché l'aveva sempre desiderata, da quando si erano trovati insieme sulla bicuccia che li portava alla grotta di santa Colomba sul Gran Sasso. Erano stati i tre giorni più belli della sua vita, sempre vicino alla bella Antonina che non parlava ma lo guardava con gli occhi di una Madonna. Di quei tre giorni perfetti ricordava i fuochi che avevano acceso la sera in montagna, le mangiate di salsicce cotte sui carboni ardenti, le bruschette col pomodoro fresco, le grandi fette di cocomero divorate in onore della santa eremita, le preghiere a voce alta, le cantate in suo onore, tutti insieme, giovani e vecchi accompagnati dalla fisarmonica suonata da un certo Gn'cchitt' che commuoveva pure le cornacchie tanto suonava bene. Lì lui l'aveva amata e desiderata e aveva promesso a se stesso di aspettarla, fosse anche una vita intera.

«È stata na bbona moglie mammeta Antonina, te lo posso dì, Zà, era sottomessa, faticava tanto, non se sparagnava mai.» Però l'amore lo faceva a occhi chiusi, come se pigliasse una purga, senza mai una parola, uno sguardo, un gesto «che me facesse capì quarcosarella de bbone.» Per questo si era rivolto a Cesidia, che conosceva da quand'era una vagliolella. La prima femmina che aveva abbracciato era stata proprio lei, Cesidia. A lei piaceva fare l'amore «è na femina vere, Zà mentre mammeta era na scopa e io per questo so ite co n'altra». Ma non l'aveva mai trascurata e le aveva sempre voluto bene.

Questo aveva detto Cignalitt' e Zaira alla fine si era sentita così leggera che le veniva da piangere. Per la prima volta aveva ascoltato un adulto che le parlava sinceramente e questo adulto era Cignalitt', uno che tutti consideravano un bruto, goffo, basso e ignorante come un caprone. Uno che tutti pensavano le donne lo schifassero e invece guarda qui, aveva avuto una moglie di cui era innamorato e nello stesso tempo una amante che lo accudiva da lontano e da cui lui accorreva ogni volta che poteva. Era la verità, ma era anche una stranezza. Strano che non fosse suo padre e lei lo avesse intuito quella mattina guardandolo venire verso di sé alle Cascine, prima che lui glielo confessasse, strano che sua madre, nemmeno quando stava per morire le avesse detto niente, strano che l'altro padre, quello scappato in Australia, non si fosse mai fatto vivo, neanche con una parola.

Zaira aveva deciso che prima o poi sarebbe andata a trovare questo padre sconosciuto. Doveva vedere che faccia aveva, doveva sentire la sua voce. Per questo cominciò a mettere da parte i soldi per il viaggio. Poi gli scrisse una lettera "Caro padre che non ti conosco...", raccontandogli della madre che era morta, di Cignalitt' che l'aveva cresciuta con generosità, e della sua voglia di incontrarlo, perché lei, Maria Beatrice Zaira detta Zà aveva preso il nome della nonna di lui che era salita dalla Sicilia alla fine dell'Ottocento. E appena avesse racimolato i soldi sarebbe andata a trovarlo perché troppa era la voglia di vederlo e parlargli. Ma per raggiungere Sydney, si era informata, occorrevano centomila lire sane sane e dove li trovava quei soldi?

La lettera non aveva avuto risposta. Salvo poi scoprire anni e anni dopo che Pitrucc' i pelus' l'aveva ricevuta, l'aveva letta con commozione e l'aveva conservata senza mai perderla, fino a farla diventare uno straccetto trasparente.

Cignalitt' era tornato in Abruzzo lasciandole una busta con dentro dei soldi. Con quel denaro Zà si era comprata un paio di scarpe dal tacco alto e delle calze con la riga. Da quando frequentava il giovane pianista aveva cominciato a vestire in maniera più cochetta, con maglioncini aderenti, gonnelle scampanate e nastri fra i capelli. Non si era mai sentita bella, anzi si considerava insignificante, con quelle lentiggini che sembravano tante cacatine di mosche sulla faccia tonda, quei capelli castani che non stavano mai a posto, quegli occhi di cui non si riusciva a indovinare il colore: di can che fugge, come diceva don Pasqualino ridendo, o di foglie de fagge quande revé ottobre, come diceva Cignalitt'? Ora per la prima volta, dopo gli abbracci di Roberto, si era un poco ricreduta: forse non era così goffa come si pensava, forse qualcosa c'era di piacevole in lei e Roberto lo apprezzava.

L'amore lo fecero una domenica mattina quando tutti erano fuori: la signora Paffudi era andata a messa e Cesidia a visitare un'amica. Incontrandosi per le scale, lui l'aveva tirata per il polso fin dentro la sua stanza, lì avevano preso a baciarsi con tanto impeto che erano scivolati per terra quasi senza volere e proprio sul tappeto della signora Paffudi, con la paura che tornasse da un momento all'altro, senza neanche togliersi i vestiti, si erano accoppiati in silenzio: lui aveva trafficato con mani inesperte sui ganci del reggiseno e lei aveva cercato di tirare giù la cerniera dei pantaloni.

Non era sembrato un granché a nessuno dei due. Ma si erano ripromessi di farlo bene, con calma, sopra un letto, quando ne avessero avuto l'occasione. Però l'occasione non si era presentata e avevano dovuto accontentarsi dei baci rubati sulle scale, dietro le porte, mentre la signora Paffudi preparava le sue torte in cucina, o sulle panchine ai giardinetti quando faceva bel tempo.

Dopo un mese, però, Zà si accorse di non avere le mestruazioni. Non ci badò perché era spesso irregolare. Al terzo mese si allarmò. Andò da una ostetrica che le chiese centoventimila lire per l'operazione. E dove li avrebbe mai trovati tutti quei soldi? Nemmeno sacrificando la somma che aveva messo da parte per il biglietto andata e ritorno dall'Australia ce l'avrebbe fatta. Prese a racimolare qualche lira risparmiando su tutto, ma intanto era passato un altro mese. Allo scadere del quarto, Roberto le procurò un appuntamento con un medico amico di amici che faceva aborti a buon prezzo. Ma quello, dopo averla visitata, aveva sentenziato che era troppo tardi ormai: era pericoloso per lui e per lei.

Roberto, quando lo seppe, le strinse le mani, le diede un centinaio di baci, le disse che l'amava pazzamente, ma insistette che doveva assolutamente abortire perché lui non aveva i soldi per mantenere un figlio. I suoi, che erano contadini, gli spedivano un tanto al mese perché si diplomasse in pianoforte e mai avrebbe potuto dire loro che si sposava e faceva un figlio. Voleva forse che rinunciasse alla sua carriera di pianista per cui tutta la sua famiglia aveva fatto tanti sacrifici? Certo che no, Zà si sentiva caricata di una grande responsabilità. Per questo, quando lui le ordinò, secondo le indicazioni di una sedicente ostetrica, di ingollare novanta grammi di sale inglese che avrebbe abortito da sola, li mandò giù, sebbene le venisse da vomitare.

Per tre giorni credette di morire. Aveva la dissenteria e le sembrava di perdere pezzi di intestino insieme con le feci. Vomitava, aveva crampi allo stomaco e non si reggeva in piedi. Ma il bambino non uscì. Roberto si torceva le mani. La baciava, le garantiva che avrebbero trovato un rimedio. Lei pianse, ricambiò teneramente i suoi baci. Andò, per accontentarlo, da un altro medico, ma anche quello si rifiutò di operarla. Intanto era arrivata al quinto mese.

Così Zà decise di tenere il figlio, e Roberto, dopo avere concluso in fretta e bene gli esami al Conservatorio, dopo averle dato altri baci e averle dichiarato eterno amore, partì lasciandole una busta con dentro del denaro. "È tutto quello che ho. Abortisci Zà, ne va del tuo futuro. Ti cercherò." Questo aveva lasciato scritto su un foglietto che lei conserva tutt'ora.

Ancora debole per tutto il sale inglese che aveva ingurgitato, Zà si era messa a cercarlo dappertutto e solo allora si accorse che lui non le aveva mai detto come si chiamasse il paesino delle montagne venete in cui abitava. Provò a cercare sull'elenco telefonico, ma il nome di Roberto Valdez non compariva da nessuna parte. Andò al Conservatorio per avere notizie, ma forse perché capirono subito come stavano le cose o perché volevano proteggerlo, le dissero che non sapevano né dove fosse andato né avevano conservato alcun indirizzo. Si umiliò perfino con la signora Paffudi aiutandola a pulire i gabinetti e il ripiano dei fornelli incrostati mentre cercava di convincerla a trovare l'indirizzo di Roberto, cliente della pensione fino a una settimana prima. Ma anche lei fu irriducibile e Zaira capì: Roberto aveva chiesto a tutti di tacere. Segno che non voleva saperne di quel figlio né di quella ragazza troppo goffa e impacciata che non era stata capace di abortire, che non aveva una lira e non sapeva neanche vestire elegante.

Si fece coraggio, Zà, tornò a Touta per parlare col patrigno, Cignalitt'. Lui si mostrò generoso e comprensivo anche se lì per lì aveva inveito in dialetto stretto, minacciandola con una delle sue mani robuste e grassocce. Ma la mano non era scesa a picchiarla. «Mannagg' a san St'ppin! Mannagg' a sant Nend! Mannagg' a chi t'ha cotta!» gridava. Ma alla fine, dopo avere camminato su e giù per la cucina bestemmiando, la fece sedere davanti a sé, le parlò con voce calma e savia: le consigliò di non dire niente in paese, di tornare a Firenze e lì partorire il figlio per poi rientrare a Touta a cose fatte. Intanto lui avrebbe propagato la notizia che si era sposata e che il marito doveva rimanere a Firenze per lavoro. Poi, col tempo la gente avrebbe fatto l'abitudine e la cosa era fatta. «Propria come mammeta Antonina, vagliolell' mè, propria comm'a issa» aveva aggiunto sconsolato, «pover' a mmì, s'è ripetuta la sorte, me l'aveva 'mmaginà.» Ma Cesidia non si era accorta di niente? «È successo una volta sola, papà.» «Tu sì na vagliola sfortunata, Zà!» aveva concluso abbracciandola. «Sfortunata no, pa', fortunata semmai che ho un padre come te!» In paese nessuno si sarebbe comportato come lui. Gli aveva cinto il collo con le braccia e l'aveva baciato su tutte e due le guance: «Sei l'uomo più generoso che conosco, Cignalitt'» gli aveva detto e lui si era scostato burbero, ma in cuor suo gongolante.

Quando lei partorì quattro mesi dopo una bambina asciuttella e magrolina che chiamò Angelica, ricordando le storie di Ariosto lette a voce alta con don Pasqualino nel cortile della chiesa di Santa Severa, Cignalitt' arrivò a Firenze con un paniere colmo di prosciutti, uova e ricotta fresca. La guardò allattare con le lacrime agli occhi. Quindi la riportò con sé a Touta dove aveva preparato una camera tranquilla per la neonata. La quatranella fu subito adagiata in una culla di salice intrecciato, sopra un materassino di piume d'oca ricoperto di lino tessuto a mano, con tanto di nome ricamato sopra: Angelica Bigoncia. *Angelica in quel mezzo ad una fonte / giunta era, ombrosa e di giocondo sito / ch'ogniun che passa, alle fresche ombre invita, / né, senza ber, mai lascia far partita.* Era così serena quella bambina che non sembrava nata senza padre, in una città estranea. Le bastava sapere che il corpo morbido della madre fosse nelle vicinanze per giocare ore e ore con i piedini per aria. Le bastava succhiare cinque volte al giorno il capezzolo bruno che Zaira tirava fuori dalla veste con gesti vergognosi e pudichi, per dormire tranquilla senza mai mettersi a piangere.

Con Angelica in braccio Zaira tornò a Firenze per prendere la laurea in Lettere. Cesidia la aiutava come poteva, pur sbuffando e imprecando contro il trambusto che faceva la notte svegliandosi ogni due ore per allattare la piccola. «Il padre dov'è?» chiedevano in tanti. «Se n'è andato» rispondeva lei a voce bassa, quasi a se stessa. Poi sollevava la testa sorridendo. Non voleva che la bambina si sentisse un'orfana. «Ha una mamma e un nonno» rispondeva con orgoglio.

Di lavorare purtroppo non se ne parlava. Nessuno la voleva con quella figlia appresso. Provò a fare i servizi in un ufficio legale che la pagava a ore, ma non sapeva dove lasciare la bambina quando Cesidia non era in casa. E così se la portava dietro, dentro una cesta e la lasciava sul pavimento nell'ingresso mentre puliva per terra e spolverava. Ma un giorno che la bambina piangeva per i denti che spuntavano il direttore le disse che così non si poteva continuare: o trovava dove lasciare la figlia o se ne andava. E una settimana dopo le mandò la lettera di licenziamento. Zaira si mise alla ricerca e ne rintracciò un altro di lavoro: come telefonista in un albergo. E poiché i centralini stavano nel sotterraneo, nessuno si accorse che si portava la bambina in una cesta e anche se piangeva non la sentivano. Ma dopo qualche mese, con la scusa che perdeva tempo ad allattarla, la cacciarono via.

Fu così che decise di tornare al paese. Si preparò le risposte da dare agli amici, ai parenti. Radunò le sue cose, mise in valigia anche la laurea incorniciata, e rientrò a Touta in autobus, con la bambina in braccio. Nessuno le chiese niente. Cignalitt' aveva preparato il terreno raccontando del matrimonio di Zaira con il grande pianista Roberto Valdez, veneto di nascita ma residente a Firenze. Il giovane padre pianista avrebbe presto raggiunto moglie e figlia, intanto scriveva loro ogni giorno lunghe lettere affettuose e mandava anche dei soldi. Ma quelle lettere nessuno le aveva viste: il postino Calzaroscia rispose ai curiosi che in effetti, lettere in casa Bigoncia non ne arrivavano affatto da Firenze. I paesani intuirono presto la verità, ma non mostrarono disprezzo. Dopotutto erano i primi anni Sessanta e i pregiudizi contro le madri nubili erano considerati cosa del passato. Con tanti giovani che partivano per le miniere francesi e belghe, o più lontano, per Nuova-Iuorche o Baltimore o anche per Sidni, era abituale vedere per il paese donne sole con uno o due bambini attaccati alle gonne. Le chiamavano veduve bbianche e don Pasqualino le trattava con particolare rispetto e affettuosità. Qualche volta i mariti tornavano con un gruzzolo messo da parte per comprarsi una casa, due o tre cavalli, un centinaio di pecore. Spesso non tornavano affatto e dopo anni si veniva a sapere che avevano preso un'altra moglie e messo al mondo altri figli. Non fecero nemmeno particolari ricerche per scoprire se Zaira Bigoncia si fosse davvero sposata a Firenze col padre di Angelicucc' o fosse stata abbandonata incinta, come succedeva alle "svruvegnate". In altri tempi l'avrebbero fatto.

Zaira crebbe con affetto e dedizione la sua bambina, in casa di Cignalitt' finché lui fu in vita, poi quando morì di cuore, una mattina mentre caricava due secchi di latte fresco, si trasferì in una casa più piccola e periferica, avendo venduto quella grande nel centro del paese.

Aveva pianto tanto la morte di Cignalitt' che era sempre stato così generoso e sollecito con lei, come fosse proprio sua figlia. Da ultimo lui si era pure molto affezionato alla nipotina Angelica, per lei si era messo a intrecciare i rami del salice per farne panierini che riempiva di ricotta fresca. Con lei per mano andava nei boschi a cogliere fragoline, con lei sulle spalle scendeva al mercato per comprare le arance preziosissime che venivano dalla Sicilia e costavano un occhio della testa, quando tutto il paese era sepolto dalla neve.

Un anno prima Cesidia era venuta da Firenze a stare con loro e Cignalitt' l'aveva voluta sposare, con tanto di velo bianco e confetti, nella chiesa grande del paese. Nessuno ci aveva trovato da ridire: lui era vedovo da tanti anni e lei aveva visto la luce in una casa del paese. Anche se era andata via, poi era tornata e questo bastava a dimostrare che una vera toutana non può vivere che a Touta, l'ombelico del mondo. La piccola Angelica li chiamava nonno e nonna.

Solo pochi mesi dopo la scomparsa di Cignalitt' era morta anche Cesidia e don Pasqualino aveva offerto una messa cantata, con tanto di coro di voci bianche. Un organista amico suo, un tipo segaligno con una pagnotta di capelli in testa e gli occhiali come due fondi di bottiglia, era venuto apposta da Gioia dei Marsi. Suonava lento lento perché stentava a leggere la musica, ma era bravo, così per lo meno parve a tutti coloro che erano in chiesa e si commossero per quella musica che sembrava scendere dal cielo. Anche Zaira si era commossa e aveva stretto la mano della piccola Angelica trovandola diaccia. Le devo comprare i guanti, si era detta, ma poi se n'era dimenticata e Angelica era andata in giro nei mesi invernali con le mani coperte di geloni. Non diceva niente per non mortificare la madre, nascondendo le dita sotto i maglioni. Finché un giorno Zaira l'aveva vista che si asciugava il sangue con lo straccio della cucina e si era presa paura.

«Che ti sei fatta?»

«Nend...»

«Fai vedere!» e aveva scorto i geloni. La sera stessa si era messa a lavorare a maglia dei guanti per la figlia che ormai aveva dieci anni e si faceva sempre più alta e più bella. Gliene aveva regalati cinque paia: rossi, verdi, neri, viola e celesti, rubando le ore al sonno, per il senso di colpa che le avevano suscitato quei geloni. Le aveva confezionato anche un cappuccio di lana d'angora bianca che quando se lo infilava sembrava un coniglio appena nato e una sciarpa larga, azzurra che metteva in evidenza gli occhi chiari, per cui tutti l'ammiravano.

Angelica aveva preso i colori del padre, il pianista: oltre i capelli di un castano chiaro dai riflessi fulvi, aveva la faccia cosparsa di lentiggini che le coprivano le gote e il naso. Le lentiggini erano appartenute pure a Zaira, che le aveva sempre trovate brutte, mentre quelle di Angelica erano gioiose e sembravano tanti puntini di matita colorata. Così pareva alla madre che vedeva nella figlia la grazia e l'eleganza noncurante del padre. Gli occhi poi non erano color can che fugge come i suoi, ma di un bellissimo azzurro, come il nonno Pitrucc' i pelus' e come il nonno del nonno, Mosè Salvato Del Signore. Aveva una camminata disinvolta, leggera, che metteva in evidenza le lunghe gambe slanciate. Possedeva un buon orecchio per la musica e per questo don Pasqualino l'aveva scelta per il coro della chiesa, come aveva fatto con Zaira quando era piccola.

«È una bambina socievole, affettuosa e intelligente» diceva di lei don Pasqualino. «Na criature latt' i mel' i tutte ce vonno bbene.»

Ma verso gli undici anni, la criature latt' i mel' aveva cambiato carattere. Si era ammutolita. Era diventata scontrosa e cupa. Quando la madre le domandava qualcosa, si sentiva rispondere «Nun me stà a scuccià!». Si infilava le calze rosse, gli stivaletti bianchi di plastica e usciva a trovare le amiche. «Con loro ci parli, con me no» la rimproverava Zaira e per tutta risposta riceveva un'alzata di spalle. Cercava di riconquistarla con l'affetto e la buona cucina, come tutte le mamme. Per il dodicesimo compleanno della figlia, Zaira aveva cucinato tutta la notte tirando la pasta con il matterello, mescolando il latte con le uova e il burro per la crema pasticciera. Aveva invitato le amiche della figlia, le compagne di scuola, ma all'ultimo momento Angelica le aveva detto che non aveva voglia di feste e si era chiusa in camera sbattendo la porta. E lei aveva dovuto ricevere gli invitati, dire che la figlia si era ammalata improvvisamente, servire la torta e lo sciroppo di lamponi che preparava ogni anno con tanta cura.

«Angè che hai? che c'è? non vuoi prendere un poco di torta, l'ho cucinata per te, ti piaceva tanto!» le disse da dietro la porta quando le visite erano finite. Ma non erano arrivate risposte da quell'uscio chiuso. La sola cosa che si sentiva era la musica sincopata, tun tun tun, turuntuntun a tutto volume.

Erano passati gli anni. Con la velocità delle lepri in corsa. Zaira pensava di stringere ancora la piccola mano della figlia che si avviava verso scuola di prima mattina e si trovava accanto una ragazza da marito, dalle dita lunghe, irrequiete che accendevano una sigaretta dietro l'altra, la camicetta aperta sul collo, tanto da mostrare l'attaccatura dei seni che aveva bianchi e minuti.

Con la madre parlava poco, anzi quasi per niente. Solo per dire: me l'ha' cucite l'orlo dei pantaloni? me l'ha' stirate la camis' bluette? Zaira non la rimproverava. Sapeva che sarebbe stato inutile. Le passerà, pensava. Nel frattempo dedicava sempre più tempo alle traduzioni e ai libri che ormai non entravano più negli scaffali di casa. Aveva un contratto con un piccolo editore di Pescara che le spediva manoscritti su manoscritti, soprattutto di scienza e di astronomia, pubblicazioni in cui si era specializzata la Casa e che comprava dalle università. Aveva un suo pubblico di studenti e di appassionati l'editore pescarese, che acquistavano quel tanto di volumi da permettergli di resistere sul mercato. Ma aveva sempre fretta e la tempestava di telefonate. Mentre quando si trattava di pagare, tirava in lungo e dichiarava disperato di essere al verde.

Una sera che prometteva pioggia e non l'aveva vista tornare, Zaira era uscita con l'ombrello per cercare la figlia. Dalle amiche non c'era. I bar del paese erano già chiusi. Il Rombo a quell'epoca ancora non esisteva. Preoccupata, si era incamminata sulla provinciale per raggiungere, a qualche chilometro da Touta, un albergo nuovo dove la sera ballavano. Lì si era diretta al buio, stringendosi nel cappotto col bavero di velluto. E lì l'aveva trovata, ubriaca, che ballava con uno sconosciuto. Quando si era avvicinata per portarla a casa, Angelica si era innervosita e le aveva svuotato il bicchiere in faccia con un gesto di rabbia quasi selvaggia. Zaira era uscita e si era seduta sui gradini dell'ingresso ad aspettare. Era talmente avvilita che piangeva senza neanche accorgersene. Si chiedeva perché Angelica, la bella figlia dai capelli ramati, ce l'avesse tanto con lei. Era solo una antipatia di crescenza come diceva Maria Menica o qualcos'altro che non capiva?

Forse era stato un atto di arroganza pensare di crescerla da sola, senza un padre. Se Roberto l'avesse presa con sé, per lo meno qualche giorno al mese, non sarebbe stato meglio? Se l'avesse portata qualche volta ai concerti che teneva in giro per il mondo, se l'avesse contagiata col gusto della musica, chissà!

Mentre se ne stava lì seduta con la faccia rigata di lacrime, qualcuno le si era seduto accanto. Non le aveva rivolto la parola, le aveva solo allungato un bicchiere pieno. Lei l'aveva trangugiato. Era qualcosa di dolce e di forte.

Si era voltata per guardarlo. D'istinto, vivendo in un paese, la prima cosa che viene in mente è di chiedersi: di chi sarà figlio questo giovane? Ma poi si era accorta che non era affatto giovane. Era un uomo della sua età, con un sorriso gentile sul volto segnato, due occhi dolci e rispettosi.

«Ha bisogno di qualcosa?»

«No, grazie, sto bene.»

«Non si direbbe.»

Di Touta non era, l'avrebbe riconosciuto e il suo accento non era abruzzese. Lombardo? No, veneto, ora si accorgeva che scivolava sulle vocali come faceva Roberto Valdez. Dentro di sé sorrise.

«È sua figlia quella là dentro che dà spettacolo, vero?»

Zaira annuì.

«Balla bene.»

«Lo so.»

«Che ne dice di passeggiare un po'?»

«Per andare dove?»

«Così, a spasso.»

Avevano fatto quattro passi per il giardino dell'albergo. Era da tanto che un uomo non le camminava al fianco. Mandava un buon odore di sapone al bergamotto, aveva una camminata un poco impacciata, di un timido che tenta di fare il disinvolto.

«Ma lei zoppica?»

«Se n'è accorta? Ho un'anca malconcia. Dovrei operarmi. Ma non mi decido mai.»

«Un'anca malconcia?» Chissà perché le era venuto da ridere. Ma lui non si era offeso, anzi, aveva riso con lei. E così, ridendo, si erano presi a braccetto. Dopo un quarto d'ora le sembrava di conoscerlo da anni. Le aveva raccontato con voce divertita che anche lui, come lei, aspettava una figlia che ballava in quel carnaio, per riportarla a casa. «Gli incidenti più gravi accadono quando rientrano verso le tre. Per questo sono qui. Che faccia quello che vuole là dentro, ma deve tornare a casa con uno che guidi da sobrio, non in preda a chissà quale eccitante del cavolo.»

«Sei di Touta?» gli aveva chiesto lei, dopo che avevano deciso di darsi del tu, ben sapendo che non poteva esserlo.

«Mia madre era di Touta, emigrata a Belluno. Io vivo a Venezia. Lei non è più tornata, ma io sì, per lo meno ci vengo quando posso, mi sento legato per via familiare a questo paese anche se non ci ho mai vissuto. Mia figlia non ci sta volentieri, infatti domani riparte. Io rimango. Ho una stanza in un residence.»

«Non mi hai detto che mestiere fai.»

«Suono il pianoforte.»

Zaira aveva sentito un bussare precipitoso al cuore. Proprio come Roberto Valdez. Chissà quale perverso destino la spingeva verso i pianisti. Non ne era bastato uno?

«Tu té 'n amante!» l'aveva apostrofata Angelica una mattina in cucina con aria accusatrice.

«Be'? che male c'è? sono sola, a chi ho da rendere conto?»

«A me per esempio. Nun me piace che l'amiche mie se denn' intesa dicenn': guarda l'amante de mammeta!»

«Che te ne importa, lasciale dire!»

«All'età che tiene nun aviste da penzà a ste ccose.»

«Non sono ancora decrepita, Angelica. Ci siamo piaciuti, ci siamo presi, tutto qui.»

«Te lo vo' sposà?»

«Ma no, ha già una moglie, stai tranquilla.»

«I che ce fa ecch' a Touta, se po' sapè?»

«Sua madre è di qui. Viene da Venezia. È musicista.»

«'N altre?»

«Che male c'è?»

«Sona i piane pur'isse?»

«Sì, come tuo padre Roberto.»

«Ih, che lagna!»

«Ma che ne sai? l'hai forse sentito suonare?»

«L' sacce come sona, se vede dalla faccia: è musce, mà, è false, sente la puzza da mille metre. Nun è pe tì, lassa perde.»

«Cos'è, un ordine?»

Era proprio un ordine. E poiché Zaira disobbediva, la figlia le rendeva impossibili le giornate. La mattina usciva senza una parola tutta impettita, facendo ballare i capelli che aveva lunghi e risplendenti sulle spalle magre. «Addó è scita na figlia accuscì strampalat'?» le diceva qualcuno. «E chi lo sa.» «Me sa ch'ha ripigliàte tutte dal pianista» diceva ridendo la vicina di casa.

Rientrava quando voleva, lasciava tutto in giro divertendosi a vedere la madre che raccattava, puliva, metteva a posto. Perché non le tiri un bel ceffone? le suggeriva il pennuto nell'orecchio. Ma lei non voleva la guerra con sua figlia. Sperava che le passasse. E si chinava mille volte a raccogliere mutande, calzini, scarpe gettate una di qua e una di là, pantaloni, gonne macchiate e sgualcite. Stirava fino a notte perché trovasse ogni cosa al suo posto, ordinata e pulita. «Ai figli s'ha a ddà il bon esempie» diceva Cignalitt' e lei pensava che avesse ragione.

Intanto continuava a incontrarsi con Vanni in un residence alle pendici del monte Palumbo. Era dolce l'amore con lui, fatto di tenerezze e di baci lenti, giocosi. Dopo essere rimasti a letto per ore, lui si metteva al suo pianoforte e mentre la luce dietro la finestra si faceva prima azzurra chiara, poi violetta, le dita agili correvano sui tasti suonando solo per lei un preludio di Bach.

«Quando parti?» gli chiedeva sapendo che non poteva durare.

«Voglio stare qui con te.»

«Ho una figlia gelosa.»

«Lo so, quando la incontro, sputa per terra con disprezzo.»

«Mi rende la vita difficile.»

«Mandala a studiare a Firenze, come hai fatto tu da ragazza.»

«È ancora piccola.»

«Si comporta da grande.»

«Anche tua figlia fa così?»

«Peggio. Prende delle porcherie che di notte l'esaltano. Di giorno dorme in piedi come una morta vivente. Fa pena.

Per fortuna in questi giorni sta a Belluno da mia madre che non la lascia uscire di notte. Ha più autorità di me.»

«Che si può fare?»

«Niente. Ho capito che a lei piace che io stia male per lei. Le piace.»

«E la madre?»

«La madre se n'è andata col mio migliore amico. Hanno fatto altri figli e vivono felicemente in Messico.»

«Forse non dovremmo cercare di proteggerle a tutti i costi. Hanno bisogno di sentirsi libere. Mi sa che le soffochiamo con le nostre attenzioni.»

«Non posso rischiare che si schianti contro un muretto alle cinque di mattina solo perché ha voglia di essere libera. Libera di morire?»

«Anche quella è una libertà.»

«Sarà, ma proprio questa libertà da me non l'avrà.»

Eppure a scuola ci andava Angelica e bene o male alla fine dell'anno era sempre promossa. La mattina si alzava alle sei per prendere l'autobus per Avezzano, dove frequentava il liceo. Tornava nel pomeriggio, stanca morta, e si metteva sul letto, la radio a tutto volume sul comodino. Non c'era verso di farle fare qualcosa in casa. La sua stanza era un caos: vestiti sparsi dappertutto, quattro libri buttati sotto il letto, lenzuola aggrovigliate, il cuscino sempre schiacciato contro la parete, una tazzina di caffè vuota col segno del rossetto, abbandonata sul davanzale.

Quando con i compagni occupavano la scuola, si portava il sacco a pelo e di ritorno a casa puzzava di sudore e di sporco, aveva i vestiti macchiati di cera «oh mà, nun ce stave la luce, facievame co i cerogge». Sembrava provasse gusto a usare il dialetto sapendo parlare un ottimo italiano. Ma era anche quello un modo di opporsi a lei, come quei capelli arruffati che non lavava mai, le scarpe infangate «mò pulisce, mò...» rispondeva sgarbata e non c'era verso di sapere cosa era successo. Una volta era perfino tornata con la faccia insanguinata. E di fronte alla costernazione della madre si era messa a ridere: «Só venute 'nanzi ch' i manganigli, ma nun è nend».

Un giorno Zaira era andata con la figlia ad Avezzano, per parlare con il preside. In autobus Angelica aveva fatto finta di non conoscerla. Arrivate davanti alla scuola, era scappata via per entrare da sola e non l'aveva più vista.

Si era messa alla ricerca del preside: ma in presidenza non c'era. La sala sporca, coperta di scritte sui muri, era stata occupata da un gruppo di ragazzi che, seduti per terra discutevano animatamente. Girando per le aule finalmente lo aveva scovato, barricato dentro una stanzuccia, terrorizzato.

«Mi vogliono fare il processo cara signora, mi vogliono fare il processo.»

«Ma chi?»

«Chi, chi... loro, gli studenti.»

Zà era trasecolata. Gli studenti, il processo al preside?

«Non lo sa che quelli qui dentro vogliono scaravoltare il mondo? La chiamano rivoluzione, ha capito, rivoluzione, e hanno cominciato col cacciarmi dalla mia stanza. Sua figlia è una delle più scatenate. Hanno espulso i professori dalle aule, hanno messo uno di loro a leggere e commentare i quotidiani. Nelle classi ci mangiano, ci dormono. È tutto sporco, appiccicoso di Cocacola, di gomme da masticare. Ma io dico: se ce l'hanno tanto con l'America per via del Vietnam perché poi bevono la Cocacola che è la quintessenza del prodotto americano?»

Zaira non sapeva che fare: rimanere? andare? Il preside sembrava talmente terrorizzato che aveva occhi solo per la porta. Parlava senza guardarla, pronto a difendere la sua stanzetta dalle intrusioni degli studenti.

«L'altro giorno sa cosa si sono inventati? Hanno preso tutti i registri della scuola e li hanno bruciati, lì in mezzo al cortile, guardi, guardi, ci sono ancora i segni del fuoco.»

Zaira si era accostata alla finestra, gettando uno sguardo

giù verso il cortile e aveva visto al centro le pietre annerite. Lì accanto alcuni studenti mangiavano seduti per terra, passandosi dei piattini di plastica pieni di pasta al pomodoro. Si tiravano i cucchiai in testa, ridevano, lanciavano per aria i piatti vuoti e levavano i pugni chiusi scandendo slogan incomprensibili. Capiva lo sgomento del preside, ma capiva anche la loro gioia. Per un momento le venne in mente che si sarebbe volentieri mescolata a quegli studenti laggiù in cortile. La loro allegria era contagiosa. Ma poi si lasciò riacciuffare dalle preoccupazioni materne e chiese al preside che cosa pensasse di fare.

«Cosa vuole che faccia? Niente suppongo. Se chiamassi i carabinieri, farei peggio perché si sentirebbero provocati e andrebbero incontro alle guardie con le pietre, i bastoni, per poi prenderle di santa ragione e magari finire in prigione. Ho provato a parlare con loro, ho convocato una riunione nell'aula magna, sa cos'è successo? Hanno trasformato l'incontro in una assemblea in cui alcuni hanno fatto delle lezioni tecniche sulla guerriglia urbana, citando Che Guevara, e Ho Chi Minh. Mi hanno strappato il microfono dalle mani, mi hanno cacciato dal palco. Ho avuto paura che mi picchiassero. Mi sono fatto piccolo, sono sparito. Ora me ne sto asserragliato qui dentro. Questa non è la mia stanza che è stata occupata dal Consiglio di Agitazione, questo è lo stanzino delle scope, il magazzino degli stracci. È già un miracolo che mi facciano entrare a scuola. Ci vuole coraggio per venire qui alle otto ogni mattina, sa! Potrei non farlo, ma voglio che sappiano che io non fuggo. Rinuncio a parlare, rinuncio a tenere l'ordine, ma da qui non mi muovo, è anche mia questa scuola.»

Zaira si avvicina di nuovo ai vetri e guarda in basso verso il cortile. Sua figlia Angelica è lì, sotto uno degli archi di pietra e si sta baciando con un ragazzo tutto ossa e una massa di capelli bruni che gli coprono la faccia e le spalle. Si baciano davanti a tutti e nessuno ci bada. Angelica ora lo prende per mano e se ne scappano verso la porta che dà alla mensa.

Il preside, asserragliato nello sgabuzzino delle scope, le

fa pena. Ma nello stesso tempo le viene da ridere. L'idea di non chiamare la polizia per non peggiorare le cose, le pare da persona assennata, ma quel suo fare da topo in gabbia lo caccia direttamente dentro una farsa.

«E gli altri professori?» chiede, curiosa.

«Alcuni hanno fatto comunella con gli studenti. Si sono fatti prendere dall'entusiasmo, hanno cominciato a salutare col pugno alzato e i ragazzi li hanno accolti nelle loro assemblee. Ma non riescono a fare lezione, solo si adeguano. Altri, più rigidi, vengono, timbrano e se ne vanno. Le aule sono occupate, e l'elenco delle lezioni eccolo là, guardi, mi hanno dato la puntina per attaccarlo alla porta.»

Zaira si avvicina e legge. Lunedì ore 10: Lezioni di guerriglia urbana. Da Cuba alla Cambogia, come devastare l'ordine capitalista. Ore 13: Eros e libertà. Ore 15: Il grande imbroglio delle multinazionali. Lotta armata e orgoglio operaio. Ore 17: Assemblea generale. Ore 20: Nuova ecologia: come riconoscere i cibi truccati. Ore 22: Lezioni di flamenco. Ore 23: Lezioni di chitarra. Ore 24: Spaghettata e ballo libero.

Zaira sorride pensando alle scuole che ha frequentato lei, dove appena entravi dovevi infilarti il grembiule nero dal collettino bianco, e se non era pulito ti prendevi un bel tre in condotta. Nel momento in cui appariva il professore sulla porta tutti si alzavano in piedi in silenzio. Durante il temuto appello, il massimo che si poteva sentire era un sospiro di sollievo al passaggio del proprio nome non accompagnato da un Vieni alla cattedra! Seguiva l'interrogazione e i quattro, i cinque fioccavano sul registro di classe e alla fine dell'anno erano dolori. Una scuola come quella che vedeva oggi non l'avrebbero nemmeno osata immaginare. Troppa grazia, sant'Antonio! Sembrava di stare in un mondo rovesciato, in cui i ragazzi avevano tutti i diritti e gli adulti niente. Un mondo in cui gli studenti decidevano cosa studiare, cosa leggere, cosa imparare, e i professori dovevano adattarsi. Un mondo in cui ognuno si vestiva come voleva, mangiava quando gli pareva, rideva quando gli scappava, faceva l'amore quando ne aveva il desiderio e i presidi che una volta stavano nei corridoi con l'occhio appizzato, ora si trovavano asserragliati nello sgabuzzino delle scope aspettando di venire processati.

Eppure non riusciva a provare antipatia per quei ragazzi che gettavano i piatti sporchi per aria, si vestivano come barboni e facevano della scuola un luogo di incontro e di scontro. Ma un leggero senso di allarme, sì. Come se sentisse in lontananza i tuoni di una tempesta che avrebbe travolto tutti. Si potevano capovolgere le regole senza sostituirle con altre? Si poteva buttare per aria così una scuola senza ferire a morte l'istituzione stessa dell'insegnamento? E cosa sarebbe accaduto di questi ragazzi che avevano assaggiato la libertà in un mondo che non tollera le libertà?

Un giorno, mettendo in ordine la stanza di Angelica, Zaira aveva trovato una bottiglia di liquore mezza vuota nel cassetto della biancheria, nascosta sotto le magliette. «Tu bevi!» le aveva detto a brutto muso la sera, pronta a tirarle uno schiaffo. Ma di fronte all'alzata di spalle menefreghista e strafottente della figlia, aveva capito che non sarebbe servito a niente. Sembrava che la odiasse, ma senza nemmeno sapere perché. Passava ore a spazzolarsi i capelli e non sopportava nessuna limitazione. Usciva e rientrava quando voleva, gettava via le scarpe appena varcava la soglia di casa, apriva col piede nudo la porta del frigorifero per vedere se c'era qualcosa di pronto da mangiare, mentre con le mani si accendeva una sigaretta. Alzava la musica a tutto volume mentre studiava e non mangiava più seduta a tavola con lei, neanche la sera. Se Zaira le diceva una parola si sentiva rispondere: «M'è arrivat' fin' al midollo d'll'ossa» che voleva dire che era stufa marcia di lei e di tutto.

Zaira non sapeva come comportarsi. Avrebbe voluto usare le maniere forti, ma non l'aveva mai fatto, d'altronde non rientrava nel suo carattere. Andò a confidarsi con don Pasqualino che le promise di parlare con la ragazza, la quale, però, l'avvertì lui, non veniva più in chiesa da mesi, aveva piantato in asso il coro e se lo incontrava per strada, cambiava direzione.

«Che debbo fare, don Pasqualino, che debbo fare?»

«Lasciala stare, le passerà.»

«Credo che ce l'abbia a morte con me perché ho un uomo.»

«Lo so, lo sanno tutti in paese. Ma che ci fa? Se c'è l'amore» aveva sorriso paterno. «È na persona seria, Zà?»

«Mi sembra di sì.»

«Quando vi sposate?»

«È già sposato.»

«Lo sai che dicono dei cuculi? Che vanno a mettere le uova nel nido altrui. Ma, per sistemare le proprie uova, bisogna rompere quelle che già stanno nel nido in questione. Vuoi proprio fare come il cuculo, Zà?»

«Ma sono separati da anni.»

«Dicono tutti così. Magari ti ha raccontato che la moglie è fuggita in Messico col suo migliore amico.»

«E come lo sa?»

«È un classico.»

«Ma no, le dico che è persona seria e rispettosa.»

«Non è una persona seria, Zà, lascialo perdere.»

«Ci penserò, don Pasqualino.»

Non aveva avuto bisogno di pensarci. Alla scadenza dell'anno, Vanni il dolcissimo pianista era partito per Venezia da dove le aveva scritto qualche lettera, ma poi non era più tornato a Touta. Che avesse ragione don Pasqualino?

Era stata male per mesi. Il dolore era sopportabile, ma il senso di vuoto le toglieva il sonno e anche la voglia di alzarsi, di lavorare. Le traduzioni erano ferme e non riusciva ad andare avanti. La cucina era piena di piatti unti. Le camicie sporche giacevano nel ripostiglio, senza che nessuna mano si allungasse ad afferrarle e gettarle nell'acqua saponata. Possibile che gli affetti non durino? possibile che anche i più dolci amori si riducano a "na squagliarella" che ti lascia le mani vuote e appicciccose? Sarà che i corpi si stancano di annusarsi, di baciarsi, di carezzarsi, "abbiamo allungato i tempi dell'accoppiamento, l'amplesso riproduttivo l'abbiamo proprio eliminato, separandolo dai tempi dell'amore, abbiamo sfidato la natura, Zà" era la voce morbida di Roberto che tornava dalle memorie lontane. Ma perché i corpi si stancano prima dei sentimenti? «Gli amori se consumano, peggio d'lle sole delle scarpe in mundagne» diceva Maria Menica. Da ultimo, mentre si abbracciavano, lei e Vanni, lo aveva sentito distratto. «Ti è piaciuto Zà, ti è piaciuto?» domandava alla fine, ansioso, ma sembrava che lo chiedesse a se stesso più che a lei. E la risposta era incerta.

Angelica invece era contenta. «Te sì liberata de quiglie strunze, mà?»

«Se n'è andato.»

«Mò se sta meglie.»

Se l'era perfino trovata accanto una sera in cucina a pulire i piatti.

«E che succede?»

«Sì bbella, mà.»

«Ma se non mi vuole più nessuno?»

«Sì bbella uguale, cchiù bella ch' mai.»

L'aveva abbracciata. Contro le guance aveva sentito le gote di lei bagnate.

«Che figlia balorda che ho. Mò stai meglio?»

«Mò sì.»

Ma era durata poco. Dopo una settimana era tornata a comportarsi come prima: usciva senza dire niente, rientrava quando voleva, sbatteva le porte come se dovesse rinfacciarle qualcosa, la trattava con disprezzo e si rifiutava di mangiare quello che le cucinava.

La tattica nuova che aveva adottato lei era di ignorarla: la sera non la aspettava, anche se era difficilissimo addormentarsi senza avere sentito la chiave girare nella toppa, ma si forzava. E per questo era tornata a tradurre con passione.

L'editore questa volta l'aveva sorpresa con una richiesta imprevista. Poteva tradurre *La vida es sueño* di Calderón de la Barca per una compagnia di attori molisani che avevano già garantito l'acquisto di un migliaio di copie durante la tournée dello spettacolo? Lo spagnolo l'aveva quasi dimenticato, sebbene l'avesse studiato per anni assieme all'inglese.

Ma l'idea di tradurre un grande drammaturgo, anziché i soliti noiosi studi sull'astronomia, le piaceva. Aveva accettato, non discutendo nemmeno del compenso, che sapeva in partenza sarebbe stato magrissimo.

Le era subito piaciuto quell'inizio nella tempesta, quando Rosaura col buffone Clarino arriva alla bicocca di Sigismondo, cercando riparo dai fulmini che scuotono la foresta: *Violento ippogrifo che corresti a gara col vento, fulmine senza fiamma, uccello senza colore, pesce senza squame e bruto senza istinto naturale, dove ti sfreni, dove ti trascini, dove ti precipiti nel confuso labirinto di queste rocce nude?*

Le era sembrato che parlasse di lei, dei suoi boschi e delle sue rocce abruzzesi. Aveva lavorato tanto che in capo a un mese la traduzione era pronta. Aveva telefonato all'editore il quale, contento, era venuto a trovarla, si era mangiato due piatti di spaghetti al tonno e pomodoro, una bistecca di maiale, una enorme fetta di torta alle mele. Poi, seduto sotto la loggia, sulla sedia a sdraio, sorbendo un caffè, si era letto la traduzione del Calderón facendo sì con la testa a ogni pagina.

«Ottimo lavoro, Zà.»

«Davvero, sei contento?»

«Ti manderò le bozze. Sono sicuro che piacerà molto anche al regista, Egidio Giorgini, lo conosci?»

«No.»

«Lo conoscerai e ti piacerà. È un genio. Adesso corro ché ho da fare. Ciao, cara, stammi bene.»

L'editore mingherlino, la testa irta di capelli grigi a spazzola, i baffi sale e pepe, gli occhi color topo, se n'era andato dopo avere ingoiato un altro caffè e avere messo in tasca una manciata di biscotti al cioccolato fatti da lei. «Questi me li mangio in viaggio.» E via.

«E i soldi?» bisbiglia Zaira, ma non osa chiederli a voce alta. Eppure le aveva promesso un anticipo: «Quando mi consegni la traduzione ti do un anticipo, il resto ti arriverà appena il libro sarà pubblicato, va bene?» aveva detto serio e determinato, ma evidentemente se n'era dimenticato.

Dopo dieci giorni eccolo di ritorno, accompagnato dal

regista Giorgini, un tipo massiccio, calvo e barbuto che stringeva sotto il braccio la sua traduzione coperta di segnacci a matita e a penna.

«C'è qualcosa che non va?»

«La traduzione va benissimo, Zà, ma qui dobbiamo accontentare gli attori, in teatro comandano loro. La parte di Rosaura va ampliata. Le deve mettere in bocca delle battute che spieghino il suo amore per la vita, non risulta dal testo, capisce, non è chiaro il carattere solare di questa donna... qui, poi, nel secondo atto Sigismondo deve dire qualcosa sulla paura, quest'uomo sembra senza paura, non va bene.»

«Ma non posso manomettere il testo di Calderón, Giorgini, io traduco, non invento.»

«C'è la prima attrice che mi rompe le scatole. Fammi il piacere, Zà!» La voce gli è diventata dolce, suadente e improvvisamente è passato al tu. «In quanto al re, anche per lui devi aggiungere un breve monologo, si lamenta che la sua parte è troppo corta.»

«Le dico che non posso.»

«Ma lo fanno tutti, Zà.»

«Non è serio, Giorgini, non posso cambiare il testo di Calderón de la Barca.»

«Mi fai la sindacalista?»

«Ma no, è una questione di... di...» non riusciva a trovare la parola giusta.

«Di terrorismo ideologico, te lo dico io, non posso che chiamarlo così: non si può lavorare in questo modo, proprio non si può... traduci bene ma poi fai l'inflessibile, non c'è collaborazione. Il teatro è cooperazione cara, non l'hai ancora imparato?»

«Sta a lei, regista, fare in modo che le parole di Calderón, quelle scritte sul testo, prendano in bocca agli attori significati diversi, quelli che vuole lei, ma senza cambiare il testo.»

«Il testo è sacro, questa l'ho già sentita e mi pare pura retorica. Non essere noiosa, Zà, fai quello che ti chiedo.» E a lui si erano aggiunte le esortazioni o forse meglio le ingiunzioni dell'editore che aveva finito sorridendo: «Sai che quei biscotti al cioccolato erano la fine del mondo, me ne prendo un altro po' da sgranocchiare in macchina».

Se n'erano andati via lasciandole il manoscritto coperto di frecce, tagli, sbreghi, con tracce di ditate unte, e frasi perentorie tracciate lungo la cornice della pagina: "Senso della vita di Rosaura!", "Allungare il principe!", "Tagliare il suddito inutile, tanto non abbiamo l'attore!", "Mescolare le due scene!".

Zaira si mette malinconicamente al lavoro, sapendo che alla fine l'avrà vinta lui, perché ormai si lavora così, sull'arbitrio e la prepotenza. E se vuole guadagnare quei soldi deve acconsentire ai dispotismi del regista. Anche lui, andandosene e schioccandole un bacio sulla guancia, si è messo in tasca una manciata di biscotti al cioccolato. Sono montati in macchina e hanno strombazzato giù per la strada, come per darle un saluto di approvazione e incoraggiamento.

Una sera, mentre si accinge a mangiare da sola, come al solito, ecco che inaspettatamente Angelica rientra sorridente, si siede al tavolo, prende a girare la forchetta nel piatto, ma senza mangiare.

«Che c'è Angelica?»

«Te tengh' da dì na cosa.»

«Dimmi?»

«Só incinta.»

Il boccone le va di traverso, tossisce con le lacrime agli occhi mentre la figlia le batte una mano sulla schiena.

«È success' pur' a te, che ce sta de strane?»

«Proprio perché è successo a me, mi fa paura. E cosa intendi fare, tenerlo?»

«Sicure.»

«Chi è il padre?»

«Nun le conusce, è 'n professore. Forse l'ha viste quelle volte ch' sì venute ad Avezzane. Ma nun è quello che stavo a bacià. È 'n altre. Só innamorate, oh mà, ce spuseme.»

«Sei sicura che non sia già sposato?»

«È libere come a 'n cardelline.»

«E quando lo sposeresti questo cardellino?»

«Chenne sacce mà, doveme dà ne cognome ai quatrane.»

«Cignalitt', sai, direbbe che è una maledizione di famiglia, come Antonina tua nonna, come me, una tradizione di ragazze madri...»

«Quant'era brutte, oh mà.»

«Chi?»

«Chi, chi: pàtrete adorate.»

«Però ti voleva bene.»

«Tu sì figlia de 'n altre, è le vere? Le só sapute sempre. Nonno Cignalitt' nun me piaceva. I po' m'ha messe pure le mane addoss'.»

«Ma cosa dici? ma quando?»

Zaira si sente cadere. Afferra la spalliera di una sedia con le due mani, ma continua a cadere, a cadere. Non avrebbe mai toccato il suolo, come nei sogni?

«Quando è successo, Angelica, dimmelo, ti prego, ho bisogno di sapere» riesce a spiccicare quelle parole ma non governa la voce, le sembra di parlare con la voce di qualcun altro.

«Quann'era quatrane. Na volta che tu stave fore casa.»

«E ti ha... ti ha?» le parole sono diventate improvvisamente pesanti come secchi pieni di acqua sporca.

«Mamma, nun ne parlem' cchiù. Acqua passata.»

«Ma io devo sapere, Angelica. Cosa ti ha fatto?»

«Tutt' mamma, tutt'. Nun ne voglie parlà. Lassame perde.»

«Cignalitt', che è stato così buono con Antonina, tua nonna incinta di un altro, con me che non ero sua figlia.»

«Cignalitt' era brave scì, ma era pure ne porch'. Ecco, mò le sa'. Basta, nun ne parleme cchiù.»

Non ne avevano più parlato. Ma il pensiero di Zaira si era coperto di nuvole. Quel pensiero che era sempre stato pregno di gratitudine per il vecchio Cignalitt', ora si rivoltava contro di lui, lo malediva. Eppure non riusciva a liberarsi dell'affetto e della riconoscenza che l'avevano legata a lui. Lo vedeva venirle incontro ai giardinetti, l'impermeabile bianco che volteggiava attorno alle gambe arcuate. Lo vedeva intrecciare panierini per la nipotina appena nata. Lo vedeva ridere silenzioso come se avesse paura di disturbare. Era un uomo sicuro di sé, brutale qualche volta, ma capace anche di mostrare dedizione e tenerezza. L'aveva amato per quell'impetuoso buttarsi a testa bassa contro le avversità, senza pregiudizi e senza diffidenze. Di questo amore ora si rimproverava. Doveva rimproverarsi. Era la sua cecità che la sorprendeva, come un Edipo sciocco e petulante che cerca le colpe fuori dalla città mentre era lì dentro, nella sua città, nella sua casa che cominciavano tutte le responsabilità. Eppure, malgrado tutto non riusciva a vederlo come un nemico, non riusciva a spostarlo come si fa con i pezzi degli scacchi sulla scacchiera: il re è assediato, i cavalli scalpitano, gli alfieri hanno accerchiato la regina, a morte il re! Si può odiare e amare nello stesso tempo una persona che ci ha fatto del bene e del male?

Quando vedeva Angelica indossare con tono di sfida gonne cortissime, camicette sgargianti che mettevano in mostra i seni, e uscire sbattendo la porta, pensava che ora sapeva il perché di quei modi eccessivi. Ma la colpa, la colpa di chi era? Quanto di quel peso spettava a lei, al suo buio mentale: non aveva saputo vedere, non aveva saputo intuire né capire. Possibile che non avesse sospettato niente? Ora, ripensandoci, ricordava improvvisamente che la piccola Angelica, poco prima della morte del nonno, rifiutava di rimanere sola con lui. L'aveva rimproverata di essere ingrata, maleducata e viziata. Ma perché le madri non vedono mai quello che succede nelle proprie case, sotto i propri occhi? Miracolati e ciechi occhi di madre innamorata, che credono più nei contorni abituali della famiglia che nelle sorprese, più nelle consuetudini amorose che negli agguati dentro le ombre di una abitazione troppo nota e conosciuta.

Una mattina che l'aveva trovata addormentata, tornando dalla spesa, le aveva chiesto a bruciapelo: «È successo una volta sola, Angelica, me lo giuri?».

«Na volta, cinq volte, che differenz' fa?» aveva risposto ambiguamente la figlia «vo' sapé se ne porch' è porch' una volte o cinq volte?»

«No, vorrei capire Angelica, capire chi avevo accanto. Perché io l'ho stimato Cignalitt', era gentile e generoso, gli ho voluto bene come a un padre.»

«I padre só accuscì: vonne tutte cose e se credene ca le fimmene dela casa só tutte pe ssé.»

«Perché non me ne hai mai parlato?»

«Na volta só cominciate, ma tu me sì fatte stà zitte.»

«Ma quando? io non ricordo...»

«Nun te sì stupite ca nun voleva remanè sula co isse?»

«Non mi è mai venuto in mente che potesse farti del male... era così affettuoso con te.»

«Propria!»

«Ti ha mantenuto agli studi, non dimenticarlo, ti ha lasciato una casa.»

«Quante se sentiva colpevole, oh mà.»

«Raccontami per favore fin dal principio quando ha cominciato?»

«La frittata è stata fatta, nun te racconte propria nend. No ne vogli' parlà cchiù, chiaro?»

Era uscita sbattendo la porta.

È il 2 novembre, giornata dei morti. Zaira ha tagliato alcuni rami di acerola per portarli al cimitero. Esce di casa e si dirige verso il monte Santa Brigida. Le è sempre piaciuto quel cimitero, con la scala che si arrampica verso la montagna. Sua madre Antonina diceva: «Na scala pe arrevà 'n cièle» e lei da bambina immaginava che i morti, di notte si affollassero su quella scala per cercare di salire nel paese della eterna primavera. Ma «il Padraterne li ferma sti morti e ci dice: tu scì, tu no... e i morti baccagliavane». Li vedeva questi morti, anche giovani: se ne stavano seduti per ore su quelle scale di pietra e cantavano piano piano, quasi senza voce, per fare capire che «no té fandasia». Così diceva sua madre Antonina quando la portava per mano a trovare i morti. E questo succedeva puntualmente due volte l'anno, il 2 novembre, con le braccia cariche di fiori secchi e il primo di agosto, che era il giorno della morte della nonna Zaira. Quel giorno i fiori erano freschi e profumavano.

Oggi ci va da sola e ha la testa annuvolata. Per tanti anni ha portato margherite dei campi, rami di biancospino, fiori di lino, fiori di coriandolo, viole del pensiero, erba Luigia, fiori di borragine, a bracciate, salendo quelle scale del cimitero. Li offriva a sua madre Antonina, morta giovane di una malattia misteriosa e accanto a lei, da ultimo, li offriva pure a Cignalitt'. Erano stati sepolti vicini, anche se in seconde nozze Cignalitt' aveva sposato Cesidia che poi gli era pure cugina di secondo grado. Le tombe non tengono conto delle complicazioni della vita. Ogni famiglia pagante aveva la sua e contavano le precedenze: Cignalitt' con la prima moglie, Cesidia con i genitori cavallari che in paese chiamavano i Matt'. Antonina e il marito si erano ritrovati dopo la morte in quel pezzullo di terra sotto la montagna, dentro una casa di pietra in miniatura, con tanto di tettuccio aguzzo e una lampada di ferro storta e affumicata appesa alla grondaia.

A fior di labbra Zaira recita un requiem poi una Avemaria.

«I fiori li porto a mia madre Antonina che mi dispiace l'hanno messa accanto a te, Cignalitt', sei un bastardo malnato, perché hai assalito Angelica? una vaglioluccia che non capiva niente di niente, tu l'hai fatta adulta per forza, l'hai fatta violenta, l'hai fatta nemica di tutti. Con me sei stato un padre affettuoso: ti ricordi quando mi insegnavi la tabellina?: "Du' pe du', quante fa?" e con le dita mi mostravi il quattro, "Com'è il quattro? Vedi Zà, è come la zampa dell'orse 'n salita". Te lo ricordi? Avevi le dita cicciotte, le mani pesanti che però con me sono sempre state leggere, mai uno schiaffo, un pugno… eppure le amiche mie da piccole le prendevano dai padri, ma tu no, con quelle mani tanto abili nel riempire le salsicce, nel tagliare i rami secchi del salice, nel raccogliere la lupinella e le prugne selvatiche per farle seccare al sole, quelle mani che aggiustavano i coppi sul tetto quando il gelo li spaccava, mettevano la colla alle scarpe, mungevano le capre a ritmo di tarantella, accendevano il fuoco anche con la legna bagnata, con quelle mani ci rendevi la vita più facile. Eri bravo in tutto e io mi fidavo, mi fidavo di te, Cignalitt', ti consideravo più che un padre, un vero miracolo della natura. E anche se vedevo che Antonina ti schifava, pensavo: la colpa è sua. In cuor mio ti compativo, ero convinta che ti trattava con troppa durezza la madre mia e tra me ritenevo che avesse torto, venivo ad abbracciarti per rimediare al male fatto da lei. Mi fidavo, Cignalitt', mi fidavo completamente. Perché proprio Angelicucc', perché la bambina che è nata sola, senza padre, perché hai tradito la sua fiducia? Io non lo capisco, non lo posso capire. Non c'erano altre donne? non c'era Cesidia che andavi a trovare ogni mese a Firenze? non c'erano le ragazze in paese da toccare, amare? Io mi fidavo, Cignalitt', perché con me eri stato un padre tenero, mi fidavo ciecamente. E guarda qua, cosa ho dovuto sapere ora che sei morto e non posso neanche riempirti di botte. Ma pure, Cignalitt', non riesco a fare a meno di vederti gentile, che ti chini su di me mentre studio coi libri davanti. Scoprivo l'ombra della tua testa sulla pagina. Non parlavi, guardavi soltanto, ti compiacevi di come studiavo, di come imparavo... io da quell'ombra capivo che stavi sorridendo di piacere. Avrei voluto voltarmi e abbracciarti ma tu non intendevi disturbare, ti tiravi indietro come un cinghiale premuroso che vuole proteggere i suoi cignaletti. Mi tenevi sempre d'occhio per paura che mi facessi male. Non ho mai sentito una stretta di troppo da te, un gesto accozzato, un bacio lumacoso, mai. Per questo mi fidavo. Mi fidavo ciecamente, carogna, e tu perché con Angelica ti sei comportato diversamente che con me? perché l'hai presa di mira, Cignalitt', perché? Lo so che da ultimo ti eri messo a bere, ma non tanto da perdere il controllo. So anche perché bevevi: non sopportavi di avere perduto quella forza che ti aveva fatto vincere sempre, da ragazzo e da adulto, come un torello cresciuto nei prati: non ti vantavi di uccidere una pecora con un solo colpo fra le orecchie? non sollevavi con un dito una pignatta piena di fagioli? Eri diventato più povero e più solo. Perciò avevi preso la strada dello Z' Marì. Ma pure tornavi a casa ritto sulle gambe, non sbraitavi a voce alta come facevano gli altri padri, non spaccavi questo e quello, ti limitavi a rimanere seduto senza fare niente, davanti alla porta di casa. Avevi i dolori alla schiena e nemmeno l'asino ti stava più a sentire. Qualcuno ti aveva avvelenato i cani, non riuscivi più a chiudere le fascine con lo spago, non eri capace di spaccare la legna. È per questo che te la sei presa con la più piccola, la più debole? per questo, Cignalitt'? Non so se ti posso perdonare, non credo che potrò farlo, mai.»

Gli occhi di Zaira si sollevano verso la pietra funeraria. Nel mezzo, incastrata, spicca una fotografia incorniciata. È lui, Cignalitt', quando aveva una quarantina d'anni e ancora il vigore lo rendeva solido sulle gambe, sicuro e luminoso. Nonostante la testa irsuta, da cinghiale, nonostante le braccia corte e massicce, nonostante le gambe storte e il grugno animalesco, mostra una leggerezza e una grazia davvero sorprendenti.

«Mi hai aiutata quando avevo bisogno, lo so, non ti sei scandalizzato quando ho portato a casa una bambina nata fuori dal matrimonio, e appena ha cominciato a stare in piedi la mia Angelica, te ne sei innamorato teneramente; ma da padre, Cignalitt', da padre, così io credevo, pensavo, ritenevo: le portavi i girini dentro il fiasco, perché lei ci giocasse gettandoli dentro la pozza d'acqua che tu pomposamente avevi chiamato i laghe d'Angelicucc'. L'avevi scavato tu il terreno dietro casa, avevi messo tu le pietre per trattenere l'acqua, avevi piantato le petunie bianche, lilla e blu sul bordo del laghe, mio amato papà, patrigno, come ho fatto a crederti sincero? Avevi comprato pure delle piccole carpe color rosso e oro e passavate le ore a guardarle muovere dentro i laghe d'Angelicucc'. Io vi osservavo dalla cucina e ringraziavo il cielo che aveva messo te accanto a me e accanto a lei. Un padre più tenero non l'avrei potuto trovare. E quando fantasticavo su quell'altro, il mio vero padre, Pitrucc' i pelus' che era scappato in Australia per non farsi fucilare, mi chiedevo che padre sarebbe stato e ancora oggi me lo domando. Però, mi dicevo, intanto ho questo di padre e sono contenta, perché sempre mi ha capita e sempre mi ha aiutata. Avrei tanto voluto conoscerlo quell'altro padre, ma non ho mai trovato i soldi per andare al di là dei mari, troppo lontano e troppo caro. Forse ora potrei, ma mi devo occupare di Colomba che è sparita. Colomba, Colombina, 'Mbina come la chiamavano gli amici, le abbiamo messo il nome per ricordare la tua santa, Cignalitt', per onorare il voto che avevi fatto da giovane, sono stata io a insistere per quel nome: Colomba, come volevi tu, perché santa Colomba era la tua preferita, la tua adorata dei cieli lontani. Ma perché non mi dici una parola, perché non ti giustifichi? Ci sarà stata una ragione che io non capisco! Ma che ragione vuoi che ci sia Cignalitt', che ce sta da capì? come dice Angelica, la vagliola: i padre se credeno ca mogli, amante, figlie, sore, só tutte cicorie degl'orte de casa.»

«Oh mà, quest'è Valdo.»

«Ah sì, buon giorno» aveva detto prendendo la mano che le porgeva. Era un uomo alto, abbronzato, con i capelli chiari, paglierini. Portava una sciarpa rossa che gli illuminava la faccia. Indossava un paio di blue jeans tutti sfilacciati, un eskimo unto e macchiato, un filo di barba chiara elegantissima gli contornava la faccia. Zaira era rimasta lì ad ammirare sorpresa quel capolavoro, ma come faceva? Le basette che nascevano larghe dalle tempie, si stringevano in una fettuccia lucida che gli contornava le guance, si allargavano all'altezza del mento, componevano un cerchio a filo delle labbra e ripartivano verso l'alto, in modo da formare un cespuglietto orgoglioso proprio sotto le orecchie che aveva piccole e appuntite.

«Di chi sei figlio?»

«Nun è figlie a nisciun', è de Mantova, oh mà» aveva risposto Angelica sonnacchiosa. Erano usciti ridendo a voce alta e baciandosi.

Zaira si era messa a preparare le patate maritate per questo Valdo che le sembrava una brava persona, anche se un poco la inquietava quel filo di barba che a tenerla così ben li-

scia e ordinata chissà che acrobazie doveva fare 'sto giovanotto ogni mattina!

«Che mestiere fa?» aveva chiesto alla figlia quando era
tornata la sera tardi.

«Professore, mà.»

«E dove insegna?»

«Stava ad Avezzane, mò sta a Bologna.»

«E che ci fa qui con te?»

«M'è venut' a piglià.»

«E come si chiama di cognome?»

«Mitta, se chiama Mitta.»

«Sei ancora troppo giovane Angè, aspetta un poco.»

«Faccio come me pare, oh mà» era stata la risposta pronta. Poi si era chiusa in camera e l'aveva lasciata sola a tavola.
«Non vuoi un poco di pesce fresco? L'ho preso al mercato,
oggi è venerdì.» La risposta era stata un calcio contro la porta.

Zaira aveva constatato che il giovanotto con quel filo di
barba che la inquietava, non aveva detto una parola. Non capiva nemmeno che età avesse. La faccia era segnata ma il
corpo era snello e agile. Dimostrava meno di quarant'anni.
Cosa insegnava? Avrebbe voluto chiederglielo, ma quando
era tornata dalla spesa aveva trovato la casa vuota.

Si erano voluti sposare a Touta, nel municipio davanti al
sindaco, disdegnando la funzione religiosa. Lei in rosa con-
fetto, con un cappellino da fantino in testa e lui in jeans con
una giacchettiella blu notte che gli stava stretta in vita, una
camicia bianca, senza cravatta e un fiore rosso all'occhiello.
Non avevano rinunciato però al lancio dei confetti, alla festa
con la torta a due piani, sormontata da una coppia di sposini
di marzapane.

Col matrimonio si era un poco addolcita quella figlia
strampalat'. Avevano messo su casa a Touta, con tanto di camino istoriato e mobili comprati a rate. Le avevano persino
chiesto il parere sulle tende da appendere in camera da letto:
«Ch' dici, rigate vanne bbone, mà?».

Sembrava innamorata e per la gioia era diventata più bella. Lui aveva preso un anno sabbatico. Lei lavorava mezza giornata alla biblioteca, con uno stipendio miserabile, ma stava volentieri in mezzo ai libri. Ogni tanto venivano a cena portandole una bottiglia di vino cerasuolo. Lo faceva il padre di Valdo e glielo spediva da Mantova dentro dei fiaschi impagliati, sigillati a cera.Valdo aveva scoperto di amare la scultura: lavorava a certe figurine minuscole intagliate nel legno di faggio.

Poi era arrivata Colomba. Nata prematura, delicata, aveva i capelli ramati come la madre, eredità lontana del pianista Roberto Valdez, perso nelle nebbie venete. Sarebbe diventata col tempo alta e dinoccolata, le braccia lunghe, il naso appuntito, ma grazioso, gli occhi grandi e sognanti. Era diversa dalla madre, per quanto le assomigliasse fisicamente. Sembrava che la sua piccola vita fosse segnata fin dalla nascita da un sentimento di sorpresa: sorpresa di vivere, sorpresa di avere una voce, sorpresa di vedersi circondata dalle montagne che contemplava per ore e ore in silenzio. I genitori la lasciavano sempre più spesso dalla nonna perché "Valdo nun riesce a dormì tanto piagne la nott' sta vagliola". Ma la bambina con la nonna non piangeva affatto, anzi dormiva con la testolina fra le braccia, come se avesse paura di essere assalita da rumori spiacevoli. Che avessero cominciato a litigare?

«Racconta, ma'.»

«Credevo che ti fossi addormentata.»

«Cosa fa Zaira, la cerca ancora sua nipote Colomba?»

«Devo andare in cucina, mi aspetta una montagna di piatti da lavare.»

«Voglio sapere come va a finire, l'hai lasciata in mezzo al bosco, sotto la pioggia.»

La voce della bambina si fa petulante. È affamata di storie. Mai sazia, mai stucca, capace di ingoiare trame come fossero caramelle da succhiare lentamente, da sciogliere contro il palato e attingervi con la lingua ogni tre secondi.

«Non devi fare i compiti?»

«Li ho già fatti.»

«Ti ho dato un libro da leggere.»

«L'ho finito.»

La madre giovane, coi calzettoni a righe sui polpacci robusti, la guarda un momento perplessa, cercando di ricordare la storia di Colomba che si è persa nei boschi dell'Ermellina e della nonna Zaira che la cerca in lungo e in largo senza mai perdere la pazienza e la speranza. C'è qualcosa in quella storia che la inquieta, ma come andava a finire? Bisogna che interroghi con più insistenza i personaggi, che li faccia parlare e agire. Saranno loro a risolvere l'enigma di quella scomparsa, non lei. La voce riprende quasi da sola, salendo dalle profondità del passato narrativo.

Zaira torna a casa, zuppa, posa la bicicletta nel fienile e fa per entrare. Ma dove ha messo le chiavi? Nelle tasche fradice della giacca a vento non ci sono. Prova a frugare nel taschino della camicia, ma neanche lì stanno le chiavi. L'acqua continua a cadere, mista a un vento freddo e rabbioso che le sferza la faccia e le gambe. Il gelo la fa tremare. Ora che è arrivata, trova la casa buia e sprangata, inaccessibile. Dove può avere messo le chiavi? Nel tentare di ricordare, solleva gli occhi verso l'orizzonte che si sta facendo scuro. Le montagne appaiono vicinissime, incombenti, e il loro verde livido volge velocemente verso un blu striato di nero. Il buio sta divorando il paesaggio montano intorno a lei. Forse le chiavi le ha perse quando si è sfilata la giacchina impermeabile e se l'è legata intorno alla vita per il caldo della salita in bicicletta. Farà il giro della casa per vedere se ha lasciato aperta una finestra. Spesso succede che un battente rimanga socchiuso. Anche se fosse la finestra della camera da letto al primo piano saprebbe come arrivarci, arrampicandosi sulla grondaia e reggendosi ai rami dell'ippocastano che si appoggiano al balcone. Ma le finestre sembrano tutte ben chiuse. Prova a forzare la porta della cantina che dà sul retro ma la trova ben serrata dall'interno. Non si vede né una luce lasciata accesa per sbaglio, né una fessura da cui potere scivolare dentro.

Zaira si siede sconsolata sotto la tettoia del fienile, mentre Fungo le scodinzola intorno silenzioso. Ora come farò? si dice avvilita, tremante di freddo. Intanto ha cominciato a lampeggiare. Il cielo nero viene squarciato da fulmini che esplodono nel bosco vicino. L'eco del tuono si ripercuote per tutta la valle. Alla luce di un lampo, le pare di scorgere un'ombra dentro la cucina. Una persona, possibile? Trattenendo il fiato si avvicina alla finestra e guarda dentro facendosi scudo con le mani aperte, ma non riesce a vedere proprio niente. Certamente è stata una impressione. Fa per tornare sotto la tettoia quando una saetta potente torna a illuminare la casa. Dentro, seduta al tavolo della cucina, vede chiaramente una figura di donna intenta a parlare con qualcuno che volta le spalle alla finestra. Fa per urlare ma si trattiene. Cosa fanno quei due al buio nella sua casa?

In silenzio, sotto l'acqua sferzante, ormai dimentica del freddo e della fame, Zaira aspetta che un altro fulmine le rischiari per un momento la cucina. E in effetti, dopo pochi minuti ecco un baleno sciabolante che lacera il buio, penetra fin dentro la casa facendola brillare. Ora vede chiaramente che si tratta di Colomba, la sua 'Mbina. Ma con chi sta parlando? Un altro fulmine, un'altra accensione ed ecco che ai suoi occhi appare l'immagine di Sal, il ragazzo dai capelli a cresta. Così controluce sembra un enorme caimano con le punte del dorso ritte e lucenti.

Cosa fare? bussare o non bussare? perché se ne stanno al buio in cucina? forse la luce è andata via per il temporale. Sembra che abbiano delle cose importanti da dirsi. Sono talmente accalorati da non accorgersi di lei che li guarda dalla finestra chiusa. Certo potrebbero spaventarsi a vedere una testa illividita dal freddo su cui corrono rivoli d'acqua, che li spia nella notte burrascosa. Ma se sono a casa mia vuol dire che mi aspettano, si dice, infine dandosi coraggio. Se sono nella mia cucina, vuol dire che non pensano di nascondersi.

E con un gesto festoso prende a bussare rapida alla finestra aspettando che le aprano.

Ma i fulmini scompaiono come per incanto. La casa rimane al buio e nessuno viene ad aprirle. Prova a battere ancora con le nocche indolenzite, ripetutamente. Niente. Adesso prendo un sasso e spacco il vetro, si dice. Ma proprio quando si china a raccogliere una grossa pietra che giace nell'aiuola accanto all'ingresso, si accorge di qualcosa che luccica vicino alle sue scarpe. Osserva meglio. Sono le sue chiavi. Possibile che le abbia lasciate nell'aiuola e non si ricordi? Lei le avrebbe cacciate sotto lo stuoino, come fa qualche volta quando aspetta una amica o un fornitore di cui si fida. E invece eccole lì per terra e ben visibili: la chiave grande della cantina, quella piccola di casa e quella lunga del fienile che però rimane sempre aperto. Un fatto davvero curioso. Con un gesto lento e titubante si china a raccoglierle e stringendole fra le dita, si avvia verso la porta. Ma quando le infila nella serratura viene presa da una improvvisa paura. Cosa troverà dentro? perché i due non hanno aperto? perché si nascondono?

Facendosi coraggio e trattenendo il fiato, Zaira gira la chiave che scivola nella toppa senza rumore. Quindi spinge la porta che, con un leggero sbuffo e qualche scricchiolio da cerniera che deve essere oliata, si apre davanti a lei. Buio e silenzio. Solo un tonfo, in lontananza, come se qualcuno avesse sbattuto il portoncino della cantina. Per prima cosa Zaira accende le luci. La casa prende subito un aspetto più accogliente e familiare. Senza neanche sfilarsi le scarpe, si avvia verso la cucina, schiacciando tutti gli interruttori che trova sulle pareti. La cucina però è vuota. Il tavolo è pulito, solo le sedie sono smosse, come se fossero state spostate in fretta. Ma per il resto tutto è rimasto come lei l'ha lasciato nel primo pomeriggio per andare verso i boschi.

Si guarda intorno frastornata. Dove possono essere andati? La paura le chiude la gola. Vorrebbe chiamare ma non ce la fa. E se si fossero nascosti? ma perché nascosti? Come un automa, prende a girare per la casa accendendo le luci e spiando dietro le porte. Ma non trova traccia né di Colomba né del ragazzo. Che siano usciti dalla cantina? Corre a controllare e in effetti trova la porta socchiusa. Proprio quella porta che aveva tentato di forzare poco fa mentre cercava di entrare in casa. E Colomba sarebbe andata via così, senza dirle nulla? Richiude accuratamente col catenaccio e torna di sopra.

Rivedendo le sue impronte di acqua e fango, si rende conto che ancora non si è liberata delle scarpe. Fa per togliersene una, ma è incollata al piede. Prima bisognerà scaldarle. Sfrega un fiammifero contro la scatola umida, accende il gas sotto la pentola dell'acqua. Poi getta uno spruzzo di alcol sulla legna accumulata nel camino e lancia il fiammifero giusto prima che si spenga e la piccola pira prende fuoco in un attimo. Si siede e allunga i piedi verso le fiamme. Gli scarponcini cominciano a fumare e lei ride da sola considerando lo stato di quelle suole incrostate di fango e di spini. Gli starnuti intanto si susseguono. Che abbia la febbre? I calzini sono appiccicati alle scarpe e incollati ai piedi stanchi. Agguanta uno straccio pulito e si strofina i capelli. Il freddo le è entrato nelle ossa. E Fungo? Possibile che l'abbia lasciato fuori sotto l'acqua? Ma no, è entrato con lei e ora se ne sta accucciato sotto l'acquaio. Anche lui ha sparso sul pavimento impronte fangose. Ancora uno sforzo, Zaira, prendi un vecchio giornale e asciugagli le zampe e il pelo che gocciola. Lui la lascia fare, gongolante e soddisfatto, come se veramente fossero una padrona e il suo cane affezionato, appena tornati da una passeggiata sotto l'acqua. Lei lo stropiccia parlandogli dolcemente e lui ogni tanto le dà una piccola leccata sul dorso della mano, per ringraziarla.

Mezz'ora dopo, mentre sorseggia un tè bollente col miele, seduta in vestaglia e si scalda i piedi gelati davanti al camino acceso, il suo sguardo è attirato dalla finestra. Il respiro le si ghiaccia in gola. Proprio lì dove prima lei aveva appiccicato il naso per guardare dentro la cucina buia, c'è ora una faccia di uomo che la fissa incuriosito. Un secondo e poi sparisce. Le pare proprio che sia la faccia di Sal, bagnata come era la sua poco fa, e sogghignante. Ma il cane, com'è che il cane non dà segni di allarme?

Possibile che, per la stanchezza, veda ciò che non c'è? che sia cascata in preda ai fantasmi? Bisognerà smettere di sognare e affrontare le cose per quelle che sono. Hanno ragione i suoi amici quando l'accusano di essere una che lavora troppo con l'immaginazione. Si alza decisa e si dirige verso la finestra. Spalanca i vetri con un gesto risoluto e teatrale. In effetti lì fuori non c'è nessuno, per lo meno nel raggio del suo sguardo, fin dove arriva il riflesso della stanza illuminata. Chiude i vetri con un sospiro di sollievo. Poi spranga le imposte, non solo di quella ma di tutte le finestre della casa e finalmente se ne va a dormire, dopo avere divorato delle uova cotte in padella con un poco di pomodoro fresco e del basilico, dividendo il pane con Fungo ormai asciutto anche lui.

«Racconta, ma'!»

Non sa più se si tratta della propria voce bambina o della voce della madre che a sua volta, da piccola, si rivolgeva alla propria madre quando la metteva a letto, le rimboccava le coperte, le prendeva una mano e le carezzava le dita distrattamente cercando di trovare le parole per incantare la fantasia della figlia.

«Racconta, ma'!»

La bambina vorrebbe ricordare l'acciottolio delle parole, quella cascata di pietre che insieme componevano il muro della casa delle storie. Ma per entrare dentro quella casa è necessario possedere una chiave fatata. Solo la voce profonda, quasi delirante della giovane madre può restituire quella chiave, mettendola poi a sua disposizione. Le labbra color ciclamino si aprono dolci, le sopracciglia si alzano nello sforzo di concentrarsi, di ricordare un nome, una vicenda.

Saranno le tre. Zaira si sveglia al rumore di una porta che cigola. Trattiene il respiro, ma non ha paura. Sa con certezza che si tratta di Colomba. Eccola infatti, sagoma cara e riconoscibile, contro la luce incerta del corridoio, oltrepassare la soglia della sua camera da letto, avvicinarsi e poi con delicatezza sedersi sulle coperte.

«Sei tu, Colomba?»

«Sono venuta a vedere come stai.»

«Sto bene.»

«Hai la febbre alta, Zà. Ma non ti spaventare. Ti passerà.»

«Perché ti sei nascosta prima?»

«Sono venuta a vedere come stai.»

«Dammi la mano, voglio essere sicura che sei qui. Ora rimani con me?»

«Non posso. Devo andare.»

«Dimmi solo una cosa: avevi preso tu le mie chiavi?»

«Sì, nonna.»

«E perché non mi hai aperto quando bussavo?»

«È troppo complicato. Non ci pensare.»

«Ma tornerai?»

«Non mi aspettare, Zà. E non mi cercare. Non è bello che tu vada sola per i boschi.»

«Non mi sembra la tua voce, Colomba. Che hai fatto?»

«Non mi cercare, capito?»

«Ma come faccio?»

«Io sto bene. Non mi cercare, ciao.»

Zaira fa per alzarsi ma non riesce a muovere il corpo. Qualcosa la tiene inchiodata al letto. È la febbre, pensa, che mi indebolisce. Non è in grado neanche di aprire gli occhi. Ascolta la porta chiudersi con delicatezza e i passi della nipote che si allontanano per il corridoio. Nemmeno questa volta il cane si è mosso o ha abbaiato. Si direbbe che la conosca. Ma dove, quando l'ha conosciuta?

Questa mattina sembra che i boschi brucino. Un vapore bianco azzurro si solleva dai faggi e si addensa sulle alture, lì dove ieri sera il cervo lanciava i suoi gridi d'amore. C'è silenzio. Anche gli uccelli tacciono, dopo una notte di tempesta. L'aria è umida e fresca e porta dentro di sé il ricordo di una oscurità violenta. Ora, il vapore si scioglie bianco sporco e sale verso un cielo grigio e turbinoso. Le montagne, come quinte di teatro si aprono sgranando le diverse varietà del verde, del giallo e del rosso: verde fango, verde lichene, verde rana, verde muffa, giallo polenta, giallo uovo, giallo mais, rosso vinaccia, rosso ciclamino, rosso testa di iguana. Fino a scontrarsi con una decisa linea di terre azzurrine che segnano il cielo annuvolato con i loro contorni aguzzi.

È venerdì e una televisione privata dal nome pomposo Tele-Verità, trasmette un programma sulle persone scomparse. Zaira, da poco sfebbrata, siede sulla poltrona, pensando di confrontare la sua storia con quelle raccontate sullo schermo. «Ogni anno arrivano alla polizia ventimila segnalazioni di sparizioni di adulti e duemila di bambini» dice con voce suadente la presentatrice. «Negli ultimi anni l'allarme sui minori che svaniscono nel nulla, si è ingigantito. Se poi esaminiamo nel dettaglio queste denunce, dividendole per sesso, ci accorgiamo che il numero di bambine che non vengono trovate è di molto superiore a quello dei bambini.»

Una madre si distrae un attimo mentre la figlia gioca in cortile e quando va a cercarla non la trova più. Giovanotti dai baffetti seducenti che guardano con occhi languidi verso l'obiettivo, pluff, anche loro inghiottiti dal buio. Sì, l'ho visto alla fine dell'estate, che scendeva da una barca con due amici. E quel vecchio che prendeva tante medicine e una mattina è uscito di casa in canottiera? Sì, l'ho riconosciuto che entrava in un negozio di occhiali, sì, l'ho visto che saliva su un tram a Mergellina. Ma ora? ora dove sono finiti quel giovanotto, quella bambina, quel vecchio? Nessuno ne sa niente.

Tante famiglie piangono qualcuno che c'è ma non c'è, esiste e non esiste, dà segni di sé ma non si fa trovare. Provocano disperazione, qualche volta anche ilarità: si può ridere di qualcosa che non si capisce? Tutto è possibile in una sparizione, anche il caso di una persona che finalmente ha conquistato l'indipendenza e la felicità. Ma come? A che prezzo?

Dal momento della scomparsa comincia lo strazio della ricerca. La polizia, i vicini, le telefonate agli ospedali, ai pronto soccorso, e quando sembra non esserci niente da fare, anche la richiesta di aiuto al potente mezzo televisivo. Il programma *Persone Scomparse* di Tele-Verità li accoglie volentieri. E loro si presentano nei salottini degli studi con pacchi di fotografie, di lettere, di indumenti, sperando che possano servire al ritrovamento. La macchina da presa però quasi sempre preferisce andare a casa loro. Quegli appartamentini chiusi a occhi stranieri, improvvisamente vengono invasi dalle luci indiscrete dei riflettori che inquadrano senza pietà divanetti logori e sfondati, mobili fatti in serie e comprati a rate, tappeti sintetici finto persiano, mensole di truciolato su cui troneggia un immenso schermo televisivo.

I parenti seggono davanti all'obiettivo con l'aria affranta e raccontano goffamente dei loro scomparsi. Hanno indossato il vestito buono per l'occasione. Appariranno di fronte a centinaia di migliaia di persone e non vogliono fare brutta figura. Nello stesso tempo si danno un contegno di circostanza: devono mostrarsi afflitti per la sparizione della madre malata di mente, del figlio cocainomane, della figlia insofferente di ogni restrizione, del bambino che ha creduto ad una offerta di caramelle da parte di un signore vestito di scuro.

Una giornalista gentile e premurosa raccoglie le notizie,

mostra le fotografie dei dispersi, rassicura, blandisce, aiuta, consola, fa quello che può di fronte al mistero rabbioso e insolvibile di quei corpi che non stanno al loro posto, non stanno al loro tempo, non stanno alle regole della logica, non stanno ai patti, non stanno alle consuetudini. Ma dove sono? Hanno voluto spontaneamente fare sparire le loro tracce, o sono stati sequestrati? Sono spariti perché stufi della vita che facevano o perché la disgrazia, il fato cieco, o il vizio sadico di qualcuno li hanno sottratti con la forza al loro quieto tran tran quotidiano?

Zaira sente gli occhi che le bruciano. Probabilmente ha ancora un poco di febbre. Vorrebbe spegnere il televisore e tornare a dormire, ma qualcosa la trattiene davanti a quelle fotografie di dispersi, a quelle storie di famiglia che vengono sciorinate come poveri panni rattoppati sul filo teso della storia nazionale. E se inviasse anche lei la foto di Colomba? Molti vengono ritrovati, grazie anche al programma e agli spettatori che chiamano da ogni parte dell'Abruzzo dichiarando di avere visto quello o quell'altro scomparso. E ci azzeccano spesso. Ma una specie di puntiglio orgoglioso le dice che il suo è un caso che deve risolvere da sola.

Si caccia pigramente il termometro sotto l'ascella. Si porta alla bocca il tè ormai freddo, si aggiusta i cuscini dietro la schiena e riprende ad ascoltare la giornalista che con disinvoltura snocciola storie su storie.

«Carmela S. è sparita il 22 agosto del 1998 dalla sua abitazione alla periferia di Cuneo. La sera, il figlio Giacomo rientra dal lavoro trovando la porta di casa chiusa dall'interno. Cerca la madre per tutte le stanze, perfino in cantina, senza trovarla. Da dove può essere uscita la donna? Il ferro da stiro posato sull'asse è ancora caldo e un caffè non bevuto giace nella tazzina, sul tavolo. La borsa con i documenti della donna e il borsellino pieno di soldi spicci vengono rinvenuti sul comò dell'ingresso. Il marito di Carmela S., Angelo S. e Giacomo il loro figlio unico, sono le ultime persone ad averla vista nel pomeriggio del 22. Partono le ricerche della polizia, vengono interpellati tutti i parenti, i vicini. Carmela S. aveva 48 anni al momento della sparizione. Statura: 1,68. Occhi: marrone. Capelli: castani. Data della scomparsa: 22 agosto 1998. Se qualcuno l'ha vista, per favore telefoni.»

La giornalista, bellissima, le braccia e il petto scoperti nonostante sia ormai inverno, mostra una fotografia dai colori sbiaditi in cui Carmela S. sorride. Un sorriso senza convinzione, spento, che si rivolge al marito, chissà, o al figlio che la sta fotografando mentre cammina su un sentiero di montagna. Ha degli enormi scarponi ai piedi, un bastone in mano e un sacchetto appeso alla cintura. Che andasse a funghi pure lei?

Il particolare del caffè abbandonato sul tavolo colpisce Zaira. Anche Colomba ha lasciato la sua bevanda appena filtrata sul tavolo ed è scomparsa. Anche lei ha dimenticato appesa la giacca imbottita e la borsa con i soldi. Cosa spinge delle donne con una casa e una famiglia apparentemente amorevoli a dissolversi nel nulla, come questa Carmela S.?

«Era brava, cucinava bene, lavava, stirava tutto alla perfezione» sta dicendo ora il marito mentre si asciuga una lacrima. Ne parla come se fosse una domestica attenta e capace nel compiere il suo dovere.

«Cosa ha provato quando è tornato a casa, e ha trovato il ferro ancora caldo sull'asse e il caffè nella tazzina, pronto per essere bevuto?»

«Mia madre non usciva quasi mai» interviene il figlio. «Quando c'era afa si metteva sul balcone a prendere una boccata d'aria. Oppure se ne andava al supermercato sotto casa. Ma tornava subito. Mia madre non voleva vedere nessuno. Era contenta di stare in casa.»

«Avrebbe voluto degli altri figli ma non sono venuti. Ha fatto cinque aborti.»

«Aborti spontanei si intende, al terzo mese si interrompeva la gravidanza.»

Padre e figlio sembrano recitare una commedia imparata a memoria. Sono così solidali che la voce dell'uno fa fatica a districarsi da quella dell'altro e mentre parlano si intrecciano, si accavallano, si sdoppiano e si raddoppiano, dicendo però le stesse identiche cose. Fra l'altro si assomigliano in maniera quasi oscena: stessa fronte corta e irsuta, stessi occhi celesti imbambolati, stessa bocca dalle labbra carnose, rosse come fossero tinte, stesso mento con la fossetta in mezzo, stesso collo largo e gonfio. Sarà per questo che Carmela S. è voluta scappare da casa? Ma possibile che abbia deciso così all'improvviso, e si sia allontanata in pantofole e senza soldi? Un raptus, come dicono i giornali? o il richiamo improvviso di una voce inquietante e seducente, la voce della libertà da ogni vincolo, da ogni costrizione, da ogni umiliazione quotidiana?

Zaira accarezza con una mano la testa di Fungo che se ne sta seduto con compostezza e dignità ai piedi della poltrona. Gli è grata perché non l'ha abbandonata durante i quattro giorni di malattia. Si è alzata giusto per metterlo fuori perché facesse i bisogni; gli ha aperto un paio di scatole di carne che lui ha ingollato con avidità. Ma poi è rimasto fermo immobile, con la testa appoggiata sulle zampe anteriori allungate in una posa da rana stanca che a guardarlo fa sorridere.

Maria Menica è venuta a portarle del latte che non ha bevuto e l'amico cavallaro Cesidio le ha fatto una visita di prima mattina, lasciandole un fagottino con del pane fresco e della ricotta. Ma la malattia le ha tolto l'appetito. È andata avanti bevendo solo tè scuro con del miele di acacia.

Quando si alza per versarsi un bicchiere d'acqua, Fungo la segue passo passo, con fare protettivo. «Mi fai da padre tu, vero?» gli dice sorridendo, mentre torna ad accomodarsi davanti al televisore. Anche lui si siede e con la testa ritta sul collo, serio e curioso, fissa le figure in movimento.

Sullo schermo ora appare un personaggio che impersona misteriosamente tutta la genia degli scomparsi. Un personaggio su cui tanti hanno scritto e su cui molto si è detto e discusso. Zaira l'ha già sentita la sua storia, ma ogni volta ne rimane catturata. «Federico Caffè, economista, esce dalla sua casa la mattina del 15 aprile 1987» racconta la conduttrice con voce flautata, invitante, «lascia sul comodino i documenti, gli occhiali che usa per leggere. Esce per andare all'università ma da quel momento nessuno l'ha più visto. Il professore Caffè era nato a Pescara nel 1914 e si era trasferito a Roma da trent'anni per insegnare Politica economica e finanziaria alla Sapienza di Roma.

«Negli ultimi anni era stato incalzato da una serie di lutti: la morte della madre e quella della tata che lo aveva cresciuto, la scomparsa dei colleghi Ezio Tarantelli, assassinato dalle Brigate Rosse nell'85, di Fausto Vicarelli morto in un incidente stradale e di uno dei suoi più promettenti studenti, Franco Franciosi, stroncato da un tumore. Caffè resiste abbastanza bene a questi dolori finché continua l'insegnamento e la vicinanza con i suoi allievi. Ma quando arriva l'età della pensione ed è costretto a lasciare l'università, cade in un profondo sconforto. Agli amici confessa di non riuscire a scrivere e di avere amnesie sempre più frequenti. Io non sono un uomo, dice, sono una testa. Se quella arrugginisce, di me non resta niente.»

«Apparire viene dal latino ad parere, composto da ad (presso) e parere (apparire), ovvero presentarsi alla vita, essere evidente» sta spiegando ora un esperto sullo schermo. «La parola sparire ha la stessa origine di apparire, con l'aggiunta di una esse privativa. Così come qualcosa può apparire all'improvviso: una visione, un fulmine, un sogno, un colpo, un ricordo, nello stesso modo rapido qualcosa o qualcuno può sparire dalla nostra vista, dal nostro udito, dalla nostra memoria, dai nostri sensi.»

Zaira scuote la testa. Quelle parole dell'esperto le appaiono una offesa alla fedeltà degli affetti. Non è decifrando le parole che si spiegano le ragioni profonde di una scomparsa. Del professor Caffè ora vengono mostrate alcune fotografie che lo ritraggono sereno e sorridente, con indosso un impermeabile bianco alla Humphrey Bogart, un cappello elegante anni Quaranta, molto cinematografico, molto sognante e misterioso. C'è qualcosa di straziante e nello stesso tempo poetico in un uomo che scompare, non si sa se di propria volontà o per volontà d'altri. Nel ricordo della vita di quell'uomo manca l'anello grave e cruciale che segnala il passaggio dal di qua al di là. Il suo corpo, nelle immagini della memoria, rimane in sospeso come un angelo senza carne e senza requie. Per questo pensiamo sempre a loro come a esseri originali, non toccati dalla morte e dalla trasformazione, quasi arresi a una eternità nuvolosa. Sono destini senza trapasso, senza conclusione, come una porta che non è stata mai sprangata e potrebbe aprirsi in ogni momento per farli riapparire in piedi e vitali come prima.

«Racconta, ma'.»
La bambina punta gli occhi sulla vera sottile che circonda l'anulare della madre. È logora, di povero oro contadino. Quanti anelli ci vogliono per fare una catena? quante vere d'oro ci vogliono per fare due, tre generazioni di madri?
«Racconta, ma'» supplica la bambina e la giovane madre prende a tormentare con due dita il cerchietto d'oro reso opaco dal continuo entrare e uscire dall'acqua pregna di detersivo. La voce si avvia a narrare, prima flebile, sottotono, poi più sicura, decisa, musicale.

Le porte del Rombo continuano a risuonare, con i loro sbuffi e i loro soffi, nella testa di Zaira. Lo detesta quel posto buio e fumoso ma ne è anche attirata. Ed eccola un pomeriggio appoggiare la bicicletta al muro della scuola e spingere con precauzione le due porte a molla del caffè. Per un momento non riesce a vedere proprio niente. Il buio sembra totale e irrimediabile. Zaira rimane ferma, addossata alla parete, cercando di distinguere qualcosa. I rumori le giungono chiari all'orecchio: l'acqua che scorre dal rubinetto dietro il bancone, il tonfo del tampone pieno di polvere di caffè pigiato contro il disco a vite che sbuffa vapore bollente. Si sentono delle risatine, ma non saprebbe dire se sono maschili o femminili. E poi ecco il canto di una voce straziata che uscendo metallica dall'altoparlante, parla di sesso e di dolore.

Finalmente i suoi occhi si abituano al buio e cominciano a distinguere qualcosa: la sagoma di Marione dietro il banco che alza la testa e dice: «Siedi pure Zaira, vuoi un caffè?». Il figlio di Elena la calzolaia, Scarpune, non c'è stamattina. La sala sembra vuota di clienti. E nemmeno Saponett' si vede in giro. Il pavimento è bagnato come se fosse stato lavato solo da qualche minuto.

Marione si avvicina col caffè. Lo posa sul tavolino di finto marmo davanti a lei. Apre con le dita una bustina di zucchero e lo lascia frullare nel liquido bollente. Prende a girare il cucchiaino nella bevanda, quasi lei fosse senza mani.

«Grazie, Marione» mormora automaticamente.

«Posso sedermi?»

Zaira fa cenno di sì. Lui si siede esalando un enorme sospiro. Solleva per aria il cucchiaino e guardandola come non l'avesse mai vista dice, a voce bassa e stanca: «Lo conosci quel ragazzo che chiamano Sal?».

«Che ha fatto?»

«È andato a denunciarmi alla polizia per abuso edilizio. Sai che dietro qui alla cucina ho costruito un magazzino, senza permesso. Ma nessuno se n'era curato fino a ora. Lui mi ha denunciato e ieri sono venuti quelli del Comune, e poi la polizia.»

«Ci sarà presto un condono, stai tranquillo.»

«Ma intanto mi hanno appioppato una multa salatissima.»

«Quindi non ci viene più qui al Rombo?»

«Non l'ho più visto.»

«Ma perché ti ha denunciato?»

«Forse perché aveva una pendenza con la polizia, voleva farsi bello con loro, guadagnare fiducia. O solo fare uno scambio di favori.»

«A me ha portato via mille euro con la promessa di notizie su Colomba.»

Ma Marione non l'ascolta, come se pensasse ad altro. Poi si alza, agguanta tazzina e cucchiaino e se ne torna al banco. Non le ha chiesto cosa le abbia rivelato Sal in cambio di quei soldi. Forse sa già tutto. Eppure è sicura che l'ha sentita quando gli ha detto del denaro preso da Sal.

«Quanto ti devo Marione per il caffè?»

«Non ti preoccupare, offro io.»

«Grazie, ma perché?»

«Di persone perbene in questo paese ce ne sono poche e quelle poche vanno onorate.»

Le due porte del bar Rombo sbuffano dietro di lei mentre si incammina sotto il tiepido sole di un mite novembre, verso casa. Devo ricominciare a cercare Colomba, si dice. Le minacce della nipote, le apparizioni sinistre di Sal, la malattia, l'hanno tenuta lontana dai boschi. Anche quell'angelo stanco che la segue a piedi nudi, inzaccherandosi le ali sul fango fresco, le suggerisce la stessa cosa: Cammina, vai, torna a cercare, può darsi che abbia bisogno di te. E se anche non ha bisogno di te, sei tu che hai bisogno della verità, perché senza la verità si patisce.

La verità è gioia, è piacere? o è patimento? quel patimento che, come dice l'angelo pidocchioso, deriva dalla sua assenza? la verità è un dovere sociale, quando riguarda la collettività? la verità va detta comunque o va taciuta per riguardo alla sensibilità di chi potrebbe esserne danneggiato?

Seduta davanti allo schermo del computer, la donna dai capelli corti si accorge che i pensieri del personaggio stanno insinuandosi nei suoi. Eppure giudica Zaira ingenua, infantile. Animata da troppe domande che la rendono tormentosa come una bambina invadente. Non è da ingenui interrogarsi sul vero in un mondo che ha diviso, spezzettato, mescolato le cose rendendo indistinguibile ciò che è attendibile da ciò che non lo è? cosa ha significato per la sua vita questa famosa, tanto cercata e tanto vituperata verità? quante volte l'ha tradita, per paura, per educazione, per pietà, per vergogna? Le sembra che Zaira stia diventando un poco troppo candida. Eppure, alcune delle domande che circolano in quella testa di montanara cocciuta, appartengono pure a lei: la pratica del vero, magari solo interiore, è davvero una prassi inutile? la libertà di critica non andrebbe esercitata tutti i giorni? e se abituandosi a mentire al prossimo si finirà per mentire anche a se stessi? non dire ai propri pensieri le cose come stanno, non è il principio dell'involgarimento? e di quanto si è involgarita, lei, portando sulla faccia i segni del tradimento inevitabile?

Pensa a quel lungo tirocinio alla menzogna che è stato l'amore per il magnifico pittore, l'uomo sfinge, l'uomo scimmia, l'uomo capace di costruire la menzogna come un meraviglioso dono regale, confezionato con dita abili e raffinate. L'uomo bello ed elegante che ha saputo, con alchimie miracolose, trasformare la mistificazione in autenticità, la verità in futilità. Tanto da creare dei seri dubbi nella mente forse troppo severa di lei.

«Che bisogno c'è della verità? non lo vedi che provoca disagi, malesseri, dolori? La verità è brutale e indiscreta. Prova ad addolcire, inventare, trasformare, creare. È molto più suggestiva e credibile l'invenzione che provoca intorno a sé elettricità, consenso, dolcezza, fiducia. E poi, che cos'è la verità? un pio desiderio, bambina mia, una illusione. A te in questo momento la verità appare così, ma sappi che domani potrebbe apparirti rovesciata e altrettanto sicura e sorridente.»

La bambina che non è più, ora ripensa a quell'uomo che ha amato con tanta fiducia e abbandono, che ha accompagnato in varie parti del mondo, partecipando alle sue mostre, felice di stargli accanto, bevendo le sue bugie che erano così aggraziate, così morbide e seducenti.

Forse il segreto delle bugie sta nella loro verità interna, sta nella grazia che emanano, nella perfetta sincerità della loro finzione. Se pensa alla delicatezza con cui mentiva il bellissimo P., non solo con lei ma con sua madre, sua sorella, coi compagni di lavoro. Quale dolcezza e sincerità metteva nell'inganno! Tanto che, anche quando sapevi con certezza che si trattava di una frottola, la accettavi come l'espressione più felice di una gioia di vivere e di trovarsi in buoni rapporti col mondo. Le sue erano bugie aggraziate che nascevano dalla volontà di compiacere chi gli stava davanti, sgorgavano spontanee dalla voglia di essere come lo desideravano gli altri, consenziente e malleabile, sempre disponibile e sempre sfuggente. Non è così il personaggio pirandelliano di *Come tu mi vuoi*, nel suo doloroso e generosissimo adeguarsi all'altro?

L'ingegno, la creatività di P. consistevano nel raccontare falsità assolutamente inutili, fini a se stesse, per la gioia della sorpresa altrui. Spiritose invenzioni, come le chiama Goldoni, gioiosi bocconcini che scivolavano sulla lingua diffondendo dolcezze soffuse sul palato e in gola. Come quella volta che si era vestito da donna, con tanto di gonna, cappello e veletta e guanti di trine, per non farsi riconoscere, a suo dire, dal portiere entrando nella casa di lei. In realtà non gliene importava niente che il portiere lo vedesse, lo vedeva sempre. Ma si divertiva a pensare di non essere riconosciuto. E voleva osservare la faccia che avrebbe fatto lei aprendogli la porta.

C'erano anche menzogne più gravi, che riguardavano la fiducia amorosa, le promesse fatte. Per un anno si era diviso con scrupolosa generosità fra due donne: una che faceva la grafica a Lisbona e lei che se ne stava a Roma a scrivere. Ma era talmente bravo a sdoppiarsi che ogni volta riprendeva con gloriosa partecipazione la sua parte di amante innamorato. Nessuna delle due poteva indovinare dell'altra, visto che lui era affettuoso come sempre, desideroso di fare l'amore come sempre, allegro e tenero come sempre. Sia con l'una che con l'altra.

Una volta scoperta, per caso, la doppiezza amorosa – perché anche la perfezione può avere una minuscola smagliatura, una fessura da cui passa inavvertitamente la luce – lei non ne aveva sofferto come aveva creduto. Forse perché lui, caritatevole e premuroso come sempre, aveva coperto le vecchie bugie con nuove e scintillanti invenzioni, che lo rendevano più sincero, più caro, più vicino e disponibile.

«Dove sta l'inganno, amore mio? non sono affettuoso, premuroso, innamorato come prima? non ti do quello che ti ho sempre dato? e allora?» Come non credergli? non era lì accanto a lei? non le si stringeva addosso sotto le coperte raccontandole a voce bassa di come avesse sofferto la sua mancanza e di come fosse felice di essere tornato?

Solo anni dopo, nella quiete della lontananza, aveva capito quanto quelle menzogne avessero scalfito e minato la sua fiducia nella verità, come avessero alla fine pietrificato il loro rapporto fino a renderlo cimiteriale. Eppure, poteva giurarlo, lui era stato sincero nella sua sontuosa insincerità. Due volte se stesso, due volte integro nella più infida doppiezza, due volte desideroso di dare felicità, offrendo un se stesso scrupolosamente diviso ma mai dimezzato.

Lo aveva amato tanto, perdonandogli ogni volta le "spiritose invenzioni", le partenze protratte, i ritorni entusiasti, ignara della chirurgica freddezza con cui si staccava dal cuore un amore per abbracciarne un altro. Povero innamorato, che fatica! Gli era grata per la meravigliosa recita che ogni volta intraprendeva in suo favore, per la generosità con cui si regalava, uccidendo in sé la verità, come fosse una febbriciattola da controllare con qualche aspirina.

Verità e menzogna, menzogna e verità: che duetto amoroso! Zaira, l'ultimo suo personaggio dalla mente limpida e ingenua, non riuscirebbe a seguire queste dialettiche contorte. O forse sì, perché Zaira, pur venendo da una famiglia di contadini, ha studiato, ha letto, ha coltivato la mente come fosse un orticello, piantandovi erbe medicinali, spezie e fiori profumati. Non a caso ha scelto di vivere traducendo, pur sapendo che dalle traduzioni non ricaverà mai abbastanza per comprarsi un'automobile o per fare un viaggio in Australia. Forse anche lei ha scoperto che l'autenticità è complicata e si mescola pericolosamente alla falsità.

Ma eccola lì, commovente nella sua determinazione a rintracciare la nipote, servendosi di strategie da esploratrice commissaria, pronta a partire per le sue ricerche, di prima mattina, in pieno novembre, infagottata nei vestiti invernali: pantaloni di panno, scarponi con la suola di gomma a carro armato, giaccone imbottito, cappelletto da ciclista, una sciarpa rossa arrotolata attorno al collo, i capelli raccolti con un elastico dietro la nuca. Si accinge a montare sulla bicicletta blu e bianca per percorrere ancora una volta i sentieri di montagna, in una sciocca, disperata caccia alla verità. Proprio come faceva l'*Orlando* ariostesco, di cui leggeva con don Pasqualino nel retro della sacrestia: *inseguir Angelica che appar e dispar come baleno... Per lei tutta cercò l'alta foresta.*

Gli alberi hanno perduto le foglie e ora i sentieri sono gonfi e scivolosi, si cammina su tappeti cangianti che coprendo le insidie del terreno, lo rendono più infido.

Zaira non se ne cura. Pedala impetuosa per sentieri sassosi, col lieve peso dello zaino sulle spalle, mentre Fungo le trotterella accanto. Ormai hanno fatto amicizia, non si perdono di vista, e lui si lascia perfino spazzolare il pelo irto e aggrovigliato dalle mani decise di lei. Segno che l'amicizia è ben salda e il futuro sarà comune.

A un certo punto il sentiero diventa impraticabile per via di certe pietre aguzze che sbucano dal terreno come denti pronti a mordere. Zaira deve abbandonare la bicicletta e arrampicarsi a piedi. Usa il solito sistema di adagiare la bici dentro un groviglio di ginepri che finiscono per ingoiarla. Nessuno può accorgersi che è lì, salvo che non la urti per caso con un piede, ma è difficile che ciò accada perché il cespuglio sta fuori dal sentiero. Sono precauzioni fra l'altro inutili perché su quei viottoli in novembre non si incontra mai nessuno. I boschi sono disertati perfino dai pastori scesi ormai a valle con le loro pecore e le loro mucche. Si possono incontrare solo cavalli tenuti bradi, cani randagi, cinghiali, volpi, lepri.

Zaira si arrampica lungo qualcosa che non si può più chiamare sentiero: una traccia che porta l'impronta di qualche zoccolo di capra. Pietre e poi pietre, una infinità di sassi bianchi. Ogni tanto un enorme masso si materializza davanti a lei ostruendole il passaggio. Zaira si ferma a misurare con gli occhi quel macigno striato di nero e l'enorme faggio che, cresciuto addosso alla pietra, non ha trovato di meglio, per allungare le radici, che inglobarla. Le spesse braccia di legno si tendono e si avvolgono attorno al masso con un gesto possessivo e strategico, commovente da osservare. Ora il macigno dalle lunghe scanalature brune in cui scorre l'acqua piovana, è completamente racchiuso fra le volute del faggio che non vuole stritolarlo, ma solo farsene un appoggio contro le continue slavine. A guardare da un lato, pare che l'albero nasca dall'interno del blocco di roccia che, da solido e granitico, si fa midollo tenero e corteccia odorosa.

Zaira decide di aggirare il macigno infilando un piede in mezzo all'intrico di rami e rametti spinosi: un cespuglio di roselline selvatiche se ne sta appoggiato contro il tronco bitorzoluto del faggio. Appena allunga il passo, un lungo serpentello vegetale le si attorciglia attorno alla gamba, le strappa i lacci delle scarpe, le tira i calzerotti come per fermarla nel suo cammino verso l'ignoto. Ma non si fa scoraggiare. Si arresta in mezzo agli spini, si china a liberare il piede preso prigioniero, si riallaccia la stringa pungendosi le dita a sangue.

L'angelo, che più volte ha protestato e minacciato di andarsene a casa da solo, è lì che arranca brontolando. Le sue ali troppo lunghe e frangiate stanno soffrendo di quel percorso nei boschi. Gli aculei si infilano fra le ali, bucandole, stracciandole. Sul loro cammino rimangono delle piumette sbrindellate, come se il passo della donna fosse accompagnato da un grosso pollo goffo e maldestro. Fungo, che non ha nessuna voglia di farsi pungere, con una corsa scende una trentina di metri verso valle e poi risale trafelato dall'altra parte, fino a presentarsi davanti a Zaira, con la lingua ciondoloni e la bella coda festante.

Oggi la strada è particolarmente ripida e scivolosa. Da una parte si apre un dirupo scosceso: rocce che si ergono come menhir coperti di licheni trattengono una valanga di sassolini grigi che slittano verso la valle portandosi dietro tronchi d'alberi morti e rami strappati. In mezzo Zaira intravede delle ossa bianche e luccicanti. Sono pezzi di uno scheletro di cavallo che probabilmente è stato sbranato dai lupi. Hanno una tecnica infallibile questi predatori: mandano avanti un giovane esploratore che si fa anche cinquanta chilometri a notte per scovare la preda possibile. Solo quando ha individuato un animale indebolito e lasciato indietro dalla mandria, corre ad avvertire il branco. Verso l'alba, ma prima che spunti la luce, il gruppo parte, compatto e deciso, silenzioso e attento, seguendo l'intrepido esploratore. Raggiungono il cavallo malato o il piccolo vitello distrattamente lasciato solo dalla madre e lo spaventano, costringendolo a correre. La preda si precipita in avanti, spaventata, sfiatata, e loro dietro, tranquilli, sicuri di sé. Possono correre anche per due ore di seguito, finché la bestia non ce la fa più, ha il cuore imbizzarrito e le manca il fiato. A questo punto la spingono verso un punto chiuso: una slavina, un burrone, una parete di roccia. Lì l'animale si ferma in preda al terrore e il branco finisce il suo lavoro. Lo prendono alla gola, lo dissanguano e mentre è ancora fumante, lo divorano pezzo a pezzo, ingordamente, facendo partecipare anche i piccoli a quella festa di sangue. Quando il sole salirà all'orizzonte non sarà rimasto del povero animale che una carcassa sanguinolenta. Solo allora i lupi torneranno alle tane e arriveranno i falchi, che nell'attesa hanno girato in alto stridendo, arriveranno i corvi e i gheppi voraci, arriveranno i cani randagi, arriveranno le formiche, arriveranno le volpi. Sarà un banchetto per tutti.

Zaira si siede su una roccia sporgente coperta di muschio e annusa l'aria che sa di foglie fradicie, di funghi, di radici scoperte, di terra smossa, di erbe amare. Non si sente che il gracchiare sgraziato dei corvi, il martellare dei picchi, il lontano richiamo delle cinciallegre, e l'acqua che scorre da qualche parte fra le rocce.

Possibile che la sua Colomba sia sparita dentro queste foreste inospitali? possibile che con questo umido, questo freddo crescente, ci sia ancora un nascondiglio dove ripararsi? e chi la tiene prigioniera, come ha insinuato il giovane Sal? Eppure è sicura che fra le tante chiacchiere e supposizioni, la sola cosa vera l'abbia detta proprio lui: Colomba è viva. Le sue parole suonavano vere, forse non sincere, ma vere. È uno che farebbe qualsiasi cosa per denaro. E certamente userà quello che sa per spillarle ancora soldi. Senza magari mai raccontarle la verità intera. Ma quella notizia, quella sola notizia, intuisce che è vera. Sa che lui la tiene fra le dita come un gioiello, non solo da barattare a caro prezzo, ma anche da ammirare con piacere, perché, da quanto ha percepito, anche lui desidera che Colomba sia viva.

Ancora qualche passo, forza Zaira, raggiungiamo la cima di questo monte che non a caso si chiama Amaro! Le scarpe sembrano più sicure e agili di lei. Dove gli occhi si fermano dubbiosi, le suole avanzano decise, posandosi sulle punte rocciose senza scivolare, infilandosi in mezzo ai rovi senza esserne lacerate, scavalcando fossi e buche insidiose, saltando con agilità da un masso all'altro.

Ed ecco che improvvisamente, dopo essersi issata sopra un ultimo gradone di pietra dietro a cui non vede che il cielo rosato, si trova in mezzo a una piccola radura fitta di erbe. Ancora una volta la mente va alle parole volanti di Ariosto: *Così correndo l'uno e seguitando / l'altro per un sentier om-*

broso e fosco / che sempre si venia più dilatando / in un gran prato uscir fuor di quel bosco. Lì, tra fontane magiche e draghi alati Orlando sta cercando la sua Angelica.

Questo ricordo appartiene al personaggio Zaira, cresciuto nelle ombre di una sacrestia, vicino al fantasioso don Pasqualino che le leggeva per ore l'*Orlando furioso*, oppure alla scrittrice dai capelli corti che si beve un tè verde affondando lo sguardo nei boschi che circondano la sua casa abruzzese? Anche lei ha avuto qualcuno che le leggeva a voce alta l'*Orlando furioso* ed era sua madre, la bella vivandiera dai capelli lunghi dorati. È stata lei a contagiarle, come una malattia, il piacere profondo della lettura, il godimento delle parole composte secondo un ritmo musicale che tocca i sensi e la mente: *Le donne, i cavalier, l'arme, gli amori / le cortesie, l'audaci imprese io canto.* Cosa può esserci di più succulento e delicato, di più promettente e arioso di questo inizio fra i più belli al mondo, di uno scrittore il cui suono narrativo è rimasto nel cavo del suo orecchio come una impronta felice e segreta, mai dimenticata?

La perfetta quiete di quella valletta amena viene interrotta da un improvviso fruscio di corpi che si muovono tra le fronde. Chi può passeggiare in quei luoghi così inaccessibili e lontani da ogni abitato? A Zaira vengono in mente tutte le leggende sui boschi in cui si aggirano assassini senza volto. Si nasconde dietro un masso trattenendo il respiro. Ma i passi sono tanti e dopo qualche secondo si rende conto con gioia che non sono passi umani. Fra i cespugli dei cornioli e del ginepro intravede tante paia di zampe sottili e poi le code brevi che sembrano mozzate con le forbici e quindi i dorsi biondi e le teste dalle corna lunghe curve in punta, due strisce nere che tagliano per lungo il muso gentile, gli occhi mobili e attenti, le orecchie a punta. Una famiglia di camosci le passa accanto senza vederla. Il vento soffia verso la parte opposta e l'odore umano non arriva alle loro narici sensibili. Zaira sorride fra sé della paura che ha avuto. E quando i camosci si sono allontanati, riprende il cammino in discesa verso le pendici del monte Amaro, passando in mezzo ai grandi tronchi contorti dei faggi centenari, affondando nel folto strato di foglie morte, frantumando con le scarpe spezzoni di rami caduti.

Dopo un'altra ora di cammino, improvvisamente si trova davanti a una radura dal terreno scomposto. Un cartello vieta l'accesso: NECROPOLI PREROMANA, c'è scritto a mo' di spiegazione e Zaira, dopo essersi guardata intorno si avvia fra le tombe coperte da teli di plastica.

La donna dai capelli corti è stata lì alle falde del monte Amaro a visitare le tombe, appena scoperte, dei sanniti. «Popolo antichissimo che risale al millennio avanti Cristo» ha spiegato l'antropologo che conduce le ricerche. «È stato perseguitato e sterminato dai romani dopo molte guerre sanguinose che furono chiamate guerre sannite. La vittoria completa avvenne nel 290 avanti Cristo. Le tombe sono state scoperte già nel 1711 dai contadini, arando il terreno e dentro vi hanno trovato spade, corazze a disco, gladi, lance, bracciali e fibbie di bronzo che adesso stanno nei musei.»

Piove. Le suole delle scarpe si sono appesantite di uno zoccolo di fango e lei procede a passi lenti, attenta a non scivolare fra le sepolture aperte e abbandonate dagli archeologi per l'arrivo improvviso di una pioggia rabbiosa e gelata.

Sono in quattro, con gli ombrelli aperti e avanzano prudentemente fra quelle tombe preziose, protette solo da un telo di plastica. Si avvicinano, si fermano attorno a uno di questi scavi. Suo cognato solleva il telo spesso, di materiale impermeabile, lattiginoso e la tomba si apre davanti ai loro occhi, piccola e perfetta: un parallelepipedo scavato nella terra, le pareti ricoperte di lastre di pietra calcarea – ma come avranno fatto a tagliarla così precisa e sottile? – sul pavimento di terra esposto ai loro sguardi sorpresi appare uno scheletro perfettamente conservato. È lì da duemila anni e sembra tremi al contatto con la luce, dopo tanto silenzio e buio, in un settembre arido del 2002, sotto una pioggia che è venuta a dissetare la terra arsa di una estate torrida e asciutta.

L'uomo fa per ricoprire la tomba col telo, ma lei lo ferma: «Un momento, aspetta!». «Prenderanno l'acqua.» «Fammi guardare!» L'archeologo ha spiegato loro che in quella tomba si trova lo scheletro di una donna: «Avrà avuto all'incirca trenta anni, era alta 1,39, soffriva di una grave artrite alla spalla e al gomito e aveva partorito almeno tre figli. Accanto a lei sono state trovate una bacinella bronzea, tre fibule in ferro e un pendaglio a doppia spirale, una collana d'ambra e una piccola anfora per profumi. Una donna ricca, di una delle famiglie nobili del villaggio».

Zaira si curva su una piccola tomba ricoperta da un telo impermeabile color carta da zucchero. Dentro, per lungo, lo scheletro di un bambino dal cranio minuscolo, ben conservato, le costole allineate che sporgono dal fango fresco, le braccine distese lungo il corpo.

È talmente forte l'impressione che gli occhi si chiudono da soli e vedono attraverso l'acquerugiola colante un villaggio ancora vivo, con le sue capanne di paglia e di fango, i cortili recintati da muretti di pietre irregolari, le galline che razzolano indisturbate, qualche cane magro e mangiato dalle mosche, un orcio pieno di grani – sarà stato grano, sarà stato orzo? – un'ascia, un focolare di pietre su cui poggia una pentola dal fondo nero. Una donna soffia su quel fuoco, alza la testa a spiare le grosse nuvole grigie che si stanno ammassando sopra le case, un bambino cammina a quattro zampe, seguito da un gatto scheletrico e lancia un grido quando viene raggiunto da uno scroscio d'acqua. Il gatto prudentemente corre a nascondersi dentro la capanna. Arriva un uomo dalla pancia rotonda e i capelli impiastricciati di fango che s'introduce in una delle capanne dove giace un moribondo. Si china sul malato, gli solleva le palpebre con due dita sporche.

Gli ausculta il cuore appoggiandogli l'orecchio sul petto, gli bagna i piedi con acqua di salice e ginepro. Lo osserva rantolare. Accanto a lui una giovane donna – sarà la moglie? – accovacciata sul pavimento di terra, cerca di tenere vivo un fuoco misero fatto di pochi rametti ed erbe secche. Vicino alla porta un cane si spulcia spudoratamente. Una donna anziana piange silenziosa nella parte più buia della capanna. Verso sera, il morto sarà sepolto in quel cimitero dalle tombe così accuratamente scavate e ricoperto da una lastra di pietra.

La testa di Zaira, tanto carica di visioni da pesare come un cocomero zuccherino, si solleva a fatica e d'improvviso quelle forme, quelle immagini in moto scompaiono d'incanto. Il suo sguardo ritrova la terra smossa, le tombe coperte da teli azzurri, la pioggia che cade lenta.

Su quella minuscola tomba di bambino, in una giornata di pioggia anche la donna dai capelli corti si è chinata commossa. Gli ombrelli, coi loro colori sgargianti, hanno fatto ressa attorno alla visione inaspettata. Quegli ombrelli sono la testimonianza di un oggi pomposamente vivo di fronte a un passato che ha perso i colori assieme alle sue linfe e alle sue voglie. Il tempo ingrigisce e rattrappisce le cose. Suo cognato è fermo sotto la pioggia, incurante delle gocce che gli scivolano sulla testa e lungo le guance. La donna dai capelli corti sa a cosa pensa quell'uomo non più giovane che ama scherzare, ama mostrarsi cinico e sferzante, ma poi non riesce a nascondere un animo morbido e fragrante come una brioscetta appena uscita dal forno. Sta lì fermo sotto l'acqua, in mezzo alle tombe sannite, con i pantalonacci da lavoro, le scarpe robuste e goffe, la camicia a quadri da montanaro e la giacchetta impermeabile, il non più giovane uomo che dopo un infarto ha ricominciato a fumare con l'aria di chi dice: io sfido il futuro e peggio per me se sbaglio! Oggi, lei lo sa, ha in mente un'altra tomba che giace nel piccolo cimitero di Rocca Regina, dove ha deposto con gesti amorosi il corpo senza peso della sorella di lei, morta tre anni prima. Sa che un legame più forte di quello carnale li lega ancora, nonostante lei sia muta e sorda, sepolta nella terra reatina e lui parli, mangi, rida. Una fedeltà che continua oltre la morte, un dialogo silenzioso che prosegue, nonostante l'assenza fisica di quella ragazza impetuosa e savia e malinconica che era sua sorella. Continuano a parlarsi, lui tenendosi sveglio con tanti caffè e lei, che non ha più il naso per annusare il profumo di quel caffè, attraverso pensieri profondi e ricordi che affollano il cuore rattoppato dell'uomo.

Zaira è seduta in cucina e tiene gli occhi fissi su una piccola tazza di ceramica dai disegni azzurri, colma di caffè bollente. Ci soffia sopra aspettando che si raffreddi un poco e intanto osserva quell'uomo dipinto sulla ceramica, blu su bianco, che porta un fardello sulla schiena. In testa tiene un cappellaccio floscio, è vestito come un pastore del Settecento: calzoni al ginocchio, calze lunghe e scarpe a ciabatta. Accanto a lui un cane dalla coda azzurra sventolante si dirige, assieme col suo padrone, verso una foresta blu e bianca.

Quella tazza ha davvero una lunga vita. È appartenuta alla nonna di Zaira, quella Pina che dicono abbia frequentato un bordello per qualche anno, la Pina siciliana che ha avuto un figlio, Pitrucc' i pelus', ed è morta di sifilide nel lontano 1920. Pitrucc' l'ha regalata ad Antonina che a sua volta l'ha lasciata a lei. Da piccola trascorreva ore alla finestra, seguendo affascinata il percorso dei pastori che si dirigevano a piedi o a dorso di mulo verso le foreste. Si chiedeva dove andassero, sebbene lo sapesse benissimo, era il loro modo di procedere, di affrontare il futuro che la inquietava. La tazza non dice dove si indirizzassero i passi di quell'uomo, non dice cosa portasse nel sacco che gli pesava sul dorso.

Un meleto dai rami neri e secchi per via del freddo, un campo di cicorie ancora coperto dalla neve. Tutti aspettavano lo sciogliersi dei ghiacci invernali, ma la primavera non arrivava e le mucche muggivano disperate chiuse dentro le stalle, le pecore raspavano la terra indurita coi denti in cerca di erbe che non riuscivano a crescere. Ma cosa teneva quel pastore nel sacco? delle noci rubate in un giardino lontano da casa? una lepre presa al laccio dopo lunghi appostamenti? delle patate comprate con i soldi di un lenzuolo ricamato dalla moglie? La casa non si vede sulla tazza e nemmeno il villaggio da dove presumibilmente proviene il contadino. Si scorge soltanto l'uomo la cui faccia è quasi nascosta dal cappello ampio e scuro. Il fagotto tenuto con le mani gli ciondola sulla schiena, un ramo dalle fronde graziose, color celestino, si protende verso l'orlo della tazza. Non c'è altro. Dove va quell'uomo e da dove viene? cosa tiene in quella bisaccia che gli fa curvare la schiena? Quanto aveva fantasticato da bambina su quel breve tragitto tutto segnato in azzurro sulla superficie bianca e porosa della tazzina!

Miracolo che non si sia mai rotta, sebbene sia ruzzolata tante volte sul pavimento. Non era mai stata Colomba a farla cadere. Sin da piccola si era mostrata attenta e ordinata. Più ordinata di lei. Succedeva spesso che, tornando dalla spesa quando Colomba era già rientrata da scuola, Zaira trovasse il tavolo della cucina ripulito, le tazze lavate, le posate gocciolanti infilate nello scolapiatti. La bambina aveva una disposizione spontanea e innata alla pulizia e all'ordine. Le piaceva trovarsi sempre intorno spazi liberi e sgombri, pavimenti lucidi, tovaglie immacolate, piatti puliti e fiori che sbucavano allegri dai vasi. Che fossero fiori di carta o di stoffa non le importava, purché rallegrassero coi loro colori le ampie stanze disadorne. La sua camera da letto faceva pensare a una *Annunciazione* del Beato Angelico, in cui ogni oggetto sembra alludere a un'attesa, a un'assenza che sarebbe stata colmata da lì a poco, con trepidazione e timore. Il letto piccolo e rifatto alla perfezione sta addosso al muro. Sul comodino c'era sempre un libro, l'ultimo che stava leggendo, una sveglia di plastica verde, una lampada sobria, dall'asta di metallo, un bicchiere d'acqua e un mazzolino di fiori secchi infilati dentro un vasetto cinese. Niente altro. Mentre i libri sul comodino di Zaira si accumulano, si nascondono l'un l'altro, pencolano e finiscono spesso per cadere. Colomba, quando aveva finito un romanzo, lo rimetteva a posto nello scaffale. Il suo armadio di legno bianco si apriva con un soffio gentile e mostrava pochi abiti appesi, lavati e stirati di fresco: un cappotto marrone, un impermeabile bianco crema, un giaccone color castagna. Le scarpe stavano allineate nella scarpiera, sempre lucide e pulite. Ohi Colomba, che nostalgia di quelle mani gentili, sempre ben curate, che non cessavano mai di ordinare, mondare, aggiustare!

Una ragazza così diligente e disciplinata, non si sarebbe sentita in dovere di avvertire, se avesse voluto sparire per un certo tempo? Zaira continua a fissare l'uomo misterioso dal fardello sulla schiena che si affaccia sui bordi della tazzina e si chiede se anche Colomba non portasse un fardello troppo pesante. Un fardello misterioso e insospettato. Le pesava la perdita del padre e della madre? le pesava la vicinanza un poco troppo occhiuta e pettegola del paese? le pesava la compagnia di una nonna che parlava poco e stentava a guadagnare i soldi per terminare il mese? Impossibile svelare l'arcano di una ragazza resa sfinge dal silenzio e dall'assenza. Dove sei 'Mbina? perché non rispondi?

Nessuna consolazione le viene dal sapere che ogni anno in Italia scompaiono migliaia di persone. Che spesso vengono ritrovate dopo un periodo di sbandamento e di fuga. E se invece fosse stata uccisa? La faccia di Sal le torna davanti, rassicurante. Lui ha preso i soldi per farle sapere che Colomba è viva. Non l'avrebbe fatto se fosse morta, cerca di rassicurarsi, il ragazzo è avido e privo di scrupoli, ma una notizia, una sola, deve averla, altrimenti non sarebbe andato a cercarla. Questo si dice per incoraggiarsi, con la voce rotta e silenziosa dei pensieri parlati. O sta dialogando con la coscienza dalle ali stracciate che la tallona come il cane Fungo? Un cane è un cane, parla un altro linguaggio. Un angelo è un angelo, ha tutt'altra mentalità e tutt'altri pensieri per la testa.

Sono giorni e giorni che andando in paese Zaira passa davanti al bar Rombo per vedere se riesce a incontrare Sal. Ma non l'ha più visto. Non le aveva detto lui stesso che veniva da un altro paese? Zaira aveva chiesto sue notizie al padre di Scarpune, che sapeva tutto del figlio e dei suoi amici, ma la risposta era stata evasiva e insoddisfacente: «I vagliole va sempr' girenn' pe i paes' ma nun sacc' ch' fa». Il dialetto per i paesani è come una scarpa vecchia e comoda a cui il piede è abituato. Ma appena sentono che il terreno si fa omogeneo, infilano diligenti un paio di scarpe da città e camminano rapidi, decisi.

«Per me è infido» continua il calzolaio. «La polizia non lo ferma mai: si presentano a verificare nei negozi se i permessi sono a posto, ma non controllano uno come lui che se ne va in giro coi capelli che sembra un porcospino, sempre di colore diverso, e non si sa di che vive e dove vive.» Ma non aveva aspettato una risposta da lei. Si era messo a parlare di galline, che lui ne ha cinque e le tiene in un cortiletto dietro casa e le nutre con i resti della verdura scartata e loro fanno le uova, ma non quante lui vorrebbe perché spesso sono nervose e uova non ne sfornano, oppure piove, o fa molto freddo e di uova neanche a parlarne. Ogni tanto ne ammazza una e le altre svolazzano e strillano per tre giorni di seguito; tanto che per farle stare zitte le piglia e le porta da sua suocera che ha uno stazzo in montagna e lì stanno buone, anche perché fa tanto freddo, e loro passano il tempo appollaiate dentro la vaschetta del mangiare, tutte pigiate l'una all'altra, con gli occhi chiusi.

Zaira alza lo sguardo sulla finestra rigata. Piove. Gli alberi colano acqua. I prati sono zuppi. Non è proprio il caso di uscire. Rimarrà a impastare la farina e l'acqua col lievito fresco. Il pane fatto in casa ha una fragranza che non si trova in nessun altro pane. Maria Menica, non avendo mai tempo per cucinare, le chiede spesso una delle sue pagnotte. E lei gliela porta volentieri. Le piace sentirsi ringraziare con uno di quei sorrisi dolcissimi che regala a pochi, per voltarle subito le spalle e andare a preparare i pannolini, il permanganato, il cotone per un nuovo parto. È talmente rinomata per la sua bravura di levatrice che tutti la chiamano, anche dai paesi vicini. Prima di lei, molte donne scendevano a partorire in città, per prudenza, ma poiché quasi tutte tornavano con la pancia tagliata da un brutale cesareo, avevano deciso che era meglio affidarsi ai vecchi metodi. Tanto 'n paese ce sta na bbona levatrice, che ha le braccia ancora robuste e abili. In trenta anni solo un bambino è nato morto fra le sue mani. Te poi fidà. Se poi si presenta qualche complicazione, si può sempre correre in città con l'automobile, si tratta di un'oretta di macchina. Maria Menica comunque è la prima ad avvertire quando si presenta un parto pericoloso ed è lei stessa a suggerire alla giovane mamma di precipitarsi all'ospedale prima che arrivi l'emorragia. Di donne morte mentre partorivano con lei, se ne contano solo due: una perché soffriva di diabete e non glielo aveva detto e l'altra perché aveva una grave insufficienza cardiaca e non lo sapeva.

La più grande soddisfazione di Maria Menica è quella di andare in giro per Touta sentendosi salutare da tutte le mamme che ha aiutato a partorire. Le si avvicinano, le afferrano le mani, e le raccontano dei progressi dei loro figli che crescono tanto in fretta che «i tempe de dì n'Avemaria se só già ite militare».

La levatrice è la sola che le chieda di Colomba come se sapesse che tornerà. Non le dice: scordatelo, penz' a qualcos'altr'! oppure: tante, ormai… intendendo che deve essere morta e stramorta. Ma anzi la incoraggia a continuare la ricerca. «Che nova ce sta?» le chiede appena la vede e si capisce che le aspetta per davvero.

Mentre Maria Menica traffica con i disinfettanti, i panni puliti, i rotoli di cotone, Zaira le racconta degli ultimi avvenimenti. È la sola in paese che sappia di Sal e dei soldi carpiti, sempre ammesso che lui stesso non ne abbia parlato ad altri. A Marione l'ha pur detto, ma lui ha fatto finta di non sentirla. Ogni volta Zaira si sorprende della rapidità con cui si propagano le voci in paese. Non sempre corrispondono alla verità, ma di ciascuno si sa quando si innamora, quando si incontra di nascosto con l'innamorato o l'innamorata, quando parte, quando torna, che amici frequenta, che cosa mangia, se fuma, se beve, se tradisce il marito o la moglie, se si ammala, se perde un dente, se riceve una lettera importante, se guadagna molti soldi e come. Impossibile tenere un segreto. Per fortuna la sua casa è un poco defilata rispetto al centro abitato, con la porta girata verso la montagna e questo la mette al riparo dagli sguardi curiosi. Ma che lei continui a cercare sua nipote Colomba lo sanno tutti e scuotono la testa come a dire che è un poco matta, «la pover' Zà, ch'appura i sch-mbùnn, cerca cerca e non trova».

Anche oggi sono lì nella casa ingombra di asciugamani e mastelli affastellati, che parlano a voce bassa, quasi in segreto, Zaira e Maria Menica.

«Che s'è sapute de Colomba?»

«Sal assicura che è viva ma non sa dove sta.»

«E come fa isse a saperlo?»

«È quello che mi chiedo anch'io, ma pure mi pare che qualcosa di vero c'è.»

«Ti sì ripigliate a fà le ricerche ai bosche?»

«Sì.»

«I canusce bbone tu ste bosche.»

«I canusce.»

«E no te sì perduta mai?»

«None.»

«Io una volta sì.» E prende a raccontare con quel fare teatrale e spiccio, come una volta "ne marocchine" fosse venuto a chiamarla dalla montagna, perché la moglie doveva partorire. Il pastore viveva in una capanna che si era costruito da solo, nella zona dove teneva le pecore per conto di un paesano. «Pe fortuna era estate. Me só tirate i maniche» continua Menica confessandole che era «ne poche 'mpavurite perché il quatrane se presentava de piede e ciaveva pure 'l cordune giravutate attorno al collo» ovvero il bambino si presentava di piedi e aveva il cordone girato attorno al collo. «Perché nun me sete chiamate prima?» le aveva detto Menica, ma la marocchina non parlava italiano e se ne stava lì spaventata col sangue che le usciva fra le gambe. Menica si era messa al lavoro con impegno, pensando che ne andava della sua reputazione. Tanto aveva fatto, con quelle mani delicate e ferme, tanto aveva trafficato con le gambette del bambino, intrecciandole come fossero due salsicce, per farlo uscire senza strapazzarla, che alla fine era riuscita a tirarlo fuori e a fermare l'emorragia. A quel punto bisognava tagliare il cordone che lo strangolava e per questo si era rivolta al marito che era lì in piedi senza sapere che fare. «Mò taja» gli disse e lo vide prendere un coltello grande come una spada e bbone bbone recidere il cordone al figlio neonato. «C'era abituato co le pecure so» era stato il commento di Menica, felice di avere concluso con successo quel difficile parto, lontana da ogni ospedale e da ogni luogo sterile. Per fortuna aveva portato con sé una borsa carica di disinfettanti, bende, garze sterili di ogni forma. «I quatrane è nate bbone, la madre non perdette tropp' sang'.» Insomma era proprio fiera di sé. A quel punto il pastore marocchino le si era avvicinato con gli occhi scintillanti di felicità, porgendole una tazza di tè alla menta. Parlava da solo in arabo, forse mormorava una preghiera di ringraziamento. I due si erano guardati e per un momento erano sparite tutte le differenze di lingua, di religione, di cultura: avevano bevuto il tè guardandosi negli occhi. La puerpera già allattava il suo quatrane e non pensava ad altro. Maria Menica le aveva dato un bacio sulla fronte e lei aveva sollevato due occhi fondi, tristi, bellissimi e l'aveva ringraziata con un cenno del capo. L'uomo l'accompagnò fuori dalla porta e percorse con lei un pezzo di foresta, indicandole come proseguire, ma poi dovette tornare indietro. Maria Menica si trovò sola in mezzo agli alberi, con la pila in mano. Il buio era fittissimo. Con quella debole luce riusciva a illuminare solo un cerchietto attorno alle scarpe. Camminava attenta a non inciampare, pensando di dirigersi verso il villaggio, mentre si stava avviando senza rendersene conto verso la parte più folta e oscura della foresta. Eppure le conosceva le sue montagne. Ma era buio e gli alberi sembravano tutti uguali. Per fortuna era estate e non faceva molto freddo. Dopo un'ora di cammino dovette rendersi conto che si era persa.

«E come hai fatto per tornare a casa?»

«Me só addunate ca stava a girà 'n tonde.»

«E allora?»

«Me só accucciata sott' a 'n albero e só fatte matina.»

Zaira si fida di Maria Menica, eppure non le ha mai raccontato di quella notte di tempesta quando aveva perso le chiavi di casa e aveva visto Colomba seduta in cucina con un uomo. Ancora ha dei dubbi, pensa che potrebbe essere stata la visione di una mente stanca e febbricitante. Tanto più che tutto è scomparso così in fretta. Ma la porta posteriore era aperta, mentre lei l'aveva chiusa e aveva trovato delle orme. Solo sogni?

«Racconta, ma'» prega la bambina richiamandola all'ordine, mentre i pensieri vagano, scivolano, inciampano, mutilati e persi. Quella bambina le assomiglia tanto da portare come segni di un destino di famiglia gli stessi suoi caratteri fisici: un neo nel centro della fronte, come un minuscolo terzo occhio scuro e penetrante, un dente accavallato sul davanti.

«Racconta, ma'!»

«Non hai sonno?»

«Forse sì ma voglio sentire la storia.»

La madre dalle grandi mani morbide prende fra le sue una delle mani piccole e bianche della figlia e si accinge a raccontare: «Una mattina una bambina si avventura nella foresta. Porta un paniere appeso al braccio, indossa una mantellina rossa con un cappuccio pendente sulla schiena».

Dove va quella bambina? si chiede la donna dai capelli corti. A trovare la nonna, dice la favola. Ma lei non ha più nonne da nutrire. Solo una mamma che è diventata piccola e fragile. Il suo sguardo di figlia che invecchia si posa sulla nuca gracile, infantile della madre. È vero che invecchiando si torna ragazzini? Quando osserva sua madre, può scoprire nei suoi occhi interrogativi lo sguardo della bambina che è stata. Una espressione incerta che pure ha conservato qualcosa di indomito. Uno sguardo ancora voglioso di apprendere, ma anche intimorito da quello che potrebbe capire e vedere. Ora è lei a farle da madre e a raccontarle delle storie, ora è lei a sorprenderla, a trascinarla nel mondo burlesco dei racconti di famiglia, nei dolori amari delle creature che soffrono in sogno, fra pareti spugnose e letti disfatti, fra sentieri spinosi e cime burrascose.

«Racconta, ma'!»
La bambina insiste con voce assonnata ma tenace.
La madre la guarda quasi senza riconoscerla. Ci sono dei momenti in cui le due vite, quella materna e quella filiale si incontrano, si attorcigliano e sembrano una cosa sola. Altre volte si dividono e si allontanano come quelle di due estranee.
«Allora, ma'?»
«Cosa porta la bambina nella sporta apprestandosi ad attraversare il bosco? Una forma di cacio, del pane giallo fatto con la farina di granoturco, due aringhe salate, una bottiglietta di vino. Sono i doni tradizionali, povere cose da recapitare a chi se ne sta malato a letto.»
«Non sarebbe meglio riempire il canestro di funghi?»
«Funghi, amore mio?»
«Funghi, sì.»
«"Sono belli a vedersi e promettono tante gioie per il palato" così dice il libro sui funghi che ti ho regalato. Vuoi che legga? "Spuntano da sotto le foglie secche incollate le une alle altre, si mimetizzano col colore del sottobosco. Hanno toni leggiadri e gentili: marrone castagna, bruno caffellatte, rosa carnicino, rossiccio terra di Siena, bianco perla, bianco sale marino, bianco uovo, bianco neve, giallo sabbia, giallo zafferano, giallo canarino, giallo buccia d'arancia." Nella nostra famiglia tutti sono stati un poco micologi. Passeggiando per i boschi hanno finito per diventare esperti di funghi.

"Portano addosso un leggero sentore di radici, di farina, di inchiostro, di patate appena tirate fuori dalla terra, di nocciole tostate." Continuo a leggere?»

«Recare doni è una ventura che appartiene a un carattere nel profondo» dice suo cognato, lo storico. «Si recano doni per acquietare divinità feroci, per ammorbidire la loro ingordigia di dolore umano. Forse non è nemmeno tanto per ottenere in cambio indulgenza, ma per rabbonirli nelle loro rabbie celesti.»

«Gli dèi sono sempre collerici, secondo te?»

«Direi di sì, vanitosi e crudeli, basta leggere l'*Iliade*. Godono solo quando gli uomini penano. Uno spettacolo delizioso per loro, vedere piangere gli umani: cosa può esaltare di più la loro possanza che quella rimestata e ripetuta sofferenza? Non ne hanno mai abbastanza. Le lacrime umane sono per loro come le gocce di una pioggia tanto attesa su un terreno arso e screpolato. Lacrime salate come è salato il mare, morbide e scivolose, più grate a chi ci guarda dall'alto, di una secca e stupida risata. Una persona che piange ha bisogno di qualcuno che la ascolti, ha bisogno di protezione, di consolazione, di amore. Una persona che piange è cara ai giudici vestiti d'oro perché quegli occhi lavati saliranno verso le nuvole e cercheranno conferme, agogneranno riparo. Quelle lacrime detergono ogni presunzione, ogni alterigia. Gli dèi amano appassionatamente chi piange e si raccomanda. È dolce consolare, forse più dolce che essere consolati.»

Zaira rovescia la farina a cono sulla tavola, con le dita scava un buco nel mezzo e vi versa lentamente il lievito fresco sciolto nell'acqua tiepida. Poi mescola il tutto, e lavora con le dita, premendo, sprimacciando, tirando, finché la pasta sotto le mani diventa liscia ed elastica. Allora la posa sul davanzale, coprendola con un panno. Dopo due ore la troverà raddoppiata. A questo punto riprenderà a impastarla. A volte ci aggiunge un cucchiaio di olio di oliva, oppure delle uvette secche, o dei gherigli di noce spezzettati, un poco di sale e anche un mezzo cucchiaino di zucchero che aiuterà la seconda lievitazione.

Alle sette la pasta sarà pronta per essere infilata nel forno. Quando non ha il tempo di accendere il suo, che con la legna ci mette tanto a scaldarsi, si dirige a piedi verso quello pubblico, vicino alla chiesa, per farselo abbrustolire assieme agli altri pani. Con quella pagnotta croccante ancora calda e un poco di pomodoro crudo e olio di oliva ci fa un pasto. Se le sembra di essersi indebolita, ci aggiunge un uovo sodo tagliato a fettine, oppure un pescetto di fiume fritto in padella e condito con la cicoria trovata nei campi. Al mercato ci va il meno possibile. L'olio lo compra una volta l'anno da un pugliese che lo porta in damigiane, col camion. È un olio denso e verde, dal sapore piccante. Il vino lo acquista da un lontano cugino che abita sulla costa ed è fatto con l'uva delle sue vigne. È un vino rozzo, poco trattato, ma ha un buon sapore di uva schiacciata e non fa male allo stomaco. Costa pure poco. D'altronde lei ne beve solo mezzo bicchiere a pasto. Da quando non c'è Colomba poi ancora di meno. La verdura la raccoglie nei campi: cicoria, cotecacchia, polloni, ortiche per l'insalata; asparagi selvatici, funghi, radicette, cipolline di campo che fa bollire e poi conserva sott'olio per l'inverno; marroni, more, susine selvatiche di cui fa la marmellata, lamponi e fragoline che conserva sotto spirito.

In cantina tiene dei sacchi di ceci e di fagioli che, messi a bagno e cotti lentamente, possono dare cibo per un anno intero. La carne non la mangia. Il pesce lo compra da Aidano, l'autista dell'Atac che nei giorni di festa va a pescare nel Sangro o nel lago di Scanno. Sono pesci piccoli e viscidi, ma saporiti e carnosi.

Fuori dalla finestra la pioggia si sta trasformando in nevischio, i viottoli che portano ai boschi sono diventati pantani ruscellanti. Come farsi venire voglia di uscire con quel tempaccio? Ma pure la decisione è presa e non si torna indietro. Zaira si infila un paio di stivali, indossa due maglioni, uno sull'altro, e al di sopra di tutto un giubbotto impermeabile imbottito, col cappuccio che le cala fino agli occhi. Seguono: i guanti, uno zainetto con dentro una pila, la carta militare, una mela e un pezzetto di cioccolato. Andiamo! Lo dice a se stessa respirando a fondo. E lo annuncia a Fungo che malvolentieri sguscia fuori dalla sua tana sotto la stufa. Apre la porta e una folata di vento misto a nevischio si rovescia addosso al cane e alla padrona. Il freddo morde la faccia. Ma Zaira non si lascia scoraggiare. Tira giù la bicicletta dal fienile, pulisce il sellino, controlla le gomme, si infila i guanti, monta e prende a pedalare controvento su verso i boschi fradici di acqua e di fango.

L'editore le ha telefonato ieri furibondo: «Ancora non è pronta la traduzione, Zà, ma che fai?». «Non è pronta no, ho troppo da fare.» «Ma cosa?» insiste lui, «che non capita proprio niente lassù fra quelle montagne.» Per quello che la paga, può anche aspettare qualche giorno! Stamattina riprenderà le ricerche di Colomba. Nel pomeriggio, quando farà buio, si dedicherà alla traduzione del *Burlador de Sevilla* per il solito Giorgini che pretenderà da lei mari e monti. Intanto eccola pedalare sicura in salita. I suoi pensieri avanzano al ritmo dei pedali: sono pensieri strategici, che potrebbero albergare nella testa di un capitano alle prese con le asperità e gli accidenti del terreno su cui sta trascinando i suoi soldati. Ma dov'è il nemico? quello è il punto debole. Il nemico non si vede e non si conosce. Come una malattia agguerrita, fatta di eserciti di batteri indistinguibili, sta dentro quei boschi, dentro quei sentieri che salgono incomprensibili verso chissà dove. Non si lascerà scoraggiare. Andrà avanti pedalando furiosamente. Poi, quando il viottolo si trasforma in un pantano scivoloso irto di punte pietrose e di buche piene d'acqua, scenderà dalla bicicletta, la nasconderà in un intrico di ginepri bassi e ricciuti e procederà a piedi.

Si arrampicherà sui pendii scoscesi, entrerà nei boschi

del Lupo Grande, passerà al guado, saltando sui sassi, il torrente del Gambero Nero. Anche se di gamberi neri non ne ha mai visti. Chissà se ci sono mai stati! Si infilerà in mezzo ai massi caduti dalla montagna, cercando un pertugio, una grotta nascosta. Tornerà a casa al buio, munita della torcia, traballando con la bicicletta sulle radici che sporgono.

Un altro giorno di ricerca andato a vuoto. Quanti ne dovrà trascorrere ancora su quel trabiccolo alla ricerca della nipote? E tu smetti, scema, sono tutte giornate perse, sussurra la voce petulante dalle ali pesanti e inzaccherate. Cosa stai a fare? sei cocciuta come un mulo! se è morta è morta, non puoi riportarla in vita. Lasciala perdere, non ci pensare più. Quel Sal del demonio ti ha presa in giro. Tutto perché non vuoi ammettere che ti ha truffata portandoti via i soldi come a una povera scema. Ti ha mentito, lo vuoi capire, ti ha mentito. Ora pensa un poco a te, alla tua casa, riprendi il tuo lavoro di traduzione. Fra poco avrai finito tutti i soldi e chi ti manterrà?

Zaira, per la rabbia, tira un calcio all'indietro, come per cacciare un gatto che vuole graffiarle i polpacci. Ahi! si sente una voce chioccia e Zaira sorride fra sé, soddisfatta. La coscienza dalle ali troppo lunghe è stata colpita sugli stinchi.

La donna dai capelli corti si scopre a fare domande, proprio come il suo personaggio Zà. Perché questo continuo bisogno di uscire dal seminato? perché un laccio narrativo che dovrebbe tirare sempre, invece si allenta per inseguire altre storie, altri incontri? Non sta addentrandosi in un romanzo che invece di puntare come un tronco, dritto verso le nuvole, si dirama in tante direzioni facendo allungare il collo al lettore? perché il piacere di divagare la fa ballare di gioia, le mette addosso una allegria sensuale? Essere determinati e interrogativi come Zaira, non è una incongruenza? sembra quasi impossibile mettere d'accordo i due stati d'animo. Eppure convivono come fratello e sorella.

Nel frattempo una parola viene a turbarla: coincidenza. Proprio ieri mattina ha ricevuto una lettera da una donna di Palermo che quando era bambina ha conosciuto sua nonna. Una lunga lettera affettuosa che rammenta particolari comici di una nonna poco amata. Ma la busta contiene anche qualcos'altro: due bottoni di metallo in forma di stella, tempestati di strass. "Questi bottoni me li ha regalati sua nonna quando io ero una picciridda. Mia madre sarta mi portava con lei dalle clienti e una di queste era la bella palermitana che tutti ammiravano per i lunghi capelli neri e gli occhi languidi. Mentre prendeva l'orlo alle lunghe gonne di velluto, mentre appuntava le maniche e faceva i cugni alla vita, mia madre mi lasciava seduta per terra come una bambola. Ma io mi annoiavo, scalpitavo e allora una volta sua nonna tirò fuori da un cassetto questi due bottoni e me li diede perché ci giocassi. Sono trascorsi tanti anni, sua nonna è morta, mia madre pure, e io sto invecchiando, ma non ho mai perso questi due bottoni che mi ricordano un periodo felice della mia vita siciliana. Glieli mando con gioia. Perché anche lei toccandoli, ripensi alla sua Palermo lontana."

Ora i due bottoni di strass sono qui davanti a lei, resi un poco opachi dal tempo, ma eleganti nella loro semplicità. Le sembra una coincidenza talmente brutale da parere una beffa degli dèi. Proprio mentre sta scrivendo di Zaira Morrione, salita dalla Sicilia nel 1889 con il suo sacchetto di bottoni preziosi, proprio mentre ascolta Zà che le racconta di come quel sacchetto si sia conservato negli anni e sia passato dalle mani della bisnonna a quelle della nonna e poi a quelle della madre e quindi della nipote, proprio in quel momento riceve la lettera della sconosciuta siciliana: come interpretare questo sincronismo?

Zaira ha un altro amico in paese oltre a Maria Menica, ed è il cavallaro Cesidio: tutte le mattine passa sotto casa sua per portare i cavalli al pascolo sulle montagne. Li lascia liberi di brucare sui prati, fra i boschi e torna la sera a prenderli.

Ciascun cavallo ha un campanaccio legato sotto la gola e quando si muovono tutti insieme, danno vita a un concertino ogni volta diverso.

Cesidio, appena dispone di un poco di tempo, si dedica alla lettura dei documenti che parlano del paese. Fa il conto dei morti e dei vivi. Sa tutto sulla storia del territorio in cui è nato e cresciuto. Ha una testa voltata all'indietro come se il presente lo annoiasse. Qualsiasi piccolo particolare della vita di Touta lo eccita, gli fa brillare gli occhi. La sua curiosità verso il passato non si placa mai.

Quando Cesidio passa davanti alla casa, fra le cinque e le sei di mattina, Zaira sente nel sonno i suoi passi tranquilli, accompagnati dagli zoccoli allegri dei cavalli e si rassicura. Nel ritornare, verso le otto, qualche volta si ferma a prendere un caffè. Le racconta delle sue scoperte, oppure dei suoi cavalli. Non le ha mai chiesto niente di Colomba. Probabilmente pensa, come molti altri, che sia morta. Le sue ossessioni sono i cavalli, che incappano sempre in qualche guaio: i vermi, una piaga, la tosse, la rogna, la cataratta e lui non crede nelle capacità dei veterinari, perciò si è fatto medico dei propri animali, studiando sui libri, praticando e pasticciando con i rimedi campagnoli. Le sue cure hanno in genere buon effetto, non tanto per sapienza medica, ma perché le applica con amore e perseveranza. Finché una ferita non è guarita, lui continua a curarla; finché la cavalla non ha partorito, le sta vicino, anche di notte, anche sotto la tempesta. Non si è mai sposato, Cesidio. Ha due nipoti cicciottelle, allegre e vigorose che lavorano con lui nel portare avanti il galoppatoio dove assieme a cani, pecore, gatti, si trovano impazienti signori e signore di città che vogliono provare l'ebbrezza di una cavalcata. A volte arrivano con i sandali dal tacco alto, le gambe nude, ma Cesidio non li redarguisce. Impareranno da soli che la sella gratta contro le gambe nude, che le staffe sono dure e dolorose contro i piedi scalzi.

Cesidio, nella sua timidezza, si nasconde dietro due grandi baffi da tricheco. Forse anche per via dei denti che sono neri e rovinati. In vita sua non è mai andato da un dentista. Non si fida, come non si fida dei veterinari. Eppure Cesidio è un bell'uomo e molte vagliole del paese sono attratte da lui. Non ultima Donata la bella, che ha fatto il servizio militare, prima donna nel paese a entrare nell'esercito e oggi fa la vigilessa con tanto di divisa, cappello rigido e sorriso orgoglioso sulle labbra di corallo.

Cesidio conosce molte favole, storie buffe o assurde e quando si siede al tavolo della cucina di Zaira, gliene racconta sempre qualcuna. Fa raccolta di cronache popolari abruzzesi, storie di pastori del secolo scorso che per lui, e per molti del paese, non erano solo proprietari di pecore, ma antichi spiriti liberi e fantasiosi che avevano la capacità di narrare il passato tenendo d'occhio il futuro, conoscevano a memoria i grandi libri come *La Gerusalemme liberata*, la *Divina Commedia*, la *Bibbia*, le *Storie dei Cavalieri della Tavola rotonda*, le fiabe di Giufà, di Bertoldo, Bertoldino e Cacasenno.

«Io tante volte mi chiedo chi erano i nostri veri antenati: sì i romani, sì gli etruschi, sì i greci, ma prima? Qui a Touta ci stavano all'origine i marsi. Ma prima ancora? Comunque sui marsi qualcosa sappiamo: erano dei guerrieri matricolati, bravi, meticolosi, indomiti e dividevano tutto fra di loro, erano più democratici di oggi. La capitale dei marsi a me piace immaginarla tutta bianca di calce, si chiamava Marrubio o Marruvio e si trovava sul bordo del lago del Fucino che ora non c'è più, da quando il principe Torlonia ha fatto prosciugare le sue acque, ai primi del Novecento, siamo all'asciutto, abbiamo perso gli ulivi e i pesci di acqua dolce.»

«E com'erano questi marsi secondo te, simili ai montanari di oggi?»

«Si dice che erano figli di Marte e sapevano combattere come leoni, venivano pagati per fare la guerra: li volevano gli etruschi, li volevano i greci, li pretendevano i romani. Ma loro esistevano prima dei romani e avevano altri dèi che erano nati prima di Giove. Qualcuno invece sostiene che non c'entravano niente con Marte, ma erano figli di Marso che a sua volta era figlio di Circe. Per questo i marsicani erano considerati maghi e guaritori: conoscevano le piante di montagna che leniscono le ferite da taglio, sapevano trattare il veleno dei serpenti. A Cocullo ancora oggi le acchiappano le serpi, se le avvolgono attorno al collo, le attaccano sulla statua di san Domenico, che però prima era la statua della dea Angizia, antica come il lago del Fucino, e forse ancora più antica.»

«Devo uscire, Cesidio, è tardi.»

Ma Cesidio non sembra darle retta. Il suo piacere di raccontare è tale per cui alla fine chi ascolta ne rimane contagiato. E lui ci conta.

«Te l'ho mai raccontata la storia del monaco benedettino che si chiamava come me, Cesidio?»

«No, non me l'hai raccontata.» Vorrebbe uscire, ma la voglia di ascoltare la storia del monaco Cesidio la trattiene. Che fare? Intanto, pur avendo infilato gli scarponi da neve, si siede.

«Nel IX secolo qui dominavano i franchi di Carlo Magno, gente alta, ardita. Parlavano un francese tutto spigoli che ormai non esiste più ma la gente dabbene di allora, i preti e i gran signori conversavano anche loro così, con gli spigoli. I baroni chiesero a Carlo Magno di costituire una contea in questa zona della Marsica e l'antica provincia Valeria divenne Contea.»

«E da dove veniva fuori questo nome?»

«Dalla via Valeria, credo, da Valerio Massimo il gran generale romano che si acchiappò queste montagne e anche le valli. La Contea di Valeria era talmente potente che tendeva a invadere coi suoi armigeri tutte le terre che c'erano intorno. Bumburubum loro scendevano a valle, occupavano le proprietà, le recintavano, dicevano: questo è mio e questo pure è mio e buonanotte ai santi, cacciavano via tutti quelli che stavano lì da secoli. Perfino i benedettini del convento di Gioia dei Marsi a passo del Diavolo avevano paura.»

«E dov'era questo convento dei benedettini, io non l'ho mai visto.»

«Stava sul valico, lì dove al tempo dei marsi c'era un tempio antichissimo e la zona si chiama ancora Temple. Il valico era conteso fra tanti, era un punto importante, di confine e di passaggio fra il sud e il centro, fra il Ducato di Spoleto e quello di Benevento, fra l'Abruzzo e il Marchesato del Molise.»

Cesidio parla tormentandosi i baffi con le mani coperte di calli e di tagli. Zaira intanto ha dimenticato che stava per uscire, e rimane lì a guardarlo rapita.

«Vuoi un altro caffè, Cesidio?»

Lui neanche risponde, è teso verso il racconto che non è affatto terminato ma anzi prospetta molte vicende da sviluppare. «In quel convento viveva un monaco che si chiamava Cesidio, come me. Era magro e asciutto, si occupava delle galline nel pollaio, le conosceva una a una per nome. Raccoglieva le uova calde calde per distribuirle fra i monaci. Ma una volta compiuti i suoi doveri nel pollaio, si dedicava alla lettura e alla trascrizione dei testi sacri: era bravissimo a dipingere su carta pergamena con minuscoli pennelli intinti nell'oro e nel blu lapislazuli.

«Questo monaco, vedendo che ogni giorno il convento veniva derubato e minacciato, decise di andare a parlare col papa in persona perché quello stato di cose non era più tollerabile. Come continuare ad assistere passivamente al quotidiano furto delle capre e degli agnelli, all'invasione giorno dopo giorno dei loro giardini? A furia di aggressioni ed espansioni, infatti la Contea era arrivata a nord fino all'Aquila che allora si chiamava Forcona e a sud raggiungeva la città di Sulmona; ma non sopportava nemmeno che qualcun altro controllasse un valico così importante come il passo del Diavolo. Così il monaco benedettino chiamato Cesidio si mise in spalle un sacco pieno di noci e prese la strada verso Roma. Allora la via per la capitale era un tumulto di boschi e foreste inestricabili. C'erano i lupi che assalivano i viandanti e le iene che aspettavano per ripulirsi i cadaveri...»

«Le iene da queste parti? Cesidio, che dici?»

«Nel racconto del monaco c'erano le iene. Fatto sta che attraversare questi boschi era proprio pericoloso. Ma il monaco Cesidio decise di andare lo stesso dal papa col suo sacco di noci sulle spalle.»

«Solo noci? che se ne faceva?»

«Erano pregiate le noci delle montagne marsicane, tutti le volevano. Erano piccole e saporitissime, profumate e nutrienti, ottime per fare i dolci ma anche accompagnate col solo pane, potevano sostituire la carne. E lui con un pugno di noci si faceva dare in cambio un pezzullo di cacio e qualche volta anche un pesciolino di lago. E andava, andava. Di giorno camminava, beveva alle fonti che conosceva molto bene essendo nato da queste parti, e di notte si accucciava sotto un albero, anzi dentro un albero, sai quei grandi faggi corpulenti che abbiamo dalle nostre parti, ci stava giusto giusto perché era piccolino, e senza un grammo di grasso.»

«E quanto ci mise ad andare a Roma?»

«Ci mise tanto, Zaira, tanto. I piedi gli si erano gonfiati a furia di camminare, incontrava continuamente vipere e branchi di lupi affamati, incontrava linci e cinghiali, ma lui sapeva come trattarli. Si metteva fermo fermo come fosse di pietra e quelli tiravano via. Un giorno incontrò pure due orsi, un maschio e una femmina che cercavano favi di miele. Lo guardarono storto chiedendosi se era il caso di farsene un boccone, ma il monaco Cesidio che era molto furbo emise dal sedere un piccolo soffio puzzolente e i due orsi, infastiditi, se ne andarono scambiandolo per una puzzola poco buona da mangiare. D'altronde anche un orco avrebbe schifato quel monacello secco come un baccalà e bruno come un saraceno. Ma la sua risolutezza era più grande di ogni pericolo. Un pescatore sul lago del Fucino lo ospitò nella stalla, dove dormì assieme alle vacche, per due pugni di noci. Un altro invece gli diede una ricotta intera in cambio di quattro pugni di noci. Ma una notte, una notte che dormiva come un ghiro sotto un albero di mele, qualcuno si avvicinò senza che lui se ne accorgesse e gli portò via l'intero sacco ancora quasi pieno. Cesidio, quando si accorse della cosa, si mise a piangere per la disperazione. Quelle noci erano tutta la sua ricchezza. E come sarebbe arrivato a Roma senza un soldo in tasca?»

Zaira, che intanto spezzava le punte dei fagiolini con le dita, poi li gettava nella pentola piena di acqua bollente, lo seguiva, ammaliata. Le parole di Cesidio avevano il potere di rendere reali le figure del passato: lei lo vedeva quel monaco viandante che nell'anno 980 aveva deciso di andare a piedi fino a Roma per protestare col papa Benedetto VII contro le ingiustizie degli armigeri della Contea di Valeria. Lo poteva osservare attraverso la finestra, lì ritto sul sentiero del bosco, con il sacco sulla spalla, ai piedi le scarpe messe insieme da lui con pelle di daino, lana e budella di agnello.

«Ma ci arrivò a Roma?»

Cesidio aveva le pupille dilatate per lo sforzo di vedere il monaco e condurlo in salvo fino a Roma. Doveva farlo camminare giù per la montagna, lungo viottoli scoscesi, fra fiumi in piena, foreste insidiose e laghi senza fondo. Come fece a raggiungere Roma senza le sue noci?

«Dovette mettersi a lavorare, Zà. Per questo perse tanto tempo. Un giorno cardava la lana per una famiglia di contadini dalle parti di Celano, un altro giorno mungeva le vacche per un pastore che aveva le pecore a Lecce dei Marsi, un'altra volta ancora aiutava la perpetua di un prete a lavare i panni nelle acque del Sangro. In cambio gli davano un uovo, una tazza di latte, una zampa di gallina bollita, un po' di pane secco.

«Infine arrivò a Roma, ma si era fatto autunno e le sue scarpe tenute su con le budella di agnello si erano consumate e rotte. Ora andava scalzo e aveva i piedi coperti di ferite. I capelli gli erano cresciuti tanto che sembrava un eremita delle grotte e aveva perduto pure qualche dente. Ma nessuno né niente poteva farlo desistere dalla sua decisione di recarsi a parlare col papa, anche se si rendeva conto che era conciato proprio male.»

«È una storia vera, Cesidio? dove l'hai trovata?»

«Nelle carte della chiesa.» Ma lo dice abbassando gli occhi come quando intreccia golosamente la fantasia coi documenti.

«E che fecero al Vaticano, lo lasciarono passare?» In

fondo non le importava se fosse vera o inventata di sana pianta la storia del monaco.

Era piccolo magro e coraggioso il monaco Cesidio di Pescasseroli, ma quando bussò alle porte del Vaticano fu preso per un pezzente e cacciato via. Ne ebbero paura tanto era nero, sporco e irsuto. Però lui aveva la lettera del padre superiore del convento di Gioia dei Marsi, Giovanbattista Armidio Ratafià Peletti, che aveva conosciuto il papa da piccolo: erano stati in collegio insieme. Il padre superiore, prima che partisse, l'aveva chiamato in sacrestia e lo aveva benedetto: "Vai, Cesidio, sii prudente" gli aveva raccomandato, "la tua è una iniziativa coraggiosa. Vai dal papa, e digli che se continuano così, finiranno per cacciarci dal convento. Hanno già preso le nostre vigne, si sono già impossessati dei nostri ulivi e delle nostre capre. Vai, Cesidio, prega Iddio e vai. Se poi al Vaticano non ti fanno entrare, mostra questa lettera, ma solo nel caso che non ti facciano entrare". E gli consegnò un foglio di carta tutto bianco in cui era scritto, con inchiostro azzurro chiaro, che lui, Giovanbattista Armidio Ratafià Peletti, monaco benedettino sui monti della Marsica, si rivolgeva al vecchio compagno di scuola diventato papa Benedetto VII, per scongiurarlo di fermare la prepotenza della Contea di Valeria.

«Il monaco Cesidio ripose quel foglio dentro una tasca della camicia a pelle e quando fece per tirarla fuori e mostrarla alle guardie si accorse che l'inchiostro si era del tutto cancellato, lavato dal sudore e macerato dal lungo contatto col corpo. Fece per porgerla ai picchetti del papa, ma si trovò fra le dita dei brandelli di carta ormai illeggibili.

«Le guardie lo misurarono con gli occhi, ridendo: non credevano a una parola di quello che andava dichiarando. "Come faccio a tornare indietro a mani vuote dopo quasi due anni di viaggio?" ripeteva Cesidio di Pescasseroli disperato. Le guardie presero a punzecchiarlo con la spada e lui, nello smarrimento, si mise a urlare: "Mi manda il monaco benedettino Giovanbattista Armidio Ratafià Peletti, dal convento di Gioia sui monti della Marsica, fatemi entrare, devo parlare col papa!". Una delle guardie gli dette una tale botta con il piatto della spada che lo mandò tramortito per terra.

«Ma ci voleva altro per scoraggiare il monaco benedettino Cesidio di Pescasseroli. Difatti, ammaccato e tremante com'era, si alzò in piedi traballando e urlò ancora una volta che lo mandava il monaco benedettino Giovanbattista Armidio Ratafià Peletti del convento di Gioia dei Marsi e che aveva una lettera per il papa che era stato suo compagno di scuola.

«Le guardie stavano per cacciargli la spada in petto quando si aprì una finestrella in alto, sopra il portico e si vide una mano bianca che si muoveva come una farfalla. Poi si udì una vocetta di bambino che gridava: "Lasciatelo, lasciatelo!". Era il papa in persona, Benedetto VII. Gli armigeri guardarono sorpresi verso l'alto. Videro che si trattava proprio del papa e si accinsero a ubbidire, sebbene di malavoglia. Prima però insistettero che non era prudente introdurre in Vaticano un simile attrezzo umano, sporco e puzzolente che non aveva neanche le scarpe ai piedi. Ma il papa continuò a muovere le mani piccole e bianche, che sfarfallavano rabbiose e finalmente i due dovettero cedere. Aprirono i cancelli e lasciarono passare il monaco scalzo con la lunga barba nera e il saio ridotto a brandelli.

«Il papa, che aveva sentito il nome del suo amico d'infanzia, lo voleva presso di sé. Prima però due camerlenghi lo agguantarono per la collottola, lo trascinarono per un lungo corridoio, con mosse rapide gli strapparono i vestiti, lo cacciarono dentro una tinozza piena di acqua calda, lo strofinarono con spugne ruvide e intrise di sale, lo asciugarono con teli di cotone, gli rasero in malo modo sia i capelli che la barba, gli misero addosso un saio nuovo che sapeva di spigo, un paio di babbucce di pelle rossa e lo portarono davanti al papa.

«Il sommo pontefice lo fece accomodare su una sedia di paglia, gli offrì del vin santo e degli sgonfiotti ripieni di marmellata di pere, e gli chiese del suo amico d'infanzia che non vedeva ormai da cinquant'anni. Cesidio da principio era talmente emozionato che non riusciva a spiccicare parola. Ma poi piano piano si riprese e disse che gli portava i saluti del padre superiore Giovanbattista Armidio Ratafià Peletti e ogni volta che pronunciava il suo nome si inchinava, come davanti a una immagine di Cristo. Il pontefice gli fece una carezza con quelle sue mani delicate e leggere e bianche come la neve. Poi gli chiese ancora molte cose sulla famiglia del suo amico, di cui Cesidio non sapeva niente. Ma frugò nella memoria, disperatamente, cercando un ricordo, qualche frase carpita in convento tra i frati e infine inventò qualcosa per accontentare quel papa così gentile che lo riceveva in casa propria. Intanto andava mangiando quegli sgonfiotti che erano la fine del mondo per bontà e dolcezza. Il papa lo osservava divertito. Ma al sesto sgonfiotto si stizzì e glieli fece togliere da un servitore perché continuasse a raccontare del suo compagno di collegio.

«Chiedendo perdono in cuor suo alla Madonna per quelle frottole, il monaco Cesidio raccontò che la vecchissima madre del padre superiore Giovanbattista Armidio Ratafià Peletti, veniva sempre al convento a portare pagnotte profumate di cannella e dolci di fichi secchi e mandorle, che il padre era morto in guerra.

«"Quale guerra?" aveva chiesto il papa spalancando gli occhi che aveva azzurri come due laghi di montagna. Cesidio non sapeva cosa rispondere, ma poi pensò che c'erano tante guerre in giro per l'Italia e si inventò che era morto a Valva in una guerra fra i conti di Alba e quelli di Celano di cui aveva sentito parlare in convento. E il papa gli credette.

«A questo punto il pontefice gli offrì un altro poco di vin santo, e fu lui stesso a versarlo nel bicchiere del monaco, cosa di cui Cesidio fu tanto commosso che poi, tornando al convento di Gioia sulle montagne marsicane, lo raccontò mille volte. Alla fine i fratelli monaci si stufarono e presero a beffeggiarlo chiamandolo 'l vinsantin' del papa.

«Improvvisamente il pontefice gli chiese di una certa Berta. E qui Cesidio si sentì perduto perché non aveva mai sentito parlare di questa Berta. Il papa gli disse che era la sorella piccola di Giovanni Ratafià, una bambina talmente bella e gentile che lui ancora se la ricordava. Allora Cesidio lavorò di fino: raccontò che Berta si era sposata con un grande barone, il barone dei monti Tiburtini. Che però, essendo rimasta incinta quattro volte e avendo abortito per altrettante volte, il marito si era spazientito e l'aveva cacciata dal castello. Lei era andata pellegrina per i boschi, con un sacco di noci sulle spalle. Di simili pellegrinaggi se ne intendeva Cesidio e raccontò nei particolari dell'incontro coi lupi, coi serpenti, con le iene, raccontò pure del furto del sacco di noci. "Povera creatura!" sospirava il papa e Cesidio gongolava. Aveva ottenuto tutta l'attenzione di quel vecchio evanescente dagli occhi di bambino.

«"E poi, e poi?" continuava, agitando le mani farfalline il papa. E Cesidio aveva ricamato ancora, narrando della povera fanciulla raminga per i boschi, che dormiva dentro i faggi giganti e stava per morire di fame e di freddo.

«"Ma alla fine si è salvata?" chiese ansioso il papa quasi cadendo dalla sedia per la trepidazione che lo attanagliava.

«"Mentre camminava nella neve che le aveva quasi congelato i piedi, incontrò un lupo che la guardava con occhi savi. E se mi mangia? pensava la fanciulla spaventata. Ma il lupo la guardava con qualcosa di umano, e lei gli parlò come se fosse una persona, gli chiese la strada, e il lupo, zitto zitto, la precedette fino alle porte di un convento di monache di clausura che stava in alto sulla cima del monte Palumbo."

«"Ah, ne sono molto contento" sospirò il papa congiungendo le manine irrequiete. Chissà se gli credeva veramente o stava al gioco. Nei suoi occhi si accendeva una luce astuta e ridente. "E vive ancora?" aggiunse titubante. Che dire? sì o no? e se poi mi chiede di rivederla? Cesidio si tenne sul vago: Una donna ben voluta da tutti per la sua generosità e la sua umiltà.

«Il papa assentì contento e disse che l'avrebbe fatta cercare. La voleva rivedere. Gli chiese il nome del convento ma qui Cesidio si rese conto di avere troppo fantasticato. Disse che non ricordava affatto il nome del convento, che anzi forse da ultimo si era sparsa la voce che era stato distrutto dai soldati di Valeria e che Berta era morta, forse sì, forse no... insomma non ne sapeva più niente. Proprio a questo proposito, disse, era venuto, perché il convento dei benedettini guidato da Giovanbattista Armidio Ratafià Peletti, amico di infanzia di Sua Santità, era minacciato in continuazione dagli armigeri della Contea. Per questo chiedeva una bolla papale che li fermasse per il futuro.»

«Il papa gliela concesse?» chiese Zaira, anche lei preoccupata per le sorti del monaco Cesidio.

«Sì, il papa, divertito dai racconti del monacello, e anche memore della piccola Berta, gli scrisse una bella bolla in cui si imponeva ai signori della Contea di Valeria di non toccare i benedettini di Gioia dei Marsi, pena la spedizione di un esercito papale per fare valere le regole della convivenza.

«Il nostro monaco Cesidio fu veramente contento. Il papa lo invitò a fermarsi in Vaticano per qualche tempo, ma lui volle partire subito. Avvolse la bolla dentro un sacchetto di iuta, chiuso a sua volta all'interno di un tascapane di pelle che si legò al collo. Poi, dopo avere ricevuto la benedizione del papa, avere avuto in dono tre monete d'argento, con le babbucce rosse ai piedi e il saio nuovo addosso, tutto rasato e pulito che sembrava un giovinetto appena uscito dai bagni, si avviò verso gli Abruzzi. Dove arrivò dopo solo dieci giorni di cammino e fu accolto con tante feste dai benedettini del convento e dal superiore Giovanbattista Armidio Ratafià Peletti che si fece raccontare cento volte di seguito le parole del papa. L'editto papale divenne famoso e riuscì a fermare i prepotenti fino a un nuovo cambio di Signorie.»

La donna dai capelli corti ama ascoltare storie, favole, leggende, apologhi, vicende vere e inventate. È una buona uditrice e mentre presta orecchio alle peripezie di un personaggio finisce per entrare dentro la vicenda e poi fa fatica a uscirne fuori. Dove ha letto che in una storia ben raccontata ci si "impaesa e poi si fa fatica a spaesarsi?". Ma sì, quel "pazzo dal sorriso angelico" di Ortega y Gasset. Il grande letterato spagnolo scrive che si esce da un libro amato con "le pupille dilatate" e il calduccio addosso come quando si indossa un paltò in un giorno di vento. Un paesaggio "cappotto" in cui ci si ripara e che si fa proprio adattandolo alle forme del nostro corpo. La vita che ci è toccata in sorte la conosciamo troppo bene, non dà sorprese. E poi, che gusto c'è a rimanere sempre se stessi? La noia ci mina il piacere di stare al mondo. Ed ecco che si presenta un altro, qualcuno che potresti essere tu anche se non sei tu: uno sconosciuto che diventerà presto conosciutissimo, fino a farsi fratello, amante. Un corpo che ti trascinerà in una vita mai vista né sperimentata, ma che stranamente diventerà sempre più familiare, fino a farsi tua e ti coinvolgerà in avventure sorprendenti, in piaceri che non avresti mai immaginato. Non è una pacchia?

«Racconta, ma'.»

La giovane madre è appena tornata da una festa. Indossa un abito attillato che rimarrà per la bambina il sogno di tutti i sogni. Un abito di velluto color notte, con dei rami di strass luccicanti che partendo dai piedi si attorcigliano lungo tutto il corpo, come fossero tralci di un rampicante fosforescente: bracciate di stelle cadute, appoggiate su un albero ad asciugare.

Ha l'alito che sa di alcol la giovane bellissima madre. Avrà bevuto dello champagne. È passata la mezzanotte e le sue braccia bianche sono due colli di cigno che si sporgono a curiosare: le mani e i polsi chiusi da lunghi guanti candidi. Un essere curioso sua madre, un poco cigno, un poco capra, pronta ad arrampicarsi sulle rocce più scoscese. Si siede sul bordo del letto vedendo che la figlia non dorme, e le sorride con un'aria assonnata.

«Ancora sveglia la mia bambina?»

«Mi racconti la storia di quella ragazzina che si chiamava Miseria e nessuno la voleva?»

«No, amore, è troppo tardi. E tuo padre mi aspetta in camera. Ha sonno, domattina si deve svegliare presto. Buonanotte.»

Lo sente infatti che chiama, suo padre il bello, il seducente. L'uomo di cui tutte le amiche della mamma si innamorano. E lui? Lui si fa corteggiare, ma «mi è fedele nel fondo» dice sua madre. La bambina non ne sarebbe poi tanto sicura. Ma la madre ha bisogno di quella sicurezza. Non vuole controllarlo. Lo segue di lontano con occhi innamorati e lui scappa, vola, se ne va dalla finestra per tornare quando e come gli pare. Un Peter Pan dal fare ciondolante, il sorriso irresistibile, il piede pronto a saltare: dentro la vita, dentro i pericoli, dentro le imprese più difficili, dentro la rappresentazione dell'amore paterno. Quanto ha giocato con le maschere quel suo bellissimo padre! Forse è per questo che lei ama tanto il teatro. Il luogo misterioso in cui ogni parola, anche la più falsa, diventa realtà, la realtà che più ci piace, che sta fuori di noi, ci appassiona, ma non ci prende per il collo. Per questo si struggeva quando, appena tornato da un lungo viaggio, la chiamava. «Piccina, dove sei?» E lei correva ad abbracciarlo. Lo stringeva a sé chiedendosi con apprensione come avrebbe fatto quando fosse ripartito quel papà amato, l'uomo che fuggiva sempre. Quanto sarebbe rimasto con lei prima di prendere il prossimo treno?

«Dove sei?»

«Sono qua, papà.»

«Dove?»

«Qui.»

«Che ti hanno fatto? sei così sciupata!»

«Il fatto è, papà, che tu sei morto e rimani fermo, mentre io invecchio e mi trasformo.»

«Dov'è andata la mia bambina?»

«Ma sono io, sono qui.»

«Non ti riconosco più, mi sa che un'altra misteriosamente si è intrufolata nel tuo corpo e si spaccia per te.»

«No, papà, sono sempre io, tua figlia.» Ma lui scuote la testa e strizza gli occhi come quando guarda l'orizzonte e lo scopre ermetico, lontano.

«Mia figlia è morta» dice a se stesso e si incammina con aria delusa verso il futuro. O verso il passato. Chi sa dove si dirigono i morti! Visto da dietro sembra ancora un giova-

235

notto. Ha i capelli tagliati corti, la schiena ritta e le gambe agili.

Zaira osserva Cesidio che si allontana coi suoi cavalli. Gli fa un saluto con la mano alzata. Lei è ferma sulla soglia a scrutare il cielo: si è rimesso al bello, pare. Le nuvole, legge-re scaglie di burro, si allontanano all'orizzonte. Due falchi volano in tondo sopra il monte Marsicano. Ci deve essere un animale morto da quelle parti. Mentre volano alti, stridono. Hanno una voce i falchi che non corrisponde al loro silen-zioso volare. I piccoli gridi queruli fanno pensare ad altri uc-celli, più pettegoli, più volubili. Il falco plana, ha l'occhio tanto acuto che può scorgere un verme alla distanza di cento metri. Come mai, invece di starsene in silenzio ad avvistare la preda, grida a quel modo?

Zaira chiude la porta, si infila la chiave in tasca. Tira fuo-ri la bicicletta dal fienile e si avvia, seguita da Fungo, verso le montagne. Conosce tutte le strade dei trattori che vanno a ritirare la legna una volta l'anno, tutte le mulattiere, i sentie-ri percorsi dai cavalli e dalle capre per raggiungere le zone più impervie delle foreste.

Ma la bicicletta la porterà solo fino a metà montagna, lì dove le strade di terra si trasformano in tracciati pietrosi che perfino a piedi risultano scoscesi e difficili da seguire. Sono sentieri che appaiono e scompaiono, non hanno una meta, sono costruiti dal salire e scendere delle bestie che cercano cibo. Ieri è nevicato. Bisogna stare attenti al ghiaccio che ma-gari non vedi sotto la leggera coltre bianca e ti butta a terra quando meno te lo aspetti.

Zaira pedala rapida, approfittando di quel poco sole che attraverso l'aria gelata le scalda la fronte, le mani. Quando la montagna si fa troppo ripida e la mulattiera finisce in un groviglio di buche e radici in rilievo, fa scivolare la bicicletta nel fitto di una macchia di bassi arbusti. Ci posa accanto una pietra bianca in una posizione che solo lei potrà riconoscere. La sua camminata è decisa, robusta. Il cane la segue silenzioso. Tiene sempre con sé il bastone anche se ormai le vipere sono andate in letargo e dormono della grossa in qualche grotticella scavata nella pietra.

Una volta la donna dai capelli corti ne ha scorte due di vipere ed erano allacciate in uno spasimo d'amore. Più che allacciate, erano intrecciate strettamente e rotolavano beate giù per una pendenza, senza curarsi di lei, né del cane, né di niente. Erano evidentemente così prese dall'abbraccio che non vedevano il pericolo. Si era affrettata a tenere il cane per il collare perché non si avvicinasse a curiosare. Le aveva viste girarsi e rigirarsi su se stesse, sempre intrecciate, con un movimento di grande potenza amorosa. Un amore che le incollava, le eccitava, le saziava, e le rendeva sorde e cieche. Era durato qualche minuto quell'abbraccio e lei era rimasta lì incantata a fissarle, senza riuscire a distogliere lo sguardo. Infine, sempre intrecciate e rotolanti, si erano infilate dentro un buco e non erano più uscite fuori.

È mezzogiorno. Il sole a picco le scalda la schiena. Zaira decide di sedersi un momento. È approdata, dopo una immersione nel folto del bosco umido, in uno di quei praticelli asciutti e rotondi che si aprono come un giardinetto in mezzo a un mare di alberi. Ha preso posto su un cucuzzolo terroso coperto di erbe morbide, circondato da un minuto esercito di funghetti invernali, color legno. Hanno la tendenza a comporsi in formazioni circolari, disegnando l'immagine grafica di una segreta O.

Dallo zainetto estrae un sacchetto di carta in cui ha infilato una grossa fetta di pane e un pezzo di pecorino, un pomodoro di serra e un poco di sale chiuso dentro un fazzolettino di carta piegato in quattro. Subito il muso di Fungo si accosta, si allunga, fino a toccare le sue mani. Ma questa volta non si farà strappare via il pane. «No, Fungo, ho portato qualcosa anche per te, aspetta.» E gli porge un misto di carne e di riso che ha cacciato dentro un barattolo di vetro. Fungo ingolla tutto in pochi secondi e poi è di nuovo da lei a premere col muso contro il suo braccio per avere qualcos'altro.

«Sei ingordo» gli dice e gli porge un pezzetto di formaggio.

Ma proprio in quel momento il cane rizza le orecchie allarmato e prende a guardarsi intorno inquieto. «Cosa c'è, Fungo?» Forse una volpe, o una lepre. Ma Fungo abbaia rabbioso, coi denti di fuori e il pelo ritto sulla schiena. Chi può essere? Zaira fissa lo sguardo nella direzione verso cui punta il cane ma non vede proprio niente. Poi, ecco un rumore di passi. Zaira si irrigidisce. Richiama il cane che non vuole obbedire.

Dal buio della selva sbuca un ragazzo con un fucile in mano. Non ha la faccia amichevole. E più che a caccia di animali selvatici, sembra che stia andando a caccia di persone curiose.

«Che fa lei qui?»

«Perché, è proibito?»

«Non lo sa che è pericoloso andare da soli per le montagne?»

«E lei non è solo?»

«Ma io ho il fucile.»

«E io ho il cane.»

«Meglio che se ne torni a casa.»

«Lo farò quando mi parrà.»

Ma poi gli sorride pensando che probabilmente è un innocuo cacciatore e non deve trattarlo così sgarbatamente.

Lui non restituisce il sorriso. La guarda torvo con il fucile stretto fra le mani.

«Forse non si è accorto che è entrato nella zona del Parco Nazionale. Qui la caccia è proibita» dice lei, un poco pedante.

«Le consiglio di occuparsi dei fatti suoi.»

«Sono anche fatti miei, visto che in questo parco io ci abito.»

«Una donna sola non dovrebbe andare per boschi.»

«È un consiglio o una minaccia?»

«Lo dico per il suo bene.»

«E quale sarebbe il mio bene?»

«Starsene tranquilla a casa, nei boschi girano animali pericolosi.»

«A me sembrano più pericolosi gli uomini con il fucile.»

«Se io le sparassi in questo momento, nessuno lo verrebbe a sapere, mai. Non è un pericolo questo?»

«Guardi che è finito il tempo dei briganti. Perché mi dovrebbe sparare?»

«Così, tanto per fare...»

Zaira vede il giovane alzare il fucile verso di lei. La paura la prende alla gola. Possibile che le spari per davvero? Possibile che si sia imbattuta in un pazzo?

«Senta, lei non ha nessuna ragione per spararmi. E poi guardi che c'è un pastore qui vicino che può vedere tutto. L'ho incontrato poco fa, e stava entrando nel bosco con le sue pecore» dice Zaira frettolosa, sperando non le risponda che nessun pastore andrebbe in giro con le pecore su un terreno coperto dalla neve. O sono chiuse in stalla o sono partite per le pianure più calde.

Il giovane non sembra dare molto peso alle sue parole. Ridacchia con una smorfia che gli arriccia gli angoli delle labbra verso il basso.

«Stavo scherzando, perché dovrei ucciderla?» dice cambiando voce: «Ma ora vada a casa. Non è prudente girare sole per i boschi, non ha mai sentito parlare di Cappuccetto rosso?».

Zaira lo guarda con attenzione, chiedendosi se ha davanti un pazzo oppure un burlone. Con pazienza e senza fretta, raccoglie la carta, la bottiglietta dell'acqua, il coltellino con cui ha tagliato il pomodoro e ficca tutto dentro lo zaino. Si alza e si avvia verso il bosco, dalla parte opposta a quella dove si trova il cacciatore. Quando si volta per controllare, l'uomo è già sparito tra i faggi. *Che orecchie grandi hai, nonna! È per ascoltarti meglio, bambina.* Ora Zaira segue i passi di lui che si allontanano nel bosco schiacciando foglie morte e rami caduti.

Ma perché era così infastidito che lei stesse lì? Più ci pensa e meno crede alla pazzia dell'uomo. Il suo atteggiamento, a rifletterci, le pare più quello di uno che difende un territorio. Ma quale territorio, che quei boschi sono tutti demaniali? Come se lei avesse oltrepassato un confine pericoloso, oltre il quale si nasconde un segreto irrivelabile. Quell'uomo fa la guardia a qualcosa di nascosto, ecco cos'è. Forse un cacciatore di frodo che si è sentito scoperto mentre inseguiva una preda proibita. Un orso? un cervo? Non è certamente uno che ha sconfinato nel Parco senza saperlo.

Una volta a casa, Zaira si accorge che qualcuno ha frugato fra le sue cose. Trova i cassetti in disordine, le carte sottosopra. Ma cosa cercavano? e chi? e come hanno fatto a entrare? La porta non è stata forzata. Una chiave ha aperto e la stessa ha richiuso tranquillamente. Che ci sia un collegamento con l'incontro nel bosco? ma le sembra improbabile visto che qualcuno è entrato in casa mentre lei era fuori, proprio quando si imbatteva nel giovane cacciatore. E se fosse Colomba? Non era in cucina quella notte di tempesta assieme con Sal?

La mattina dopo, quando sente passare Cesidio, si precipita giù dal letto per parlargli.

«Un caffè?»

«Come mai così presto? Pensavo di passare dopo.»

«Ho dormito male.»

Cesidio dà la voce ai cavalli per fermarli ed entra in casa per sorbirsi il caffè.

«Sai, ieri ho incontrato un cacciatore, credo di frodo. Mi ha consigliato in modo minaccioso di non girare per i boschi. Cosa devo fare?»

«Strano. I cacciatori di frodo di solito scantonano. Non minacciano i testimoni, non si fanno vedere in faccia. A meno che non volesse fare fuori il testimone, ma non è mai successo.»

«E poi sono anche entrati in casa mia e hanno frugato nei miei cassetti.»

«Chi?»

«Lo sapessi!»

«Ladri non ne ho mai visti dalle nostre parti.»

«Non sono ladri, avevano le chiavi.»

«Allora è qualcuno di famiglia.» Un sorriso ironico. Nel suo sguardo limpido si affaccia qualche nuvola. Che pensi a Colomba anche lui?

«Che devo fare?»

«Niente. Non siamo più ai tempi dei briganti. Mio nonno mi raccontava che quando suo nonno era giovane, arrivavano dei bigliettini nelle case di campagna: consegne vendi pecure, oppure: consegne diece ducate se no te abbruciamo la casa. E la gente pagava, per paura. C'era Genco Venco che imperversava da queste parti, c'era Domenico Cannone, Marco Sciarpa, c'era la compagnia Scenna, ma non era teatro era una banda, c'era Ferdinando Cola Marini, c'era Antonio Mancino, tutti bravi ragazzi abruzzesi che hanno creduto più nel coltello che nel cucchiaio e sono finiti male, malissimo. Li fotografavano seduti, una volta morti, col fucile in braccio, la testa ciondolante, i fori delle pallottole sul petto. Credevano nei Borboni questi ragazzi, erano delle teste calde, dei disgraziati senza pazienza. Bravissimi a scannare carabinieri e poveri giovanotti dell'esercito sabaudo. I quali in realtà non erano simpatici a nessuno perché combattevano in nome dell'Italia unita. Ma che se ne facevano dell'Italia unita i nostri pastori che non avevano di che compicciare il pranzo con la cena? Gli avevano pure tolto il diritto di fare legna nei boschi, gli avevano dato la leva obbligatoria, e la fame era tanta che moltissimi erano costretti a partire per lavorare all'estero. Altri, per disperazione, per orgoglio, per paura, per fame, si sono dati alla macchia. Vogliamo davvero chiamarli briganti?»

«Lo so, i briganti. Ma oggi, ora, Cesidio che devo fare io?»

«Niente. Tutto s'aggiusta. Un cacciatore di frodo scappa. Non lo rincontrerai più.»

«E le minacce?»

«Scherzi. Nessuno spara più così a buon mercato. Lo prenderebbero subito e si farebbe trent'anni di galera.»

«E chi pensi che possa essere entrato a frugare nei miei cassetti?»

«Non lo so. Ma non è grave. Avevi soldi in casa?»

«Tengo qualche cosa in un barattolo in cucina ma non hanno toccato nulla.»

«Strano. Ma vedrai, non è grave.»

"Siete precato di mantarci quaranta ducate perché nui siamo venti bricanti, altrimenti o di notte o di giorne sarete acciso e fatto a pezze, firmato Genco Venco."

La donna dai capelli corti ripensa alle parole di Cesidio stringendo in mano uno dei tanti libri sul brigantaggio in Italia nei primi anni dopo l'unificazione. Facile immaginare la faccia del contadino agiato che ha risparmiato per una vita e ora si trova con la masseria che funziona, due mucche al pascolo, trenta pecore da cui ricavare latte e lana, una figlia che sta per sposarsi, una casa da costruire, e il tetto della vecchia abitazione da rifare. Il foglio trema fra le dita contratte. Che fare? pagare in silenzio o andare dai carabinieri a denunciare l'estorsione? I carabinieri verrebbero, metterebbero a soqquadro la masseria, interrogherebbero pure i maiali nel porcile, ma non caverebbero un ragno dal buco. I briganti invece, silenziosi e lesti, gli brucerebbero la casa, taglierebbero la gola prima ai suoi animali e poi a lui.

"Il guardaboschi Giovanni Marcucci, trovandosi il 20 marzo 1866 nel bosco di Tornareccio, venne catturato dalla banda Cannone e dopo essere stato barbaramente ucciso, gli furono asportate le viscere, come nel caso precedente di Pescocostanzo e attaccate sulla fronte a mo' di ornamento."

La donna dai capelli corti legge le carte raccolte da Orsognese B. Costantini che cita 139 procedimenti giudiziari riguardanti briganti abruzzesi. Domenico Valerio di Casoli detto Cannone, passava per uno dei più crudeli.

"Il motivo preminente dello sviluppo e della persistenza del brigantaggio in Abruzzo" spiega Luigi Torres nel libricino intitolato *Tre carabinieri a caccia di briganti*, edito dal piccolo e coraggioso editore abruzzese Adelmo Polla, "è stato in primo luogo l'aspetto topografico e poi quello non meno importante delle risorse di sostentamento delle bande, provenienti dalla ricca industria armentizia dei luoghi iscritti nel territorio con particolare riguardo ai comprensori Sulmonese, Fucense, Altosangrino e Lancianese..."

"Con natura topografica si intende la sua conformazione aspra e frastagliata, le sue alture inaccessibili, la presenza di vaste aree boscose, rade, folte, macchiose, arboree, attraversate da rovinosi sentieri e tratturi, certamente la più idonea a nascondere nelle sue grotte naturali e nella fittissima vegetazione le turbe briganteche."

"Vi aviso la terze volte: voi li volete morte e noi glie daremo lammorte, voi vulete la orecchia e noi ve la manderemo vi diche da vere bricanti e ve giuro ca chesta sarà la ultime notizie ca vi facce avere se per chuesta sera non mandati la somme, cominso a mandarve le orecchie e le punte delle dite de mani... vostro amico capo banda Felice Taddeo."

Luigi Torres giustamente si scandalizza di questi metodi, ma i carabinieri sabaudi non sono meno crudeli, quando qualcuno di loro viene aggredito. Mettono a ferro e fuoco interi paesi, torturano i prigionieri, uccidono a sangue freddo anche ragazzi giovanissimi quando li sospettano di essere manutengoli dei banditi, imprigionano madri e figlie per affamare gli uomini nelle foreste.

«Racconta, ma'!»

La bambina è appassionata di storie di briganti.

«Io non so niente dei briganti, cosa posso raccontarti?»

Le mani robuste della madre impastano la farina sopra il tavolo di marmo della cucina. L'ha sempre pensato "occhiuto" quel tavolo perché porta i segni rotondi dei bicchieri di vino. Occhi orlati di rosso che guardano verso il soffitto. Ma qualche volta si rivolgono pure dalla sua parte e appaiono ciechi e nello stesso tempo attenti, come gli occhi di chi non ha pupille ma protende il bianco bulbo oculare per scrutare meglio. Da quella palla lattiginosa parte uno sguardo sottile, nascosto e insidiosamente acuto.

«Racconta, ma'.»

La bambina se ne sta seduta su una seggiolina di paglia intrecciata e tiene le gambe unite, i gomiti appoggiati sulle ginocchia e le mani rovesciate come fiori che sostengono il mento pensoso. Può essere pensoso un mento? si sta chiedendo mentre osserva le dita morbide e decise della madre che impastano la farina con l'acqua e l'uovo.

«Racconta, ma'.»

E la madre racconta, mentre la pasta lievita sotto le sue mani vigorose.

Ieri è nevicato e anche l'altro ieri. La neve ha coperto i dintorni. Gli stivali sprofondano fino al polpaccio. Ma oggi c'è il sole e la neve luccica e acceca. Genco Venco è intento a tagliare una patata bruciacchiata con un coltellino dal manico di osso. Per fare questo ha dovuto liberare le braccia dall'ampio mantello coperto di patacche e di buchi che lo avvolge dalla testa ai piedi. Il freddo gli morde i polsi e le mani nude. Ha un dolore insistente al piede sinistro: segno che la ferita sul tallone non è guarita. E oggi ci dovrà camminare sopra chissà per quanti chilometri. Gli altri uomini dormono ancora. Cosa darebbe per una tazza di caffè caldo! ma sono giorni che non possono accendere il fuoco per non farsi scoprire. Troppe guardie nei dintorni e tutti con gli occhi appizzati verso la montagna. Il fumo è il primo a rivelare la presenza di un accampamento. La patata è fredda e sa di bruciato. Ma se la caccia in bocca per smorzare la fame.

La donna dai capelli corti osserva quella bambina testarda e curiosa che forse le assomiglia un poco troppo. Cosa avrà imparato da tutto quel raccontare materno? si chiede e sorride della piccola smorfia di onnipotenza che piega la bocca loquace della giovane madre. L'amore a volte prende le forme più impreviste, quasi presaghe di un futuro che non sarà felice e dilata il presente con la sua immaginazione fruttifera.

"Il brigantaggio diventa la protesta selvaggia e brutale delle miserie contro le antiche secolari ingiustizie. La sola miseria non sortirebbe forse effetti cotanto perniciosi se non fosse congiunta ad altri mali che la infausta signoria dei Borboni creò ed ha lasciati nelle province napoletane. Questi mali sono l'ignoranza gelosamente conservata e ampliata, la superstizione diffusa ed accreditata e segnatamente la mancanza assoluta di fede nelle leggi e nella giustizia". Parole di Giuseppe Massati, membro di una delle commissioni parlamentari d'inchiesta istituita nel 1863.

Genco Venco, mangiando la patata bruciacchiata pensa a Maria Lucia, uccisa dai soldati nei boschi sopra Sora. Aveva partecipato come un bravo soldato allo scontro, sparando da dietro le rocce del Pigneto di Macchiarvana, finché le si era inceppato il fucile e nella foga di aggiustarlo, si era esposta. Un carabiniere l'aveva puntata ed erano partiti tre colpi ben segnati. Lucia era caduta all'indietro come se una mano burlona durante un gioco l'avesse spinta facendole saltare per aria il cappello. Anche il fucile era volato in alto e ora giaceva a due metri da lei, in una pozzanghera di ghiaccio e fango. Genco aveva tremato, nascosto a cinquanta metri, ma non osava muoversi per non farsi notare. Aveva aspettato che se ne andassero i militari e poi si era avvicinato per aiutarla. Ma dopo avere toccato la sua mano diaccia, era scappato velocemente. A che serve rischiare la vita per un cadavere?

Si era fermato a un centinaio di metri, sull'altura e col binocolo aveva sorvegliato come l'avevano sollevata, senza seviziarla o infierire sul suo corpo, ma anzi, avrebbe detto con una certa delicatezza pudica. Era sbucato un fotografo, non si sa da dove, aveva armeggiato con una macchina gigantesca irta di manovelle. In due avevano trascinato il corpo di Maria Lucia fin sotto un olmo e lì l'avevano messa seduta, appoggiata contro il tronco. La donna teneva la bocca aperta e un filo di sangue le colava sul mento. L'avevano fotografata così, seduta e con le labbra dischiuse. I capelli, ancora ricci e vivi, le circondavano allegramente il viso esangue.

Da lontano aveva visto un soldato avvicinarsi e chiuderle pietosamente la bocca, quindi pulirle il sangue che colava dalle labbra con un pugno di neve fresca. Una mano pulita e infantile di soldato diciannovenne. Ma era pietà o esigenza del fotografo? Il cappello di feltro nero che era volato quando era stata colpita, ora giaceva contro un cespuglio di more. La camisella bianca di cui andava fiera – anche nei boschi riusciva a tenerla pulita, lavandola con acqua e sapone, acqua e cenere e la faceva asciugare al sole tutti i giorni – era forata dai proiettili e il sangue la stava arrossando.

La bella Maria Lucia dagli occhi severi e la bocca sensuale. Era scappata di casa per amor suo. Non l'aveva violentata o forzata, come facevano molti altri briganti, per avere una donna accanto. Sebbene lui avesse minacciato il padre di lei col fucile perché non pagava il dovuto, sebbene gli avesse bruciato la stalla con tutte le vacche dentro, lei lo aveva scelto, al primo sguardo. Gli aveva detto semplicemente: «Stengh' ecch'» e l'aveva seguito. Non era brava a cucinare, lasciava fare a Menichella che era la donna di Nicola, uno degli ultimi arrivati, appena diciottenne. A Maria

Lucia piaceva lavare. Appena trovava un filo d'acqua, che fosse un torrentello o una pozza in cui si raccoglieva la pioggia, si toglieva le grandi scarpe da uomo, si sfilava i calzettoni di lana grezza e si lavava i piedi. Se vedeva che non c'era nessuno nei dintorni, si toglieva i mutandoni di cotone che le arrivavano al ginocchio e si lavava i satanass', come chiamavano gli uomini il sesso delle donne. Muovendo con eleganza le due piccole mani robuste sempre abbronzate dal sole, estate e inverno, non rinunciava mai a lavarsi, la faccia, il collo, le braccia, a costo di rompere il ghiaccio per raggiungere un poco d'acqua pulita. Per questo sapeva sempre di bucato mentre gli uomini e le donne che andavano nomadi per le montagne, puzzavano di pecora, di fumo e di sudore vecchio.

Era difficile fare l'amore all'aperto, c'era sempre qualcuno che poteva spiarli. Una volta Genco l'aveva trascinata in un intrico di rovi e si erano allacciati con tanta foga che non si erano accorti degli spini durissimi che avevano stracciato assieme ai vestiti anche la carne. Quando erano usciti tutti graffiati, i suldate de Sua Maestà, come amavano chiamarsi, li avevano presi in giro avendo capito che quelle escoriazioni venivano dalla voglia di nascondersi alla maniera dei gatti. Come dimenticare la stretta delle braccia di lei, corte ma robuste e quelle mani che gli avevano accarezzato il collo, la parte del corpo più sensibile per lui? Gli è sempre piaciuto farsi toccare il collo. Di solito lo nasconde come un segno di debolezza virile. Quando era ragazzo, rubava i soldi per andare dal barbiere. Chiudeva gli occhi e si lasciava andare al tocco di quelle dita leggere, alla schiuma del sapone, alla spazzola di setola. Rabbrividiva un poco al contatto col rasoio di metallo, ma sospirava quando il barbiere, coscienzioso, gli spruzzava l'acqua di verbena fra le orecchie, e gli soffiava del borotalco sotto l'attaccatura dei capelli.

A lei, solo a lei, aveva confidato questa sua debolezza e Maria Lucia, appena poteva, gli poggiava una mano calda alla radice del collo, gli allargava con un dito il colletto della camicia e gli carezzava lentamente la nuca. Lui si scostava, perché c'era sempre la possibilità che arrivasse qualcuno e non voleva farsi vedere debole nelle mani di una donna. Ma quando erano soli, al buio, nella capanna improvvisata per la notte, si avvicinava a lei perché lo accarezzasse così, sulla collottola, come un gatto che fa le fusa e lei non si stancava mai.

La notte, quella terribile notte, appena i soldati se n'erano andati, era sceso da solo al praticello della fucilazione e aveva scavato e scavato fino all'alba per seppellire la sua Maria Lucia. Quando l'aveva presa in braccio gli era sembrata così pesante, dieci volte più pesante che da viva, come se portasse addosso tutti i peccati della banda.

Aveva rischiato di essere preso, quando un cane si era messo ad abbaiare vicino alle tende dei soldati. Una voce l'aveva raggiunto: Chi va là? E lui si era nascosto fra le frasche, trattenendo il fiato. I suoi compagni non erano scesi con lui temendo una imboscata e, nel vederlo scendere a valle solo, gli avevano dato del pazzo. Ma i soldati non erano andati a controllare, non pensavano che i briganti avrebbero osato tornare lì dove dieci della banda erano stati giustiziati, poi fotografati, quindi abbandonati senza sepoltura.

"Per distruggere il brigantaggio abbiamo fatto scorrere il sangue a fiumi... L'urgenza dei mezzi repressivi ci ha fatto mettere da parte i mezzi preventivi i quali solo possono impedire la riproduzione di un male che certo non è spento. In politica siamo stati buoni chirurghi e pessimi medici. Molte amputazioni abbiamo fatto col ferro, di rado abbiamo pensato a purificare il sangue. Chi può mettere in dubbio che il governo abbia aperto gran numero di scuole, costruito molte strade e fatto opere pubbliche? Ma le condizioni sociali del contadino non furono oggetto di alcuno studio né di alcun provvedimento che valesse direttamente a migliorare le sue condizioni. Uno solo dei provvedimenti iniziali tendeva direttamente a questo scopo ed era la vendita dei beni ecclesiastici in piccoli lotti, e la divisione di alcuni beni demaniali. Ciò poteva ed era inteso a creare una

classe di contadini proprietari, il che sarebbe stato gran be-
neficio in quelle terre. Invece le terre sono andate ad accre-
scere i vasti latifondi dei grandi proprietari e la nuova classe dei contadini non si è formata." (Pasquale Villari, *Lettere meridionali*, 1875)

Zaira, con i capelli appena lavati avvolti in un asciugamano rosso, i piedi nudi nelle pantofole imbottite, la vestaglia di flanella a righe celesti stretta in vita dalla cintura di
un'altra vestaglia, color verde bottiglia, si siede al tavolo della cucina e scrive in cima alla pagina: TESTAMENTO. Comincia con un "Io, sana di mente, decido…" ma poi si ferma,
cancella. Torna a scrivere. Si arresta di nuovo. Come si redi-
ge un testamento? Non l'ha mai fatto. Scosta la sedia, si alza.
Riempie di acqua il pentolino, accende uno dei fornelli e lo
mette a scaldare. Intanto sfila una bustina di tè dalla scatola,
la lascia cadere dentro la teiera dal becco rotto, arrotola la
cordicella del cartellino con la marca attorno al manico della
teiera e aspetta che l'acqua bolla. Il suo pensiero va ai briganti che una volta infestavano, come scrivono i libri, questi
boschi.
   «Non sono stati i fucili o le manette a fermarli, ma il be-
nessere, il turismo, le strade asfaltate, gli spazzaneve, i primi
alberghi, la moda dello sci, i distributori di benzina, i negozi
di frutta e verdura, le camere a pensione, la scuola nel centro
del paese, l'autobus che collega la montagna alla valle.» È la
voce saggia del suo amico dei boschi.
   Ma oggi chi sono i nuovi briganti? chi può avere interesse a frugare fra le sue povere carte? chi può pensare di mi-
nacciarla perché non vada in giro per faggeti a cercare la sua
Colomba? Con la tazza piena di un tè scuro e profumato, a
cui ha aggiunto una fettina di limone e un cucchiaino di miele, si siede di nuovo davanti al foglio e prende a scrivere lentamente.
   "Alla mia morte, che avvenga per malattia o per mano
di qualcuno che mi vuole male, dispongo che la casa che

posseggo vada a mia nipote Colomba e, nel caso lei sia morta (ma questo deve essere provato con il ritrovamento del cadavere), desidero che venga donata alla scuola del paese perché possa avere qualche aula in più, visto che ancora si insegna in stanze strette e piccole, trenta per classe (io ci ho studiato da piccola e ci ha studiato pure Colomba), dove non ci sono né laboratori né scaffali per i libri.

"In fede

"Zaira Bigoncia Del Signore."

Quando si porta alle labbra la tazza ancora piena, il tè è diventato freddo e fuori ha cominciato a nevicare. Sebbene non abbia alzato lo sguardo che tiene fermo sul foglio, si è accorta del cambiamento dalla luce che da grigia si è tramutata in bianca. Una luce diffusa che sta accendendo la finestra e la cucina. E poi il silenzio, quel silenzio che rende l'aria sospesa e morbida ed è tipico della neve.

Non si sentono neanche le galline di Vinicio che abita a trecento metri da lei, neanche i cani del macellaio che abbaiano a ogni gatto che passa, neanche le tritasassi della ditta abusiva dei Malanfama che, nonostante le leggi proibiscano la presenza di una fabbrica in pieno centro abitato, all'interno di un parco nazionale, continuano imperterriti a costruire mattoni sollevando tonnellate di polvere e assordando tutte le case dei dintorni.

Zaira rilegge il suo testamento e piega il foglio in quattro, lo infila dentro una busta quadrata che chiude accuratamente inumidendo la colla con la lingua. Ma dove nasconderla perché sia trovata dalle persone giuste? Prima la mette nel cassetto dove tiene le chiavi di casa, ma poi ci ripensa e la caccia nell'armadietto dei medicinali, dopo averci scritto sopra in grande la parola TESTAMENTO.

Ora si sente più tranquilla. Può ricominciare le ricerche senza pensare al dopo. Se le succedesse qualcosa, sapranno come disporre dei suoi pochi averi. Negli ultimi giorni ha avvertito il pericolo come qualcosa con cui dovrà imparare a convivere. Il perché non lo sa. Indovina che abbia a che fare con la sparizione di Colomba.

Intanto ha deciso di non lasciarsi spaventare. Continuerà le ricerche, nonostante sia stata minacciata, battendo pezzo per pezzo le montagne intorno. Ma ora i capelli che sono ancora bagnati, cominciano a pesarle sul collo, infagottati nell'asciugamano umido. Sfila dal gancio l'asciugacapelli e lo accende al massimo. L'aria calda sul collo le dà un senso di allegria. Si punta la bocca dell'asciugacapelli contro le orecchie, contro il naso e la nuca, prima di dirigerlo decisamente sui capelli appena lavati.

«Racconta, ma'!»

La bambina è ancora dentro il letto. Solo il naso sbuca dal piumone ed è rosso. Ieri ha trascorso la mattinata sulla neve e il sole le ha tempestato la faccia di lentiggini e le ha sbucciato la punta del naso.

La donna che sta in piedi accanto al letto è davvero sua madre? si chiede. Non l'ha mai vista così giovane e seducente. Ma che età ha? possibile che le sia consentito di tornare indietro nel tempo come gli abitanti fantastici dei libri di Urania? È vestita da rocciatrice, con gli scarponi chiodati, i calzettoni ai ginocchi, i pantaloni alla zuava, una maglia rossa che le si apre sul collo asciutto e abbronzato.

«Sei troppo bella, quasi mi fai paura.»

«Perché paura?»

«Non lo so.»

«Paura di che?»

La bambina ripete che non sa. Nella sua testa confusa la paura spicca come un fiorellino di campo nato con la guazza. Paura forse che quella perfezione venga in qualche modo incrinata da una parola sbagliata, da una luce inattesa, da un movimento inconsulto. La compiutezza di quelle forme armoniose le arresta il respiro in gola, le gonfia gli occhi di lacrime. In ogni perfezione c'è la minaccia e il presentimento della fine: ci sarà una decadenza, un guasto che incrinerà quella gioia di essere al mondo e lei non può sopportarlo. Vorrebbe, come nelle fiabe, fermare il tempo con una parola magica, fissare quella perfezione: una madre giovane e bella, profumata di pino e di fresia, che si china su una figlia fragile e incantata. È tutto lì il mondo? perché permettere che quei corpi si corrompano? perché lasciare che il tempo scorra come un fiume insensato, di cui non si conosce la meta? La sola cosa che la consoli di questo scorrere violento e incomprensibile sono i porti: danno una idea di ordine, di stabilità. Dove ci sono dei porti c'è un arrivo e dove c'è un arrivo c'è una sistemazione, un incontro, un abbraccio, una riconciliazione. I porti, in questo passare idiota del tempo, sono i racconti di sua madre. Le chiede infatti insistentemente: «Racconta, ma'». Risponderà anche questa volta? non lo sa ancora. Ma già pregusta l'attimo in cui la giovane donna, splendente di felicità e di grazia, si siederà sul bordo del letto, le toccherà con una mano leggera la fronte e poi comincerà, con la voce fluente, giocosa: c'era una volta una bambina che aveva i capelli biondi, ma così biondi che sembravano bianchi.

«Una bambina vecchina?»

«Una bambina con la faccia tutta rugosa, come una scimmiotta piena di pulci.»

«Si chiamava Colomba quella bambina?»

Zaira oggi vuole parlare alla romanziera del padre di Colomba, Valdo Mitta, mantovano di nascita, sceso a fare il professore di latino e greco al liceo Benedetto Croce di Avezzano nel 1975. «Se non si conoscono tutti i personaggi di questa numerosa famiglia non si possono capire gli eventi, e soprattutto quello principale: la scomparsa di Colomba.» Questo le sussurra Zaira in un orecchio, appena alzata.

«Venivano a trovarci qui a Touta e andavano insieme per i boschi lui e la figlia. Che gran bell'uomo era! Le studentesse se lo mangiavano con gli occhi. Lui lo sapeva, era un esperto giocatore di sguardi. Non avrebbe mai sedotto una alunna, ma le incantava, le lusingava. Erano tutte matte per lui. Solo quando andava per i boschi con la figlia sembrava dimenticarle. Conosceva bene i funghi. Bisognava vederlo quando, con i jeans ciancicati, una camicia celeste e un fazzolettino rosso al collo, si inoltrava tra i faggeti cercando porcini. Angelica, che era innamoratissima di suo marito avrebbe voluto stargli sempre vicina. Ma lui preferiva andare a passeggio con la figlia Colombina. A ogni fungo che incontravano, si inginocchiavano sulle foglie del sottobosco, esaminando per filo e per segno le sue caratteristiche. "Vedi" diceva il giovane padre, "il porcino che nel linguaggio scientifico si chiama Boletus, prende tante forme, anche pericolose. Questo è un Boletus purpureus, è mangiabile anche se non è dei migliori. Comunque va cotto perché crudo è tossico. La sua carne diventa violacea appena la tocchi, vedi, come se uno ti facesse un livido."

«"Allora non vuole essere toccato?"

«"A nessuno fa piacere essere strappato dal suolo e

mangiato, non credi? Però, se fai attenzione a lasciare integra la radice, se non lo strappi brutalmente e lo tratti come un fiore, be' sarà come tagliare i capelli che poi ricrescono. Il Boletus regius, che è il porcino più buono, ha la testa massiccia, bruna anche un poco picchiettata di rosso, il suo gambo è corto e tendente al chiaro, fra il giallo e il bianco. Sotto la cappella non ci sono lamelle ma una carne compatta, spugnosa, color paglia."

«Camminavano tutto il giorno, portandosi dietro un paniere foderato di carta da pacchi. Su quella carta dal tenue color avana, appoggiavano delicatamente i funghi che coglievano. Alla bambina piaceva vagare fra i pini e i noccioli, affondando le scarpe nel tappeto soffice delle foglie e degli aghi secchi. Da quel tappeto saliva un profumo forte di resina. "I pini non sono originari di queste zone" spiegava il giovane padre, "ma ormai sono qua e vanno rispettati." Sotto i pini crescevano dei funghi tondi, di un nocciola talmente lustro che sembrava laccato.

«"Ho trovato una mazza da tamburo, papà!"

«"No, ti sbagli, questa è una Lepiota nana, è velenosa, non toccarla. Vedi, il tipo alto della Lepiota, la Procera, che si chiama volgarmente mazza da tamburo è buonissima; panata e fritta, per esempio o ai ferri, ma questo tipo nano che gli assomiglia come una goccia d'acqua, è velenoso, si chiama Lepiota helveola e la sua intossicazione può farsi sentire anche dopo quindici giorni dall'ingestione ed è mortale."

«"E tu non hai paura di sbagliare papà?"

«"Dove credi che abbia imparato l'attenzione e la pazienza? Ce ne vuole tanta per stare appresso ai funghi. È mio nonno Pino Mitta, il tuo bisnonno, che sapeva tutto sui funghi, pur non essendo un micologo; io quando ero piccolo mi scocciavo ad ascoltare i suoi racconti, li trovavo noiosi; ora che è morto mi tornano in mente le sue parole e me le ricordo tutte, con precisione: ogni fungo ha il suo doppio, capito testona? Hanno tutti un gemello traditore e che appena lo metti in bocca ti uccide. Saperli distinguere non solo è una scienza ma un'arte. La Lepiota procera, quella mangereccia, ecco guarda, è sempre munita di un collarino leggero, frangiato, scorrevole sul gambo, ricordatelo, la Lepiota piccola invece, la Helveola, non ce l'ha e la sua carne è letale."

«Padre e figlia trascorrevano ore a parlare di funghi osservando e ragionando, inginocchiati sulle foglie, o seduti ai piedi di un albero o in mezzo a un prato. La bambina pensava che la conoscenza stessa avesse le forme di quel corpo di giovane uomo dai muscoli tesi e mobili, dal fiato che sapeva di anice e di fichi secchi. Di lui si fidava ciecamente. Sapeva che l'avrebbe introdotta con passo leggero nel mondo della conoscenza e lo seguiva da vicino, lo incalzava, ansiosa di saperne sempre di più. Era orgogliosa quando quel giovane padre professore, di cui tutte le studentesse si invaghivano, si dedicava solo a lei. Era stato lui a chiamarla Colombina, nome che i piccoli amici di lei avevano storpiato in 'Mbina. Ma per Valdo, Colombina non era solo il diminutivo della più grande Colomba, la santa del Gran Sasso, bensì portava con sé altri ricordi: di quando da ragazzo aveva fatto il teatro con le maschere della Commedia dell'Arte. "È per l'insistenza di tua nonna Zaira che ti abbiamo messo questo nome, che per me suonava troppo programmatico: non volevo un progetto di pace come figlia, ma una bambina vivace che sapesse giocare e studiare. Invece il ricordo di Cignalitt' e della sua devozione per santa Colomba, ci ha forzati a chiamarti così. Per me comunque sei Colombina, quella con la gonna rotonda e il cappellino bianco in testa, quella che sa saltare e ridere, che è amica di Pulcinella e Arlecchino."

«Così diceva il giovane professore, con quella voce morbida che alla bambina piaceva moltissimo, la voce che in classe ammaliava le studentesse. Tanto che lo venivano a cercare perfino a casa. Sua madre Angelica apriva la porta con fare sgraziato e chiedeva "Che volete?". "C'è il professor Mitta?" Ma lei si accorgeva subito che era una visita d'amore prima che di studio. Lo capiva da come erano pettinate, con i fermagli colorati in mezzo ai capelli lunghi e arricciati, gli occhi scintillanti, le labbra che scoprivano i denti infantili. La guardavano come se fosse un ingombro sulla strada della seduzione. "E quando torna?" insistevano. "Il professore non c'è, è andato a spasso con la figlia Colomba" tagliava corto lei. E richiudeva loro la porta in faccia, la orgogliosa Angelica, prima che finisse fuori strada sulla Roma-Pescara con la sua automobile rosso fiamma.»

«Racconta, ma'!»
«Anche tuo padre mi portava per i boschi.»
«Ma non sapeva niente di funghi.»
«Non ci capiva niente e infatti neanche li mangiava. Mi parlava di matematica e di astronomia. Mi diceva che i numeri esprimono l'infinito, che bisogna lasciarli parlare. I numeri sanno già tutto sull'universo, capisci, sulla congiunzione degli astri, sui rapporti fra le stelle, sui buchi neri, sul tempo delle glaciazioni e su quello delle meteoriti. Ma noi non siamo capaci di interpretarli, questo diceva tuo nonno.»
I padri, insomma, trasmettevano la conoscenza scientifica. E le madri?
L'esperienza profonda e misteriosa del raccontare storie le veniva da sua madre, la bellezza della notte. Quella voce che sapeva trasformarsi secondo le esigenze della favola, in grave e spaventosa da orco affamato, oppure esile e dolce da formichina che accumula i grani per l'inverno, ovvero opaca e gentile come quella di una vecchiuzza che pratica l'arte di indovinare il futuro. Ma volentieri prendeva anche il tono burroso e tenero di una fata che esce dai boschi con la testa fasciata e il piede nudo.
Era stata sua madre a introdurla per sempre nel mondo fantasmagorico del racconto verbale. A farle fissare l'attenzione lì, fra la bocca e il naso, dove la voce fa le capriole spargendo fiati leggeri e pause segrete. Lì dove la forza delle parole si fa carne, lì dove si scopre il terribile dolore della solitudine e la gioia della conquista dell'attenzione dell'altro.
«Racconta, ma'!»

Zaira è ferma davanti al comò della camera da letto della sua casa di Touta. Sta ascoltando Radio Vaticana che trasmette una delle *Quattro Stagioni* di Vivaldi e precisamente l'*Inverno*. Mai musica le è apparsa più descrittiva, quasi una narrazione. Vivaldi chiede all'orecchio di farsi occhio e seguire lo svelamento di un paesaggio spoglio, dagli alberi nudi, il cielo corrusco carico di nuvole aggrovigliate, le erbe che rabbrividiscono presagendo una pioggia battente. In lontananza si avvertono già i tuoni che scateneranno presto la tempesta sulla campagna.

Lo sguardo si posa sulla fotografia di una coppia: un uomo e una donna che camminano fianco a fianco in un sentiero boscoso. Le ombre dei rami costituiscono un disegno più scuro sulla carta chiara, illuminata dal sole. I due sono giovani, hanno la faccia serena e sembrano sinceramente innamorati.

«Ecco, questi sono Valdo e Angelica appena sposati. Ancora non avevano avuto Colomba» spiega con voce dolce Zaira. «Mia figlia Angelica, più che stringere la mano del marito, sembra aggrapparsi a quelle dita in un impeto di tenerezza e paura. Ma paura di che? Le donne della nostra famiglia sono sempre state indomite. Eppure Angelica aveva paura, lo si legge perfino negli occhi che sono ridenti ma mantengono nella loro felicità un fondo di oscuro sospetto. Come se tenesse sulle spalle un sacco pieno di pietre dure e pesanti. Ecco, il sacco dell'uomo della tazza, ereditata dal nonno Pitrucc' i pelus'. Angelica era nata bene, con un parto naturale ben riuscito. Non aveva il cordone ombelicale allacciato attorno al collo come era successo a me quando ero nata da mia madre Antonina. Non si era presentata podalica, né era mezza asfissiata e cianotica come era successo a Valdo suo marito, secondo i racconti della suocera, Giorgia Mitta.

«Era nata facile facile comm'a l'acqua d' la fonte... Era stata una bambina placida e silenziosa. Aveva la passione dei bottoni. Scovava il sacchetto di velluto rosso dovunque lo nascondessi, si sedeva per terra, ne rovesciava il contenuto sul vestitino colorato e ci giocava per ore. Stelle di strass, palline trasparenti, cilindretti di osso, dischi di plastica rosa e violetta, tondini di madreperla dal colore cangiante. Proprio come faceva la sua ava Zaira Morrione, salita dalla Sicilia in Abruzzo col padre carabiniere in quel lontano 1889.»

«Ma quando è cominciato il guasto?» chiede Zaira, parlando a se stessa più che alla romanziera. Quando è iniziata quella malattia che le appannava lo sguardo? Difficile dirlo. Verso i dieci anni Angelica aveva cominciato a rifiutare il cibo. Perché non mangi? ma lei non rispondeva, scuoteva la testa di fronte a qualsiasi cibo. E se la forzava, come aveva fatto una volta in preda alla disperazione, sputava tutto per terra con rabbia. Era andata a scuola a parlare con l'insegnante, per sentirsi dire che in effetti da qualche mese la vagliola si comportava in modo strano. Ma il rapporto con i compagni era buono anche se non partecipava ai loro giochi. Era diventata magra che le si vedevano le costole. A parlare non ci pensava nemmeno. E Zaira non osava insistere, perché la vedeva chiudersi in se stessa come un riccio. Ci doveva essere qualcosa, un intoppo che non riusciva a dire, ma cos'era?

Dopo anni di malumori e silenzi, verso i diciassette anni, Angelica aveva ripreso a sorridere. Sembrava che il dolore fosse stato sepolto con l'infanzia, che il suo corpo avesse riacquistato fiducia e gioia di stare al mondo. Si era innamorata di quel dinoccolato professore contestatore che insegnava ad Avezzano. Dal suo corpo rappacificato era nata una bambina: Colomba, così diversa da lei anche se fisicamente si assomigliavano. Colomba era gracile, delicata, sensibilissima, come la madre. Ma non conosceva l'irrequietezza, era taciturna e seria, meticolosa, dolce e arrendevole. Parlava poco, giocava da sola, amava i bottoni. Zaira ne aveva raccolti altri: di smalto, di ceramica, di vetro, bianchi, rossi, azzurri, dorati, trasparenti, opalescenti, e 'Mbina passava ore a sistemarli come fossero gioielli, o forse cibi fatati, oggetti magici che le ispiravano storie infinite di signori di un mondo passato.

Ma proprio quando sembrava che tutto fosse tornato alla normalità di una famiglia appagata, Valdo si era innamorato di una ragazza di diciotto anni. Nemmeno tanto bella, nemmeno tanto intelligente, ma piena di appetiti e di allegria. Una ragazza di Castel di Sangro che «se l'ha pigliate pe i capelli senz' ne penziere» come diceva Angelica. Che il professore fosse sposato e avesse una figlia bambina non le sembrava importante, o forse sì, le rendeva il compito più difficile, la sfida più ardua e quindi più attraente.

Valdo era caduto in quella trappola di seduzione, ne era stato sconvolto. E poi, onesto com'era, l'aveva pure detto alla moglie e le aveva proposto il divorzio. Pensando di andare a vivere con la ragazza, che aveva un nome alla moda, si chiamava Debora. Non pensava nemmeno che la "sua" Debora potesse rifiutare di mettere su casa con lui dopo avere fatto l'amore negli alberghetti a ore, in automobile e dovunque capitasse. Sembrava innamoratissima. E lo era stata, probabilmente, per qualche mese. Ma poi le era passata. E così, senza nemmeno una parola o una lettera, se ne era partita con un altro, anche lui professore, per le isole Galapagos. Questo, Valdo l'aveva saputo dopo. Lì per lì aveva scoperto semplicemente che era sparita. E aveva cominciato a cercarla, esacerbato, per tutto l'Abruzzo. Ma in casa della madre a Castel di Sangro non c'era, in casa della zia a Villetta Barrea, dove spesso si rifugiava, nemmeno. In casa dei nonni a Pescara non l'avevano proprio vista. E lui aveva passato le notti in macchina ad aspettarla, sperando di vederla tornare. «Voglio solo che mi dica: non ti voglio più» confessava alla moglie a cui telefonava ogni sera, soffermandosi crudelmente sulle sue sofferenze d'amore.

«Non c'è bisogno che te lo dica, te l'ha dichiarato coi fatti» rispondeva lei. Ma lui insisteva che voleva vederla, fosse pure per un attimo, voleva vederla e basta. «Deve essere lei a dirmi che non mi ama.»

Angelica aveva recitato bene la parte della confidente.

A occhi chiusi, amava immaginarsi come una conchiglia gigante che appoggiata all'orecchio manda un fruscio di mare. Ecco, lei si era fatta conchiglia ricettiva per le confessioni del marito, voleva che in risposta lui ascoltasse quel fruscio di onde che carezza l'udito. Nell'esaltazione delle nuove idee di libertà, nell'orrore tante volte teorizzato per ogni forma di gelosia, considerata «una volgarità borghese», ascoltava stoicamente tutte le confidenze che il marito le riversava addosso, come se fosse un diritto. Soffriva silenziosamente vergognandosi di quella sofferenza che la riportava ai «sentimenti prevedibili di un mondo vecchio e stantio». Nel fondo più oscuro dei pensieri sperava che Valdo, dopo la "sbandata" – parola borghesissima che teneva per sé – tornasse a lei, forse più umile e ben disposto di prima. L'avrebbe ripagata della sua comprensione e delle sue generosità. E così era stato. Anche se i cocc' rutte nun se reparane.

Valdo era tornato a casa con le pupille abbuiate. Aveva sbagliato, continuava a dire, aveva sbagliato tutto: quella ragazzina l'aveva ingannato brutalmente, l'aveva trattato come un oggetto di conquista e niente più. Era stato un trofeo, un trofeo, ripeteva mortificato, da allineare sull'armadio assieme alle coppe delle gare di nuoto in cui arrivava sempre prima. Fra l'altro lo feriva che fosse andata in vacanza con un collega più vecchio e meno avvenente di lui. Alzava le spalle, fingeva di ridere, ma non riusciva a vincere un senso di mortificazione che lo rendeva rancoroso e malinconico.

La questione inquietante era che, una volta tornato in famiglia e riaccostatosi alla moglie, questa non riusciva più a fare l'amore con lui. Mentre nell'anno in cui erano stati separati e Angelica gli faceva da confidente, si erano ritrovati a letto con piacere di nascosto da Debora, appena lo ebbe di nuovo presso di sé, divenne brusca e litigiosa. Non si fidava più di lui e lo controllava, cosa che mandava in bestia il marito. Avevano cominciato a bisticciare, come non avevano mai fatto prima. E all'aggressività di lei rispondeva un'aggressività di lui, più dura e tagliente.

La sola che sembrava contenta di quei litigi era Colomba, che aveva una adorazione per il suo papà, cercava ogni occasione per uscire sola con lui, non si saziava mai di baciarlo, gli dava sempre ragione. Questo esasperava ancora di più Angelica che l'aveva curata mentre lui non c'era, l'aveva consolata, amata, protetta e coccolata e ora si vedeva trattata come una nemica.

Zaira aveva assistito al deterioramento di quella famigliola che da compiuta e felice, era diventata infelicissima e tempestosa. Come aiutarli? non sembrava che ci fosse niente da fare, salvo ascoltarli quando venivano a sfogarsi da lei, con molto affetto e molta pazienza. Sembravano bisognosi l'uno dell'altra ma incapaci di incontrarsi.

Valdo poi, in capo a qualche mese, non trovando un corpo che lo accogliesse con tenerezza, aveva ricominciato a guardarsi intorno. Il suo occhio segreto era sempre in moto. È probabile che il mitico Don Giovanni avesse quel tipo di sguardo: umido, seduttivo e sempre in cerca di guai. Angelica, per quanto non tollerasse di sentirsi sfiorare da lui, intuiva l'irrequietezza di quegli occhi e ne era gelosa. Senza neanche volerlo, si trovava a spiare ogni sua telefonata, si scopriva ad ascoltare dietro le porte.

Zaira le aveva detto che così avrebbe finito per disgustarlo definitivamente. Ma lei non voleva ascoltare i suggerimenti della madre: era prigioniera di sospetti angosciosi che in fondo al cuore riteneva stupidi e ossessivi, le ispiravano disprezzo di sé e astio, ma a cui non sapeva sottrarsi. Nello stesso tempo era trascinata da un amore possessivo che la legava sempre più ciecamente a lui. Era arrivata a umiliarsi dolorosamente accettando di essere trattata con sufficienza e scarsa considerazione. Zaira se n'era accorta e aveva scosso la testa: «Se ti degradi così davanti a lui, perdi la stima di te stessa, e se perdi la stima di te, la perde pure lui».

Così era avvenuto. Valdo aveva deciso che se non era più una moglie, non poteva che essere una madre, per giunta noiosa e ingombrante. Tornava quando gli pareva, mangiava se aveva voglia, spariva senza salutare. Pretendeva che le sue camicie fossero ben stirate e brontolava se non facevano bella mostra di sé nei cassetti del comò. Giocava volentieri con la figlia, ma quando gli pareva, non mangiava mai con loro a tavola, perché aveva sempre fretta, si era fatto il letto nel tinello e lì si chiudeva a chiave con i suoi libri e la sua musica. Angelica, sebbene offesa, non osava ribellarsi per paura di perderlo.

Era venuto poi il giorno in cui le pupille di Valdo erano tornate a riempirsi di lamelle d'oro. Angelica non poteva non accorgersene: lo vedeva fermarsi davanti a tutti gli specchi per controllare il colletto della camicia, il taglio dei capelli. Fischiettava facendosi la barba di prima mattina. Passava delle mezz'ore a scegliere quali pantaloni, quali scarpe infilarsi. Si chiudeva in bagno per parlare al telefono. Tornava tardi e raccontava un sacco di balle. Era chiaro che aveva trovato un'altra donna con cui fare l'amore, ma chi? Non si trattava di una allieva questa volta, Angelica l'aveva capito dal fatto che non andava più volentieri a scuola e alle ragazzine che telefonavano rispondeva secco.

Una mattina mentre stava preparando il pranzo aveva sentito bussare alla porta. Angelica aveva aperto e si era trovata davanti Laura, la moglie di Giulio, un amico di Valdo che insegnava nella stessa scuola. L'aveva salutata con noncuranza, chiedendosi in cuor suo cosa venisse a fare Laura a quell'ora della mattina mentre lei stava cucinando. La visitatrice l'aveva riempita di complimenti: «Che bella casa! com'è tenuta bene! e poi i fiori e il profumo della torta nel forno, ma l'hai fatta con le tue mani?».

Angelica si stava spazientendo. Non capiva cosa cercasse quella donna che le rallentava i ritmi dei lavori di casa. E poi improvvisamente aveva intuito che c'era qualcosa che riguardava Valdo, ma non riusciva a capire cosa. Perciò si fece più attenta. Sentì l'altra che diceva con molta serietà, aiutandola ad apparecchiare la tavola: «Se non fai l'amore con tuo marito, Angelica, non puoi pretendere che Valdo ti sia fedele».

Era rimasta immobile, con il piatto in mano. Possibile che Laura fosse lì per giustificare il suo amoreggiare con Valdo e le chiedesse il permesso? Continuava a dirsi che no, non era possibile. Dovevano essere le parole di un'amica, solo un poco pettegola e ficcanaso. Ma come aveva saputo che non faceva più l'amore con Valdo?

«Me doveva aspettà, Laura, ma Valdo no tè mai temp'» le era venuto fuori dalle labbra, come a giustificarsi mentre tornava alla pentola piena di sugo.

«Non si lascia da solo un marito attraente come il tuo, negandogli il suo diritto al sesso.»

«Nu poch' de temp', maledizzione!» era stata la risposta rabbiosa, ma dentro di sé si detestava per la sottomissione vile che dimostrava: avrebbe voluto gridarle che ficcasse il naso negli affari propri. Ma non ci riusciva, era intimidita e in soggezione di fronte alla bella amica dalla parlantina facile e festosa. Mai come in quel momento si era sentita inferiore come casalinga rispetto a una donna che lavorava e guadagnava. Lei, per comprarsi anche un solo paio di calze, doveva chiedere i soldi al marito.

«Gli uomini non hanno tempo Angelica, vogliono tutto e subito.»

A questo punto le era sembrato di cadere. Si era seduta su una seggiola con il mestolo che sgocciolava sulla gonna. Allora era vero quello che aveva sospettato!

«Me vorresti dì ch' te ne sì approfittate ch'ie nun ce stave pe entrà dentre il lett' de Valdo al post' mì?»

«Più o meno.»

«E me lo vié pure a dì?»

«Perché non dovrei? mi sembra un atto di onestà verso un'amica.»

«Nun le sapeve ch'eravame accuscì amiche.»

«Forse non te lo ricordi, ma più volte mi hai parlato di Valdo con rabbia. Me l'hai detto tu che non facevate più l'amore.»

«Nun me le ricord' Laura, ma me pare ca me sta' a 'mbroglià.»

«Non ti sto imbrogliando. Altrimenti non sarei venuta qui a parlarti.»

«Ma inzomm' ch' vo' de mì, vo' esse ringrazziata?»

«Vorrei un poco di attenzione, Angelica. Stai diventando sempre più distratta. E poi perché non parli l'italiano invece di questo brutto dialetto tutto rattrappito? Sei stata a scuola anche tu, hai fatto l'università. Anche questo fa parte della tua sciatteria, Angelica, un poco di ambizione, di eleganza!»

«Ie parlo com' me piace. E che penz' de fà co mariteme? Tenerle pe tti co permess' mì?»

«Ti sembrerà strano ma io ho la sensazione che lui sia ancora molto innamorato di te. Perché non provi a farci l'amore?»

«Che vo' dì? ca sì stracca e me lo vo' redà?»

«Perché parti dal presupposto che uno sia sempre in malafede? Io sono sincera con te. Non amo tuo marito anche se ci faccio l'amore e penso che lo farebbe meglio con te. Ma forse, e qui voglio essere proprio sincera, forse quella che mi interessa fra voi due, sei tu, Angelica.»

Inaspettatamente le due donne erano diventate amiche. Grazie alla saggezza forse un poco perversa di Laura, e all'ingenuità generosa di Angelica. Laura, che era la più intraprendente, aveva cominciato a organizzare delle cene in comune. Uscivano tutti e quattro insieme, Valdo e Angelica, Laura e Giulio. Andavano al cinema, in trattoria, si scambiavano le idee, ridevano gli uni degli altri, sembravano perfettamente a loro agio. Valdo faceva l'amore con Laura che raccontava tutto ad Angelica. Giulio fingeva di non sapere ma certamente aveva indovinato come stavano le cose. Però non sembrava adombrarsi. Forse segretamente era innamorato di Valdo? Non c'era niente di esplicito. Fatto sta che i quattro non si lasciavano mai.

Andavano in vacanza insieme: in Marocco, in Turchia, in Irlanda. Tornavano con pacchi di fotografie che li ritraevano in tutte le pose: in bicicletta lungo i viottoli erbosi di Galway, seduti per terra a fare un picnic sulla spiaggia di Agadir, o in mezzo alle rovine di un antico villaggio turco. Angelica credeva di possedere il marito attraverso Laura che anteponeva la loro intimità a quella con l'amante. Ogni giorno le raccontava che Valdo parlava di lei mentre stavano a letto insieme e insisteva nel dirle che se non lo avesse rifiutato, sarebbe tornato da lei. Ma lo voleva veramente? I quattro sembravano crogiolarsi in una simmetria affettiva ed erotica dalle ramificazioni sottili e quasi invisibili che li legavano l'uno all'altro dentro una rete di parole non dette, pensieri visibili e invisibili, sorrisi ingannevoli, tenerezze nascoste e palesi, piaceri rubati e donati con altrettanta allegria.

Ma quanto poteva durare un simile equilibrio instabile e precario? un simile intreccio di affetti sospesi e ingannevoli? Laura sembrava innamorata sia di Angelica che di Valdo. Ed era sincera nel fare l'amore con lui, come nel mettersi dalla parte di lei, riferendole in continuazione ciò che si dicevano in segreto con Valdo, facendole credere che in fondo la persona al centro di tutto questo intrigo fosse lei, Angelica, e solo lei. Giulio pareva nutrirsi della gioia di vivere di sua moglie e della bellezza di Valdo. Angelica a sua volta era appagata da quel legame con Laura, fatto di sguardi di intesa, di sorrisi affettuosi, di confidenze notturne. Si fidava dell'amica quando sosteneva di amare più lei che suo marito, quando le confessava che abbracciando lui pensava solo a lei. Anche Angelica, come Giulio, aveva una preferenza per la parola e per lo sguardo, provando difficoltà ad abbandonarsi alle gioie del sesso. Una tela leggera e invisibile, ubriacante, deliziosa, li aveva afferrati e chiusi tutti e quattro, impedendo loro di provare sentimenti meschini o aggressivi. Senza neanche dirselo, si cercavano, si piacevano, si stimavano, si raccontavano, si coccolavano.

Zaira li aveva visti tante volte insieme. Erano venuti a casa, avevano dormito nelle due stanze di sopra: la sua l'aveva ceduta a Valdo e Angelica, in quella degli ospiti avevano riposato Laura e Giulio. La notte aveva finto di non sentire il tramestio che aveva fatto scricchiolare i gradini di legno: passi di piedi nudi si inseguivano sugli scalini che portano verso il tetto. Aveva indovinato che Laura era salita sul terrazzino assieme con Valdo, mentre gli altri due dormivano. La prima volta ne era stata turbata. Aveva pensato al dolore di sua figlia tradita dal marito. Ma la cosa si era ripetuta e dal volto di Angelica aveva capito che se proprio non assecondava quell'amore, ne era consapevole e lo tollerava. Buon per loro! si era detta, pensando che forse era troppo vecchia per intendere queste nuove acrobazie amorose: i giovani di oggi sono diversi, più liberi, più sperimentali nelle loro faccende sentimentali ed erotiche. Non voleva neanche fare la parte della madre moralista. Perciò, quando venivano a trovarla, si chiudeva nella stanza da lavoro e si dedicava con impegno alle traduzioni. Aveva represso le sue ansie materne e aveva perfino lasciato che Angelica prendesse il suo posto in cucina e le mettesse sottosopra le pentole, le provviste.

Una mattina li aveva sentiti scendere insieme in cucina verso le undici. La sera precedente avevano fatto tardi e probabilmente avevano anche bevuto più del solito. Ridevano mentre si preparavano il caffè col latte. Rasserenata, si era concentrata sulle pagine da tradurre e non li aveva più ascoltati. Dopo mezz'ora si era avviata verso la cucina per prendere un bicchiere d'acqua, ma davanti alla porta socchiusa era rimasta inchiodata per l'imbarazzo e lo stupore: dentro, i quattro erano ancora lì attorno al tavolo, chi in pigiama, chi in camicia da notte, le facce segnate dal sonno, le spalle nude, i piedi scalzi, le guance gonfie di cibo. Si imboccavano a vicenda ridendo festosi: un cucchiaio di marmellata finiva sulla lingua di Valdo, mentre Laura faceva sciogliere un dado di burro di frigorifero fra i due seni, per poi lasciarlo scivolare carezzevole sul collo di Angelica, che a sua volta cacciava un grissino intinto nel miele fra le labbra di Giulio, il quale per conto suo pelava una arancia e con la buccia costruiva un ricciolo da aggiungere ai capelli sciolti di Laura.

Zaira non aveva osato entrare e si era riportata indietro il bicchiere vuoto. Non avrebbe saputo spiegare quello che aveva visto: un gioco di bambini scapestrati? un raffinato sollazzo erotico? Una cosa era certa: sembravano felici e questa felicità non andava turbata.

Era così contenta di scoprire la figlia allegra e paga, che si rifiutava di analizzare la consistenza di quella gioia. La vedeva sorridere come non faceva da anni, la osservava muoversi con agilità, le sembrava che si chinasse su Colomba con un affetto nuovo, fatto di allegria oltre che di protezione e possesso. Per questo non aveva indagato. Era rimasta in disparte, discreta, godendo della loro pienezza vitale.

Colomba però non era contenta di quel rapporto a quattro. Si sentiva esiliata, tenuta fuori dalla porta, dimenticata. Per quanto la coccolassero e le dimostrassero affetto, lei sapeva e lo sapevano anche loro, che da quel gioco così intenso ed esclusivo era stata estromessa. E forse in questa estromissione c'era anche una profonda dimenticanza. Come quei cani amatissimi che non si sa perché un giorno si scordano dentro un'automobile parcheggiata, senza curarsi che il sole trasformi la macchina in un forno letale.

Per non vivere da vicino quel rifiuto, 'Mbina si rifugiava sempre più spesso dalla nonna Zaira a Touta e con lei trascorreva ormai intere giornate e anche spesso delle settimane. Zaira rammentava il modo che aveva di andarle appresso, comm'a na paperella diceva, imitando ogni suo gesto e ogni sua voce. Aveva perfino improvvisato un tavolino sistemando un vassoio su due cavalletti e aveva preso anche lei a "tradurre libri", diceva seriosa sfogliando un quaderno pieno di parole.

«E cosa traduci?» le aveva chiesto Zaira.

«*Il principe delle grotte.*»

«Chi l'ha scritto?»

«Io.»

«Che cosa racconta?»

«È la storia di un principe figlio di re che viene mandato a vivere dentro una grotta e sogna quelle belle camere lasciate al castello, ma non sa più se le ha sognate o se esistono veramente e aspettano lui.»

«Ma questa è la storia già raccontata da Calderón de la Barca, non puoi riscriverla tu.»

«Perché no?»

«Perché no? Hai ragione, divertiti, scrivi, poi lo leggeremo insieme.»

La notte mentre dormiva, Zaira sentiva i piedi freddi della bambina che si posavano per scaldarsi sulle sue caviglie.

«Dove sei stata che hai i piedi gelati?»

«A guardare dalla finestra. Non riuscivo a dormire.»

«E che hai visto?»

«Niente.»

Era durato più o meno due anni l'equilibrio instabile ed effimero di quel rapporto a quattro che aveva portato tanta allegria e tanto amoroso disordine. Solido nella sua precarietà, assolutamente concreto nella sua irrealtà. Poi tutto era crollato miseramente quando la natura aveva messo il suo zampino imprevisto in quel nido di felicità a quattro.

Un giorno Laura aveva confessato, candida candida, di essere rimasta incinta. Ma di chi? Non lo sapeva. L'aveva detto prima di tutto a Valdo che però si era tirato indietro: non voleva altri figli lui, soprattutto in una situazione così ambigua. Giulio invece ne era stato felice e questo aveva pesato sul piatto della bilancia, indirizzandoli verso il ritorno alla famiglia e all'esclusivismo maritale. Laura aveva dichiarato anche agli altri, con molta onestà, che non sapeva di chi fosse il figlio, se di Giulio o di Valdo. Ma Giulio aveva ribattuto che non gli importava un fico secco: voleva quel figlio, l'avrebbe cresciuto come suo anche se non lo era, lo avrebbe mantenuto e curato per tutta la vita.

Angelica si era sentita ferita. Il tradimento di Valdo e di Laura, mai patito come tale, con l'arrivo annunciato del figlio, improvvisamente si era fatto corposo e reale. La generosità che aveva coperto i sentimenti di possesso come una neve soffice e purificante, era crollata sotto il peso di un bambino non ancora nato. Un fantasma che riempiva il futuro di sé e lo rendeva opaco, grave, pieno di impegni e di responsabilità da rispettare. Un nuovo bisogno di regole, di proprietà, di contratti era venuto a inquietare le coscienze dei quattro amici per la pelle.

Con quella gravidanza inattesa era svanita la leggerezza di un rapporto tenuto su con grazia e determinazione. Laura si era chiusa nella contemplazione della pancia che ingrossava, rivelando ogni giorno di più il suo contenuto: con che velocità si stavano formando le strutture ossee di quel figlio che non riusciva ancora a immaginare ma già amava teneramente! Con che prontezza si stavano sviluppando quelle due braccine, quella testa a pera, quelle gambette ancora incapaci di allungarsi dentro il liquido nutritivo del sacco amniotico! Passava ore a immaginarlo curvo e trasparente come un gamberetto nelle acque del suo ventre. Giulio sembrava talmente contento da dimenticare l'arte del guardare e ammirare corpi desiderabili e sognati. Ora si trattava di un figlio e la concretezza stava rimpiazzando la propensione per i sogni. Si sarebbe rimboccato le maniche per dargli il meglio di sé, per insegnargli a stare al mondo, per farne un amico e un compagno di vita. Così diceva ed era sincero. Fra l'altro il figlio appena nato si era rivelato molto simile a lui nei tratti e nei colori: gli assomigliava come una goccia d'acqua e questo non poteva che sancire la bontà della sua decisione.

A Valdo e Angelica non era rimasto che tornarsene alla vita di famiglia, stringendosi a Colomba che finalmente si sentiva tenuta nella giusta considerazione. Si erano trasferiti a Roma dove avevano comprato un appartamento al Gianicolo, dotato di una magnifica terrazza da cui si vedeva tutta la città. Valdo aveva lasciato il suo lavoro di insegnante brontolando che tutto era cambiato in peggio, la scuola faceva schifo e si era messo a scolpire. Aveva scoperto di possedere un talento per intagliare il legno. Scolpiva delle scene collettive in miniatura: una stazione con i treni e la gente che aspetta seduta sulle valigie; un cinema in cui gli spettatori se ne stanno affondati nelle poltroncine a fissare lo schermo, un mercato con i banchi del pesce, della verdura e la gente che gira per gli scranni con la sporta della spesa, tutto in legno di ulivo o di cirmolo, con intarsi in noce o rovere.

Inaspettatamente aveva trovato dei compratori ed erano piovute richieste per mostre, anche importanti. Presto aveva cominciato a guadagnare bene, a viaggiare per il mondo. A casa ci stava poco, frequentava il mondo dei pittori e dei galleristi, ma sempre solo, quasi si vergognasse di quella moglie invecchiata prima del tempo, che era soggetta a crisi di nervi e non sapeva cosa fare di se stessa. Con la scusa che nella confusione non riusciva a scolpire e certamente senza le sue sculture in famiglia non sarebbe entrato un soldo, aveva affittato un grande studio alla periferia di Roma. Angelica si era trovata sola a casa, con la figlia da accudire e tutto da ricominciare. Era chiaro che Valdo, sebbene le garantisse che sarebbe rimasto con lei "fino alla morte", aveva altri pensieri per la testa. Ogni tanto se lo vedeva arrivare, elegante nella sua trasandatezza, con un cappellaccio da pastore calcato in testa, un impermeabile bianco che si apriva su un maglione di cachemire rosso, le scarpe di camoscio, i calzini di lana bianca scivolati sulle caviglie e si rendeva conto che lo amava più dolorosamente, con la disperazione di chi sente che sta perdendo l'uomo su cui ha puntato tutto. Andandogli incontro spettinata, con un vecchio maglione slabbrato addosso, le mani che puzzavano di aglio e detersivo, aveva improvvisamente capito che le parti si erano invertite. Il professore che si travestiva da scolaro per mimetizzarsi, che aveva fatto suo il gergo studentesco per eliminare ogni differenza anche linguistica, che trattava le allieve con deferenza per fare loro credere di essere un vero rivoluzionario, ora, con i capelli brizzolati e il sorriso del vecchio seduttore, trattava i giovani con paterna condiscendenza, dava consigli a destra e a manca, si faceva giudice magnanimo di ogni controversia. Mentre lei, che allora, snella e bellissima, si rendeva desiderabile per le sue mattane inaspettate e i suoi capricci da ragazzina inafferrabile, si era trasformata in una casalinga sciatta e gelosa, scontenta di sé, e in quanto tale assolutamente priva di interesse per un uomo come lui.

Dopo due anni di questa vita, aveva dovuto ammettere che, per quanto avessero lo stesso domicilio, vivevano come due estranei, lei inchiodata in quella casa con la bambina, e lui in giro, non si sapeva mai dove. Perfino lo studio al Tiburtino veniva disertato per misteriosi viaggi all'estero da cui tornava sempre più abbronzato e sempre più ricco. Lei invece si era lasciata andare: giorno e notte in tuta e ciabatte, combatteva contro le ristrettezze di una vita da ragazza madre, anche perché l'orgoglio le impediva di chiedere più soldi di quanti lui gliene desse.

Valdo, nel vederla così malridotta, si inquietava sinceramente: «Hai bisogno di qualcosa, Angelica? dimmelo, io sono qui per questo». L'abbracciava con calore ma senza nessun desiderio, come si abbraccia una sorella disgraziata. Lì per lì le firmava un assegno: «Mi raccomando, comprati un vestito e un letto nuovo per Colomba». Ma poi spariva e per mesi non si faceva vedere né mandava altri soldi. La bambina mangia tutti i giorni e non solo quando ci sei tu, Valdo avrebbe voluto gridargli: La bambina va a scuola, ha bisogno di libri, ha bisogno di scarpe nuove, di maglioni nuovi, ormai tutto costa così tanto e come faccio? Ma la paura di perdere anche quelle misere attenzioni, la paura che lui scomparisse del tutto, che si portasse via i libri, le carte, la trattenevano dall'insistere.

«Racconta, ma'.»
Questa bambina non crescerà mai, pensa la madre che

ormai ha superato i cinquanta e comincia a conoscere la persistenza dei dolori che, subdoli, si insinuano fra le articolazioni, premono sui nervi, accorciano il fiato, rallentano i movimenti. Può una madre fermare lo sguardo su una figlia che si trasforma ma non vuole accettare la metamorfosi? Sarà lo sguardo della madre che si è fossilizzato o veramente questa figlia si rifiuta di crescere e rischia di rimanere una eterna infante, follemente immobile nel tempo, saggissima come una vecchia scimmia, eppure incantevolmente ingenua e ignara di ogni cosa del mondo?

Gli occhi limpidi sono coperti dalle palpebre delicate come ali di farfalla. Forse dorme. Ma no, la voce salta fuori dalla bocca quasi chiusa, come un ranocchietto festoso: «Racconta, ma'!».

La madre allunga una mano sulla mano abbandonata della figlia. La stringe. «Il dito mignolo, ti ricordi, quando ti dicevo che hai un mignolo tanto piccolo rispetto alle altre dita che sembra appartenere a un'altra famiglia?»

La bambina sorride senza aprire gli occhi. «E ti ricordi quando dicevo che questo mignolo ti porterà fortuna come una nanetta nel giardino dei giganti? Il dito più piccolo si accolla i pesi più grandi, come fanno le ragazze in Africa sorreggendo ceste e vasi e fascine di legna in bilico sulla testa. Ma cosa regge il dito piccolo? Un sacco pieno di… un sacco pieno di… sonno. E se sollevi il mignolo sul naso e rovesci il sacco sugli occhi, il sonno ti ruzzolerà sulle palpebre, ti farà addormentare, ti ricordi?»

In quale momento era avvenuta la catastrofe? Zaira non ha un ricordo preciso. Angelica aveva ripreso a non mangiare, come faceva da piccola. Valdo mostrava una faccia amareggiata quando andava a trovarle. Abbracciava la moglie e la figlia, ma con l'aria di concedere una beneficenza e poi spariva. Angelica non lo rimproverava, ma il suo sconforto diventava sempre più corposo. Si dimenticava di cucinare per la figlia. Fumava una sigaretta dietro l'altra e spesso abbandonava i mozziconi accesi sui bordi dei tavoli o sui braccioli delle sedie, perfino sul letto. Una volta la coperta aveva preso fuoco ed era stata proprio Colomba ad accorrere avvertendo puzza di fumo. Per fortuna il letto era vuoto e con qualche secchiata d'acqua il fuoco era stato spento. Ma il tanfo della stoffa bruciata era rimasto nell'aria per giorni e giorni. Quella volta Angelica aveva riso e abbracciato la figlia come se si fossero salvate da uno spaventoso incendio. «Ne sem' salvate, figlia mè, tu sì la quatrane mè, la cchiù bbona quatrane d' munne» le gridava nell'orecchio mentre la radio a tutto volume trasmetteva una tarantella. E poi si era messa a ballare trascinandola lungo il pavimento fradicio, a piedi nudi, come una invasata. Colomba l'aveva guardata con un poco di apprensione ma anche con pietà. E se sua madre fosse diventata matta? A una sua compagna di scuola era successo. Un giorno la donna aveva cominciato a gridare, aveva scaraventato fuori dalla finestra mobili e suppellettili e poi si era gettata lei stessa. Ma era caduta sopra dei rovi e si era salvata. I parenti l'avevano chiusa in una clinica dove la riempivano di psicofarmaci per cui si muoveva come una morta vivente.

«Mamma, ti prego, non fare così!» aveva supplicato Colomba cercando di fermarla. Ma Angelica si era divincolata e aveva continuato da sola, agitando le braccia che aveva lunghe e delicate. Com'era bella sua madre quando si muoveva a quel modo, i capelli le cascavano morbidi e luminosi sugli occhi, sul collo, sulle spalle! La faccia però, segnata da rughe precoci, esprimeva qualcosa di rabbioso e di insensato. Come fare per riconquistarla? Alle allegrie improvvise, seguivano spesso lunghe malinconiche giornate di silenzio in cui Angelica sembrava non vedere nemmeno la figlia, che doveva pensare da sola a cucinarsi pranzo e cena, a rifarsi il letto, a preparare i compiti. In cuor suo Colomba la chiamava: malatina d'amore. Immaginava che fosse sempre lì ad aspettare il bel Valdo in fuga. Ma evidentemente c'era un guasto più profondo che non dipendeva solo da Valdo: era una scontentezza di sé irrimediabile e assoluta.

Ormai lui si faceva vedere ben poco. Dei soldi si scordava, né Angelica pensava di rivolgersi a un avvocato. Per disperazione aveva venduto la casa del Gianicolo ed erano andate a vivere in un appartamentino di periferia, senza terrazza e senza ascensore. Colomba era diventata nervosa e irritabile. Evitava gli amici di quando era bambina. Passava le notti a leggere. Studiava male e poco.

Una mattina Zaira era stata chiamata al telefono dalla nipote, che accorresse perché «la mamma sta male». «Vengo subito, ma che ha?» «Non lo so, Zà, sta sul letto e vomita.» Era corsa a casa loro e aveva trovato Angelica livida, priva di sensi, in un lago di vomito. Si era spaventata, aveva chiamato il medico e lui le aveva detto che era semplicemente ubriaca.

«Ma se non beve mai?»

E invece beveva, ma di nascosto e beveva roba forte: grappa, cognac. Le bottiglie le teneva nascoste dentro l'armadio della camera da letto, sotto i vestiti appesi.

Valdo fingeva di non saperlo. Ormai andava a trovarle sempre più di rado e di malavoglia. Si tratteneva il tempo di un saluto e scappava via. Sempre più spesso Angelica affidava la figlia alla madre Zaira, che aveva dovuto chiudere la casa di Touta e prendere una stanza a Roma, vicino a loro. Angelica dormiva la mattina fino a mezzogiorno, spilluzzicava quello che trovava nel frigorifero, non cucinava più. Il pomeriggio lo passava in giro, non si sapeva dove: usciva in macchina e spariva fino a sera. Quando Zaira andava a riportarle la nipote, trovava la casa in disordine, la camera da letto che puzzava di alcol, le cicche sparse per terra. Cercava di parlare con la figlia ma lei, dopo avere tirato dentro la ragazzina, le sbatteva la porta in faccia. Poteva durare una simile vita?

Il 13 maggio Valdo era andato a visitarle, guidando un'auto nuova di zecca, con un mazzo di fiori e un filo di perle per la sua Colombina. Quando aveva alzato la mano al campanello si era accorto che la porta era aperta, la casa in subbuglio: Angelica non c'era, la figlia si era infilata le scarpe coi tacchi della madre, girava per casa seminuda con la bocca sporca di rossetto, ubriaca. Pur essendo mite e tollerante, aveva improvvisamente perso la pazienza e si era messo a spaccare i mobili faticosamente comprati a rate quando avevano messo su casa insieme. Aveva fatto a pezzi il prezioso specchio della moglie che troneggiava sul comò, sbattendo per terra bottiglie e barattoli del trucco. Aveva preso a schiaffi la figlia, poi si era chiuso in bagno piangendo. Colomba aveva avuto il buon senso di telefonare a Zaira che era corsa a prenderla.

A notte inoltrata, quando Angelica era rientrata, aveva trovato la casa sottosopra e nessuna traccia della figlia. Si era aggirata come una sonnambula e poi si era precipitata con la macchina, ubriaca, verso Pescara. Ma all'altezza di Avezzano era andata fuori strada. L'avevano trovata la mattina dopo, morta, incastrata fra le lamiere della Millecento schiacciata. Nella borsa avevano scovato, accanto a un'ingiunzione di sfratto, una mezza bottiglia di cognac, e un libricino di poesie tutto segnato in rosso. *Sono stata via settecento anni / ma nulla è cambiato /* ... era una riga sottolineata quattro volte. Zaira aveva tenuto il libretto e ogni tanto lo apriva per leggere quelle righe.

«Racconta, ma'.»

La bocca è chiusa ma quella esortazione è lì a ghermire la fantasia materna per tirarla a sé e farla prigioniera.

«Tutte le storie sono già state narrate, bambina mia, non c'è più niente da dire.»

Ma la bambina non si arrende. Lo sa la figlia, ma lo sa anche la madre che il racconto è un modo per fare saltare i desideri sul ritmo dei pensieri. Non c'è fine al desiderio, non c'è fine al racconto.

«Allora, ma'?»

La madre la osserva, innamorata. Chissà perché quella sera le parole le escono scandite come un ritornello musicale, prigioniere di un corpo verbale conosciuto in altri tempi: *Sono stata via settecento anni / ma nulla è cambiato / sempre la misericordia di Dio / scende da vette incontestabili. / Sempre gli stessi cori di stelle e acque / sempre così nera è la volta del cielo / e lo stesso vento sparpaglia i semi / e lo stesso canto canta la madre.* «È Anna Achmatova, ti ricordi che te ne ho parlato? ti ho anche fatto vedere una fotografia. Con quegli occhi grandi, bruni e i capelli leggeri intorno alla faccia aguzza, il naso aquilino, te la ricordi?»

La bambina sembra davvero dormire. Ha il respiro grosso. La madre cerca di sfilare la mano, ma sente immediatamente le dita stringerle il polso. Non potrà squagliarsela tanto facilmente: anche se dorme, la vuole accanto a sé. E non smetterà di ascoltare le sue parole.

«La foto del ritratto che Nathan Altman fece ad Anna Achmatova in giallo e azzurro, ti piaceva tanto. Portava i capelli neri legati dietro la nuca, il vestito blu notte si apriva sul petto magro mettendo in mostra le clavicole tese, una mano lunga e bianca si appoggiava sul grembo, lo scialle giallo le si attorcigliava attorno alle braccia.» Dove sarà finito quel bel ritratto? In qualche cassetto, sepolto sotto altre carte, o si sarà perso per sempre in uno dei tanti traslochi? Perché l'aveva conservato? Solo perché da quella fotografia emanava un profumo di eleganza russa? una eleganza che aveva resistito agli orrori dello stalinismo, che era rimasta fragranza, anche se solo verbale, durante le pesanti ristrettezze della guerra, nonostante il terrore della persecuzione del comunismo di Stato?

Ora che ci pensa erano due i ritratti, quello di Anna Achmatova e quello di Marina Cvetaeva, una più anziana, l'altra più giovane, una bruna e l'altra castana, una severa, regale, l'altra sciamannata e giocosa. La vita amara delle due donne le aveva insegnato qualcosa sulla storia recente che i libri non le avevano saputo dire. Proprio quando il pensiero di un mondo nuovo e giusto si era affacciato nella sua mente come la promessa esaltante di un futuro uguale per tutti, le tragedie private delle due poetesse russe l'avevano risvegliata precocemente da un sonno che abitava nella mente di tanti suoi amici e conoscenti. Era la Russia dei remoti miti politici di redenzione: *Andremo, andremo verso la terra fertile, / dove persino i chiodi mettono radici e foglie / lì il futuro ci accoglierà con le sue bandiere di uguaglianza e libertà!* Ricorda ancora la gioia con cui i suoi giovani amici alzavano il braccio col pugno chiuso negli anni in cui Stalin era considerato un salvatore e la religione una misera illusione.

«L'uomo è buono di natura, cara compagna, l'uomo, una volta uscito dall'ingranaggio odioso dello sfruttamento capitalistico, diventerà generoso e sapiente. Non ci saranno più guerre, né assassinii. È la miseria che trasforma l'individuo in bestia. È la proprietà dei mezzi di produzione che separa i cittadini in classi, rende gli uni padroni sempre più ricchi e potenti, gli altri sempre più poveri e schiavi. Credimi, il mondo nuovo non è lontano, ci aspetta dietro l'angolo, ed è fatto di doni profondi. A ciascuno secondo i suoi bisogni, non senti la generosità di questo pensiero? L'uomo, fuori dalla logica dello sfruttamento, è pulito, innocente. Perfino la scienza lo dice: il plusvalore tende ad arricchirsi di sé, è un mostro in crescita che si mangia i suoi stessi figli. Dobbiamo riportare l'eguaglianza fra gli uomini.»

«Ma come?»

«La prima cosa da fare sarà togliere i mezzi di produzione dalle mani dei privati. Poi stabilire la dittatura del proletariato, perché gli operai sono la parte sana della società, sono i soli che possano imporre una regola alle classi ricche e sfruttatrici. Solo più tardi, una volta raggiunta l'uguaglianza economica, si troverà anche l'uguaglianza sociale e politica, quella culturale seguirà.»

«E quella fra i sessi, fra uomo e donna?»

«Verrà appresso anche quella, una volta sancita l'uguaglianza fra le classi. Fìdati, vedrai, l'essere umano è malleabile, incorrotto, integro, sono le circostanze che lo corrompono, lo deformano, lo trasformano in mostro.»

Come erano seducenti quei progetti per un futuro di grandi cambiamenti! La fratellanza si sarebbe impadronita dei pensieri umani e li avrebbe forgiati con mano sapiente e generosa: avrebbe portato la fine degli inganni, delle ipocrisie sociali, dello sfruttamento: casa e cibo per tutti, cure mediche gratuite, solidarietà verso gli oppressi di tutto il mondo.

Una questione inquietava la donna allora giovane giovane: ma quali strumenti è lecito adoperare per scaravoltare il mondo, senza schiacciare chi non la pensa allo stesso modo? E, ancora più importante: si può imporre il bene? Su questi temi spesso discuteva coi compagni. Qualcuno, più machiavellico, sosteneva che il fine giustifica i mezzi e quindi dittatura, prigionia, spionaggio potevano anche essere strumenti buoni per ottenere un mondo nuovo. Altri non la pensavano affatto così. Se accettiamo che il fine giustifica i mezzi, dicevano, facciamo esattamente come i nostri nemici.

«Ma i nostri fini sono buoni, generosi, sani.»

«Non ci credo. Nessun fine, né buono né cattivo, può giustificare la violenza e il sopruso.»

Erano discussioni accanite che si protraevano nel cuore della notte, mentre se ne stavano chiusi dentro i sacchi a pelo, stesi su un pavimento macchiato, fra centinaia di cicche puzzolenti e bicchieri colmi di birra a poco prezzo.

La cosa che la ragazza non riusciva proprio a mandare giù era l'idea della dittatura del proletariato. «Non abbiamo sempre detto che le dittature sono fasciste, diseducano alla democrazia, mettono il potere in mano a pochi o nel peggiore dei casi, di uno solo? Anche se solo provvisoria, l'idea della dittatura non mi piace.»

«Non ti fidi della classe operaia? Gli operai sono i soli che conoscano l'etica del lavoro, i soli a non essere traviati dal pietismo religioso, i soli che hanno il senso della responsabilità civile di un popolo. Essi sono all'avanguardia del secolo. Non sono servi che si facciano corrompere dalle sirene dei padroni, sono lavoratori che conoscono i propri diritti e i propri doveri. Le fabbriche, le fabbriche, compagna, sono le chiese della nuova religione, la religione della razionalità.»

«È questo che mi convince poco: perché combattere una religione per formarne un'altra?»

«A ciascuno secondo i suoi bisogni» ripeteva l'uomo dai baffi lunghi, stregati, anche se non era chiaro come ciò sarebbe potuto avvenire. Ma c'era tanta generosità e passione in quello slancio verso un mondo nuovo, in cui le prepotenze, le meschinità, gli orrori delle guerre, le sopraffazioni del più forte sul più debole sarebbero stati cancellati, che era difficile non innamorarsene.

Innamorarsi di una idea tonda come la luna, morbida come una pesca matura, succosa come un chicco d'uva, potente come la radice di una quercia. Era di questo che si invaghivano i ragazzi di allora, e si rimboccavano le maniche per entrare a fare parte di quella grande onda di volontari che avrebbero rovesciato con la loro forza appassionata tutte le convenzioni, avrebbero stretto per il collo l'ingiustizia, avrebbero dato carezze e fiori all'onestà e alla solidarietà.

L'esempio veniva dalle terre fredde e lontane che avevano conosciuto i rigori di una rivoluzione riuscita. O che per lo meno si dava per riuscita, prima che fossero noti gli orrori dello stalinismo. Era la Leningrado della resistenza accanita contro l'invasione dei tedeschi, la città generosa che aveva sacrificato migliaia di uomini, donne, bambini, per fermare sulle soglie della città gli assassini nazisti. Era la Mosca remota e arcana in cui si sarebbero compiuti i miracoli sociali che poi tutto il mondo avrebbe dovuto emulare. Era la Russia del giovane Trotzkij che montava sui treni, di corsa, per andare a parlare ai contadini di tutto il mondo: in piedi sul predellino salutava col pugno chiuso, lui, il coraggioso rivoluzionario dal faccino impacciato di un impiegato gogoliano:

un berretto blu posato sul ciuffo chiaro, gli occhialetti da miope, i mustacchi da soldato che non conosce paura. Le sue parole, che i giovani di tutto il mondo si ripetevano, dichiaravano che non si può istituzionalizzare la rivoluzione: niente gerarchia, niente sentenze emesse dall'alto, la società deve bollire in continuazione e trovare sempre il meglio, seguendo la coscienza civile e non le regole di una ideologia prestabilita.

Qualche anno dopo si parlò di tradimento e il giovanotto dai mustacchi generosi dovette scappare nelle Americhe. Poi qualcuno – si sussurrava fossero gli emissari di Stalin – lo aveva assassinato con un colpo di ascia in testa. Questo obbrobrio che non turbava i duri e puri del cambiamento radicale, alla ragazza scandalizzata era parso inconciliabile con l'idea della loro rivoluzione e l'aveva detto chiaro e tondo. Ma i compagni preferivano credere alle parole di Stalin: se il Grande Padre aveva accusato il piccolo Trotzkij di tradimento, voleva dire che qualcosa di vero c'era. Non aveva applaudito alla morte dell'agitatore sovietico quasi fosse la giusta punizione di quel Dio severo e onnisciente che poi si identificava proprio col baffuto dittatore?

«Dimmi un'altra poesia di Anna Achmatova, ma'!»

«*Luminoso e lieto / domani sarà il mattino. / Questa vita è bella, / sii dunque saggio, cuore. / Tu sei prostrato, batti / sordo, a rilento... / Sai, ho letto / che le anime sono immortali.*»

La madre muove le labbra che sono lucide e color di corallo. La bambina la osserva attenta fra le palpebre socchiuse.

«Continua, ma'!»

«*Oggi ho da fare molte cose: / devo uccidere fino in fondo la memoria / devo impietrire l'anima / devo imparare di nuovo a vivere.*»

«Impietrire l'anima? perché?»

«Era un momento terribile, bambina mia, erano gli anni Trenta, anzi la fine degli anni Trenta, era il '39 e c'era la guerra, c'era Stalin col suo terrore.»

La madre è lì seduta sul bordo del letto e riflette pensosa. O sogna? La mano della figlia sta ferma nella sua. Forse adesso potrà alzarsi quieta, in silenzio, e uscire, ma appena accenna ad andarsene, sente le corte dita della bambina che si stringono a quelle più lunghe di lei.

Zaira si alza dal letto, va ad aprire le persiane ma le trova incollate dal ghiaccio. Deve battere più volte col pugno chiuso per spingerle verso l'esterno. La neve è caduta tutta la notte. E ancora dei fiocchi leggeri svolazzano per l'aria nebbiosa, incalzati dal vento. I due abeti davanti alla sua finestra sono bianchi, e i rami più alti sono gravati da gonfie sacche di neve. Una gazza le sfreccia davanti al naso. Bisogna che si ricordi di mettere sul davanzale qualche granello di pane. Le vede durante il giorno: vengono a cercare il cibo sapendo che lei lascia sempre qualcosa sul bordo della finestra, anche quando è tutto coperto di neve. Arrivano volando, e senza nemmeno posarsi, con un solo colpo di becco, si appropriano della crosticina di pane o di un chicco di grano o di un pezzetto di mela e se ne scappano via rapide.

Chissà se potrà uscire. Davanti alla casa c'è un metro di neve. Bisognerà spalarla. La bicicletta certo non potrà muoverla. Ma da qualche parte deve avere gli stivaloni di gomma che salgono fino alle ginocchia e con quelli potrà camminare.

Accende la radio mentre si fa una doccia e poi, giù in cucina, si prepara un cappuccino. Un uomo dalla voce squillante racconta della epidemia di virus che sta colpendo i polli in Oriente. I pennuti hanno contagiato bambini, uomini e donne che stanno morendo nella lontana Thailandia. Da noi «non c'è pericolo» sta rassicurando l'uomo «a meno che il virus non si trasformi e passi da uomo a uomo e allora avremo milioni di morti». Con tono eccitato descrive come migliaia di galline ovaiole e di polli spaventati vengono cacciati dentro grandi sacchi dell'immondizia, ancora vivi e poi vengono sepolti sotto quintali di calce. Il cappuccino le va di traverso: come, vivi? sepolti vivi, senza nemmeno darsi la pena di ammazzarli? Si alza tossendo e prende a trafficare in cucina, continuando suo malgrado ad ascoltare la radio. Sono polli di allevamento, spiega la voce, che si contagiano a vicenda, perciò devono essere sterminati. Li vede ora, con gli occhi dell'immaginazione, gli enormi polli nati in cattività, chiusi dentro gabbie minuscole in cui non possono nemmeno muovere un passo, costretti a nutrirsi di carcasse di altri animali morti, imbottiti di ormoni e di antibiotici perché in quelle condizioni malsane sviluppano quasi tutti la tisi, la polmonite. La pena le chiude la gola.

Dopo avere dato a Fungo una tazza di pane e latte, Zaira, tutta imbacuccata, con indosso gli stivali di gomma, due paia di calzettoni di lana, due maglie, un giaccone imbottito che le arriva fino alle ginocchia, un cappelletto da aviatore russo calcato in testa, apre la porta di casa. Viene investita da una folata di aria fredda e umida in cui turbinano chicchi minuscoli di grandine. Ma non si scoraggia. Chiude la porta dietro di sé. Si calca bene in testa il berretto dai paraorecchi di pelliccia sintetica e si avvia verso il bosco, seguita da Fungo.

Non ci sono tracce di passi umani lungo il sentiero che porta verso le selve dell'Ermellina. Gli stivali di cauccù affondano nella neve fresca. Dopo un centinaio di metri però è costretta a fermarsi perché la neve è troppo alta: in certi punti ci precipita dentro fino alla vita. Da anni non ricordava un febbraio così rigido. E se andasse a prendere un paio di racchette da Paparozz'?

Sempre affondando, seguita da un Fungo di pessimo umore perché costretto a saltare come un canguro per non essere inghiottito dalla neve fresca, torna a casa, tira fuori gli sci di fondo e scende verso il paese. Paparozz' le offre un paio di racchette usate con qualche stringa spezzata, ma «funzionano a meraviglia, te li dongh' a tre eure il giorno» dice guardandola sorniona.

Zaira accetta. Rientra con gli sci. Li posa dentro il fienile, accanto alla bicicletta bianca e blu. Si allaccia le racchette ai piedi e si avvia a passi lenti verso il bosco. È sempre faticoso, ma per lo meno non sprofonda. Le sue impronte sembrano quelle di un enorme plantigrado, dal contorno rotondo e rialzato. Fungo, a furia di saltare fuori e dentro la neve, ha delle palle di ghiaccio incollate ai peli che ballonzolano a ogni passo. Zaira si ferma, lo chiama a sé, gli toglie le escrescenze ghiacciate cercando di non strappargli anche i peli e ricominciano ad arrampicarsi tra i faggi innevati. Ma dove andate, incoscienti, con questo freddo, questa neve, non lo vedi che affondo? è la voce di quell'accompagnatore che lei chiama fra sé coscienza o angelo rompiscatole e ogni tanto le alita un fiato gelido sul collo. Lasciami in pace! sbraita sbuffando. Ora il caldo le appanna gli occhiali da sole, è costretta a sciogliersi una delle sciarpe che ha allacciato attorno al collo. Dagli alberi precipitano fagotti di neve che si sfasciano al suolo con un rumore soffice, un plaf morbido e gentile. Ogni tanto qualcuno di questi fagotti diacci le crolla proprio sul cappello da aviatore russo frangendosi in mille piccoli frammenti che le schizzano sulle spalle e sulla faccia.

Arrivata in cima al monte Triollo, si ferma per riprendere fiato. Il cielo nel frattempo si è aperto. Il panorama si allarga attorno a lei come un grande teatro: davanti, il telo dipinto del monte Marsicano, coi suoi dorsi ampi e misteriosi, bianco argento sull'azzurro dell'orizzonte. A sinistra, la quinta del monte Palombo che nasconde in parte la cima di Pietra Gentile. A fianco, sulla destra, il monte delle Vitelle, lì dove l'impianto da sci porta i ragazzi dalle tute sgargianti che corrono su e giù per le piste. Dietro il primo piano di cime boscose altre quinte che fanno intravedere le punte splendenti del monte della Gatta, il picco della Rocca, il monte Pietroso e più defilato, di sguincio, il monte Tranquillo. Un anello sfavillante contorna un palcoscenico dal pavimento candido su cui adesso si muoveranno gli attori. Ma chi? L'attesa le secca la saliva in bocca. Forse Hänsel e Gretel verranno condotti per mano dalla madre, nel fitto di quei faggi, di quegli aceri, di quelle querce per essere abbandonati.

Sotto un gigantesco faggio dai tanti rami spogli, Zaira incontra un gruppo di asini. La guardano muti allungando il collo, gli zoccoli immersi nel pantano acquoso della neve sciolta. Si avvicina, allunga la mano per carezzare uno di quei musi morbidi, ma la ritrae quando si accorge che il povero asino ha un occhio gonfio e pieno di pus. Sulla guancia rigata le lacrime continuano a colare lente sotto la palpebra arrossata. «Vedi questo asino» dice a Fungo che non abbaia nemmeno tanto è stanco di saltare nella neve, «ha un occhio malato e nessuno glielo curerà. O guarirà da solo o piano piano diventerà cieco.» Ma gli asini hanno smesso di osservarli con stupore e ora raschiano il suolo per raccogliere con il muso sporco di terra e di neve alcune bacche cadute dalla pianta spoglia della rosa canina.

Zaira dovrà ridiscendere verso la valle del Capro Giallo e poi risalire verso il picco della Rocca. È già mezzogiorno, il momento più caldo della giornata. La tempesta di neve si è acquietata con la stessa velocità con cui era montata e aveva frustato alberi e cose. L'orizzonte è limpido, chiaro e la neve riflette la luce rendendola cristallina, accecante.

Zaira riprende il cammino, seguita da Fungo. I passi vanno lenti ma decisi. Non è l'andatura di una turista ma quella di un investigatore che cerca le spiegazioni di un enigma. Il senso di libertà si intreccia indelebilmente a quello di sgomento: troppa aria intorno a sé, troppa solitudine, troppo silenzio. Anche se, a stare immoti, si è raggiunti da tanti piccoli rumori che appartengono alla foresta: la neve che cade con tonfi sordi dai rami alti, il volo frenetico di qualche corvo, o di qualche gazza che cerca cibo, il battere regolare del picchio che si costruisce una tana dentro un albero in lontananza, il ragliare struggente di un asino, il cinguettio delle cinciallegre che approfittano di questa ora di calma e di luce per trovare un vermetto, una larva, una bacca fra gli alberi e i cespugli sepolti nel bianco.

Verso le due decide di riposare e mangiare qualcosa. Fungo le struscia il muso sulla gamba. Ha fame, lo sa. Ma dove sostare in questo mare di neve? Eppure ora c'è il sole e non fa neanche freddo. Zaira cerca con gli occhi una roccia dove potersi appoggiare. Pulisce con i guanti la sommità piatta di un masso e ci si siede sopra, allenta le cinghie dello zaino dalle spalle, lo appoggia sulla neve. Fungo saltella contento. Ha già capito che si mangerà qualcosa e si prepara a prendere dalle mani di lei un poco di pane e formaggio, un pezzetto di uovo bollito, un boccone di banana.

Il pensiero di Colomba sembra quasi accantonato in quella sospensione meravigliosa. La bellezza può consolare di ogni perdita, si dice, dimenticando di masticare il pezzo di pane che ha in bocca. Quelle montagne di un azzurro misterioso e grave, quelle rocce che scintillano al sole nuovo appena uscito dalle nuvole, quegli alberi dai rami nudi e anneriti dall'acqua, ricoperti di una neve morbida e gentile, le fanno ballare il cuore. Ma la coscienza brontolona è sempre lì, alle sue spalle e la sprona: che fai, ti fermi? che fai, ti dimentichi di Colomba? che fai, ti perdi nella bellezza di un paesaggio montano? Quelle cime se ne infischiano di te, e sono pronte a coprirti con una valanga appena la temperatura si alza di un grado. Riprendi a camminare, cerca, non stare col naso per aria, guarda se vedi delle tracce nella neve.

Zaira termina rapida il suo pasto frugale, presa dai sensi di colpa. Ingolla qualche sorso di caffè caldo dal thermos. Si sistema lo zaino sulle spalle e si alza per riprendere il cammino. Proprio come quel monaco che nel 980 partì dal convento di Gioia dei Marsi verso Roma, per andare a chiedere protezione al papa Benedetto VII. Chissà che non fosse un suo lontanissimo antenato. Niente di improbabile visto che sono tutti imparentati in modo vicino o lontano, qui nei dintorni.

Dopo avere vagato per i boschi di Sant'Antonio senza trovare una traccia, un pertugio che rivelasse una grotta nascosta, Zaira deve arrendersi: per oggi la sua ricerca è fallita, ancora una volta ha fatto un buco nell'acqua e ora deve rientrare altrimenti si troverà intrappolata nel buio. Fungo è più stanco di lei, ha la coda appesantita da bocce e boccette di neve ghiacciata che gli rallentano il passo. Lei per lo meno ha le racchette che le permettono di camminare sulla neve alta senza sprofondare. Nonostante il fallimento, però la gita le ha messo appetito e si sente bene, le viene voglia di cantare. Ma si può cantare da soli? Le gambe sono stanche, i passi si sono fatti meno rapidi e sicuri. Ormai è vicina, le mancano pochi chilometri.

Proprio quando sta per raggiungere il sentiero che la porta a casa, si ferma improvvisamente davanti a qualcosa di scuro che ciondola dal ramo di un grosso olmo. Cos'è, un sacco, una bisaccia? Si avvicina un poco e rimane inorridita. Davanti a lei, agganciato a un ramo non tanto alto da terra, pende un cane nero, impiccato. È grosso e si vede che pesa perché il ramo si è piegato e il cane quasi tocca il suolo con la coda irrigidita. La corda gli sega il collo. La bocca è spalancata e la lingua sporge sul mento, rigida e violacea. La neve non lo ha ancora coperto; dal che si desume che è stato appeso lì appena lei è partita per la ricerca quella mattina. Uscendo infatti non l'aveva visto. Ora eccolo là, lugubre come un avvertimento minaccioso. Appena se l'è trovato davanti ha cacciato un grido. Ma nessuno l'ha sentita, solo Fungo ha preso ad abbaiare allarmato.

Chi può avere impiccato un cane? Ora poi, guardandolo bene, le sembra di riconoscerlo: è uno di quei randagi che girano per il paese e si affezionano a Saponett'. Un cane senza padrone, su cui è stato facile infierire. Ma perché?

Appena entrata in casa, Zaira chiude tutte le porte a chiave. Si barrica in cucina e prende a scaldare l'acqua per il brodo mentre Fungo si pulisce con la lingua i peli ancora intrisi di ghiaccio. Possibile che vogliano dissuaderla dal continuare la ricerca? Ma questo starebbe a indicare che lei sta disturbando qualcuno o qualcosa, e quindi che è sulla buona strada. Sal forse le ha detto la verità, anche se solo una piccola parte di quello che sa. Ora più che mai deve continuare l'indagine. Ma il cane impiccato? sarà il caso di denunciare l'intimidazione o no? Vai alla polizia! la esorta l'angelo dalle piume che penzolano irrigidite e coperte di peduncoli di ghiaccio come i peli della coda di Fungo. Ora vado a dormire, domattina si vedrà, risponde lei, così stanca che non riesce neanche a cenare. Manda giù il brodo caldo, prepara il pappone per Fungo, mastica un pezzo di cioccolato amaro col pane e se ne va a letto. Non mi lascerò scoraggiare, si dice Zaira, con determinazione mentre la paura le fa tremare le labbra.

La sala d'aspetto della polizia locale è piccola e illuminata al neon, anche di mattina. È fornita di quattro sedie di legno e due poltroncine ricoperte di plastica marrone. Al tavolo il brigadiere la guarda incredulo.

«Un cane, ha detto un cane impiccato?»

«Sì, proprio davanti a casa mia.»

«E chi pensa che...»

«Non lo so. Voglio solo denunciare il fatto.»

«Sarà una cosa fra pastori, piccole vendette senza importanza, mi è già capitato.»

«Le è capitato di vedere un cane impiccato?»

«Un cane impiccato no, ma altri piccoli dispetti sì.»

«Ma perché proprio vicino a casa mia?»

«Lei non abita sulla via che porta agli stazzi?»

«Be', sì. L'albero però è quello accanto a cui passo tutti i giorni per andare ai boschi.»

«E che ci va a fare nei boschi?»

«Vado a cercare mia nipote Colomba, lo sanno tutti.»

«Ancora? Ma ormai è passato quasi un anno. Perché non si mette l'anima in pace, signora Zaira.»

Il brigadiere è giovane, ha i capelli tagliati corti, una bella faccia pulita, gli occhi gentili. Non le è ostile, ma solo un poco insofferente per l'ostinazione con cui pretende di continuare a cercare la nipote in mezzo ai boschi, in pieno inverno, col freddo, la neve che copre ogni cosa.

«Lei rischia sa, ad andare da sola per i boschi. Non ha paura dei lupi?»

«No, francamente ho paura solo degli uomini col fucile.»

Il brigadiere le rivolge un sorriso sincero. È proprio un bel ragazzo, pensa Zaira, inseguendo le luci nascoste di quegli occhi azzurri e limpidi. Ma capisce che è stato inutile venire: il suo interlocutore non crede all'intimidazione. Per lui la ricerca di Colomba è solo una follia inutile e il cane impiccato non ha niente a che vedere con lei. Il caso non è stato dichiarato chiuso?

«Potrebbe farsi male, rimanere intrappolata nella neve, cadere in un crepaccio» insiste il brigadiere movendo meccanicamente con due dita una grande fotografia incorniciata d'argento. Zaira allunga il collo per vedere l'immagine. E, durante uno dei movimenti che lui fa con le dita distratte, scorge la faccia di una bella ragazza dai capelli lunghi, castani che sorride beata tenendo in braccio un bambino grasso e pacifico.

«È sua moglie?»

«Sì e questo è mio figlio.»

«E come si chiama?»

«Mio figlio? Massimo.»

«Come il generale romano che ha vinto i sanniti» dice Zaira fra sé ripensando ai racconti di Cesidio il cavallaro. «Gli hanno dedicato una via, lo sapeva? la via Valeria che poi è diventata la Tiburtina. E c'era pure una città che si chiamava Valeria che poi è stata distrutta e non si sa nemmeno dove fosse precisamente.»

Ma evidentemente la storia romana di queste montagne non interessa al brigadiere. Il suo sguardo è rivolto altrove, fuori dalla finestra, dove due uomini con giacconi imbottiti e occhiali scuri stanno discutendo animatamente. Le sue dita sono diventate impazienti, anche se, per gentilezza, non osa mandarla via.

«Quindi secondo lei non mi devo preoccupare.»

«Assolutamente no. Chi vuole che ce l'abbia con lei che non ha fatto male a una mosca, che vive tranquillamente nella sua casa, che ha una certa età, che non è coinvolta in beghe legali o risse di paese?»

«Sono contenta che lei lo dica. Ma certo quel cane impiccato mi ha fatto molta impressione. Forse era rivolto a qualcun altro, ma proprio davanti a casa mia, lei capisce che...»

«Sa che facciamo, vengo con lei a vedere, così mi faccio un'idea più precisa.»

Zaira si alza veloce dalla sedia non credendo alle proprie orecchie. Quindi non era fretta di cacciarla via quel movimento nervoso attorno alla fotografia: il brigadiere è disposto a regalarle mezz'ora del suo tempo prezioso, nonostante pensi che sia "una cosa da nulla". Lo segue scusandosi in cuor suo della sfiducia che aveva nutrito nei suoi riguardi: questo brigadiere forse è veramente un uomo scrupoloso e attento al suo dovere.

Appena fuori, il militare si intestardisce a prendere la camionetta di servizio, anche se lei insiste che a piedi sono solo dieci minuti. Corre sulla strada coperta di neve affrontando le curve con mano abile ed esperta. Zaira si tiene alla maniglia rammaricandosi di non essere andata a piedi. Il brigadiere ha fretta e pensa ad altro, ma si dirige, accelerando e slittando, verso la sua casa fuori del paese, al margine dei grandi boschi.

La camionetta si arresta proprio sotto la rampa che sale verso casa sua. Il brigadiere sbatte la porta, neanche si preoccupa di chiudere a chiave, tanto si sa in paese tutti lasciano le auto aperte e con le chiavi inserite, non è mai successo niente. Si arrampica agile precedendola e si ferma a gambe larghe sulla soglia di casa, davanti alla porta chiusa.

«Vuole entrare? le preparo un caffè?»

«No, vorrei tornare in ufficio al più presto, ho da fare.»

Zaira va avanti lungo il sentiero che porta verso i boschi. In pochi minuti sono davanti all'olmo coperto di neve. Ma il cane non c'è più. Zaira alza il braccio per indicare il ramo, e la voce le viene meno.

«Be', questo cane dov'è?»

«L'hanno tolto. Stava qui.»

«E chi l'avrebbe tolto?»

«Che ne so, qualcuno.»

Il brigadiere la guarda dubbioso. È chiaro quello che pensa: questa donna ha le visioni. Come trattarla? come una poveretta un poco tocca, assecondandola nelle sue fantasie o dirle chiaro in faccia che l'ha fatto scomodare per niente? Si bilancia su una gamba e poi sull'altra, incerto.

Zaira intanto si è avvicinata all'albero, e lo esamina da vicino. «Guardi qui, il ramo è spezzato e c'è un pezzo di corda che pende. Venga a vedere.»

Il brigadiere si avvicina. Osserva la corda tagliata di netto, il nodo che la lega al ramo spezzato ma non ancora staccato dal tronco. Ora forse le crede. Comunque non dà importanza alla cosa, glielo si legge in faccia. Quel bel viso fatto di certezze, di cortesie, di fede, manca totalmente di immaginazione.

La mattina dopo, quando passa Cesidio, Zaira salta dal letto e apre la finestra per fermarlo. «Cesidio!»

«Che c'è Zaira, a quest'ora sei già alzata?»

«Quando torni indietro ti fermi da me?»

«Certo, fra un'ora. Mi prepari il più buono dei tuoi caffè?»

«Sì, e anche i più buoni dei miei biscotti.»

Lo vede allontanarsi tutto imbacuccato, seguito dai cavalli che col freddo si sono ricoperti di peli lunghi e fitti, quasi degli orsi.

Oggi c'è il sole e la neve ferisce gli occhi con il suo lucichio metallico. Zaira si fa una doccia, prepara la pappa per Fungo, si veste in fretta davanti alla stufetta elettrica, mette il caffè sul fuoco. Cesidio arriva puntuale dopo un'ora, gli scarponi incrostati di neve che si scioglie al calore della cucina.

«Scusa se sporco per terra.»

«Ora pulisco, non ti preoccupare.»

Cesidio si siede al tavolo dal ripiano di marmo. Zaira gli mette davanti il caffè bollente, un piattino di legno con sopra allineati i biscotti ripieni di una marmellata di more fatta da lei.

«Sono le more della valle?»

«No, di Gioia Vecchio. Ce ne sono poche e sono striminzite, ma io conosco le zone segrete, i prati fra un bosco e l'altro dove crescono quasi nascoste.»

«Buonissima la marmellata... volevi dirmi qualcosa?»

«Sì, Cesidio, ieri tornando dalla montagna ho trovato un cane impiccato qui vicino sul sentiero che porta a casa mia.»

«Un cane impiccato? che cane?»

«Nero, con la coda lunga e le orecchie mozze, un bastardo ma della famiglia degli alani, credo.»

«Mannagg' a sant Nend e dov'è?»

«L'hanno portato via. È rimasto un pezzo di corda sul ramo, vuoi vederlo?»

«È uno dei cani bastardi che girano per il paese, senza padrone. Se non lo impiccavano, finiva avvelenato. Ogni tanto qualcuno fa il ripulisti, con gran disperazione di Saponett'.»

«Una polpetta avvelenata, lo so, ma che si impicchi un cane, non capisco, che vuol dire?»

«Non ce l'hanno con te, ma col cane stesso. Avrà disturbato le pecore di qualcheduno o avrà rotto la schiena a un gatto di proprietà. Sai come fanno i cani quando prendono un gatto, lo scuotono finché non gli rompono la spina dorsale, soprattutto se so' cuccioli.»

«Tu l'hai già vista una cosa simile?»

«Mi dai un altro biscotto? Zà, come fai a essere abbronzata anche d'inverno? Lo sai che quelle lentiggini ti fanno ragazzina?»

«È perché sono sempre fuori e il sole con la neve brucia.»

«Stanotte, pensa, mi sono sognato che mi trovavo al tempo dei normanni. Erano i primi anni del millennio e qui a Touta regnavano i Borrello. I normanni avevano appena occupato Benevento e il papa Leone IX, per mandarli via, si era rivolto ai castellani della zona. Ecco, io mi trovavo fatto soldato in quel piccolo esercito privato che avevano messo su i Borrello con gente del luogo. Proprio quel giorno avevano chiamato i giovani a radunarsi nel cortile del castello di Mancina. E io mi accingevo a presentarmi. Nel sogno mi dicevo: sì, ma il castello è tutto rotto, sembra un dente cariato. Guarda! mi fa uno. Alzo gli occhi e vedo il castello intero, bellissimo con tutte le sue pietre grigie, i bastioni arrampicati sulle rocce, le torri con i mattoni al loro posto, le terrazze merlate. Mò che faccio? E manco m'accorgevo che stavo salendo a piedi su per il sentiero che va al castello. Mi guardo e mi vedo con un paio di brache larghe, di lana ruvida, delle calze rosse lunghe, avevo un giustacuore e una mantellina che mi avvolgevo intorno alle spalle e mi lasciava fuori solo la punta del naso. Faceva freddo anche se era primavera. Ancora non era suonata la campana delle sette. Camminavo ed ero felice di andare lassù al castello. Non ero il Cesidio di oggi, ero un Cesidio molto più giovane e la guerra contro i normanni non mi metteva paura, anzi mi eccitava. I Borrello mi avrebbero dato un cavallo e un'armatura tutta in maglia di ferro e un elmo di quelli che trac, si chiudono davanti sul collo e da fuori non si vede niente, mentre tu da dentro guardi attraverso le fessure il nemico che hai davanti. Salivo a passo rapido e pensavo che forse ci avrebbero dato pure del vino e una pagnotta fresca di forno. C'era un fornaio lassù al castello che sapeva fare un pane proprio bbono.»

«Ma tu in sogno sapevi tutte queste cose?»

«Era un sogno lungo lungo e pieno pieno... ma ero così felice, così felice, di andare al castello tutto nuovo, intero... ero felice di andare in guerra contro i normanni, felice di mettermi addosso una armatura tutta mia, felice di mangiare quel pane fresco del fornaio di Mancina. E andavo, andavo mentre che il paese si cominciava a vedere sotto di me, chiuso a riccio attorno alla chiesa, i tetti di pietra grigia, il fumo che usciva dai comignoli. Ero proprio felice...»

Zaira lo guarda mentre, con occhi sognanti, si scola l'ultima stilla di caffè ormai freddo, si caccia in bocca un altro biscotto farcito di more.

«E poi?»

«E poi, e poi, Zaira mia, me só svegliato ed era tutto svanito. Il castello, l'ho guardato un momento venendo qua, è un rudere che fa pena, fra un anno o due sarà completamente sbriciolato, gli alberi non sono più gli stessi, il paese è diventato enorme, brutto, pieno di turisti maleducati e tutti pensano ai soldi, ai soldi...»

«Hai una fantasia galoppante, Cesidio, mi metti di buon umore. Il tempo per te non esiste. La storia è roba di casa tua, ci sguazzi e mi ci fai sguazzare pure a me.»

«Io mi considero, come toutano, un discendente dei pelasgi. Erano gente di fantasia, sai. Solo quella c'avevano perché erano poveri e si sono fatti vincere da tutti, dai greci, dagli etruschi, dai latini, però era gente di fantasia. I romani ci chiamavano safin, i safin, quei safin della malora! quei safin del cavolo! ma avevano paura, perché sapevamo combattere. Secondo me anche la nostra lingua, così bucata, senza vocali, viene da loro, dai pelasgi.»

«I pelasgi? ma non erano quelli che abitavano in Grecia prima degli ateniesi e degli spartani?»

«Proprio così. Lo sai per i pelasgi come nasce il mondo? All'inizio, proprio all'inizio c'era un grande uovo, e c'era Eurinome, la dea nata dall'oceano che era mezzo donna e mezzo pesce. Eurinome covava l'uovo per fare nascere il mondo, ma venne Ofione, suo marito e le disse: questo è mio, ci penso io a farlo aprire, sono più bravo di te. Eurinome, che aveva fatto l'uovo e ci teneva, cacciò via il marito e mise tanta passione e tanta pazienza nel covarlo che si aprì prima del previsto e dai suoi cocci vennero fuori la terra, i fiumi e tutte le creature viventi. Ofione tutto contento andava in giro raccontando che era stato lui a mettere al mondo tutto quel bene. I due si misero a litigare. Ma dalla lite non venne niente di buono, perché intanto arrivarono Crono e Rea, il dio del tempo e la dea della Terra, che si impadronirono di tutto il creato e cacciarono sia Ofione che Eurinome nel Tartaro.»

«Coi tuoi racconti mi hai tolto tutti i pensieri neri, Cesidio. Il cane impiccato lo butto fuori dalla mia testa. Avrà aggredito una pecora, come dici tu e perciò è stato punito.»

«Stai ancora a cercà tua nipote Colomba?»

«Credi anche tu che io sia matta?»

«Credo che sei na capatosta. Ma qualche volta gli dèi aiutano le cocce dure come la tua. Bbona fortuna, Zà.»

Zaira lo guarda andare via, oltre i vetri della finestra, le lunghe gambe arcuate per il tanto cavalcare, i capelli castani lisci e sempre freschi che gli scivolano sulla fronte ampia, il passo del sognatore.

Rimette a posto la cucina. Si infila gli stivaloni di gomma e si prepara a un'altra giornata di ricerca.

«Racconta, ma'.»

Questa bambina non se ne andrà mai per il mondo, pensa la madre mentre le osserva i piedi che ormai sono diventati grandi e pronti per scalare le montagne. Ma la testa è rimasta quella di una bimba trasognata che chiede storie, sempre storie.

«Non ne so più. Ora dormi.»

«Non dormo se prima non mi racconti come va a finire la storia di Zaira e di sua nipote Colomba.»

La madre sorride. Allunga le gambe intorpidite. Aggiusta la voce in gola e si prepara a continuare il racconto. I capelli, come serpentelli argentati, scappano dai fermagli. La figlia la osserva desolata: ma quando ha fatto i capelli grigi? Fino a ieri erano biondi. Mamma, ti prego, svegliami, sto sognando che sto crescendo e che tu stai diventando sempre più vecchia. Ti prego, raccontami una storia! Solo le storie fermano il tempo.

Zaira ha difficoltà con le racchette, perché alcune stringhe si sono spezzate. Ogni passo che fa, è costretta a sollevare due chili di neve. Oggi poi si cammina male perché la temperatura è salita e la neve si è fatta grassa, pesante e tende ad aggrumarsi. Fungo sprofonda con le zampe davanti e per liberarsi è costretto a zompare come un acrobata. Lei lo guarda e ride. Fungo sbuffa offeso. Non ama che lo prendano in giro.

«Non procediamo bene oggi Fungo, la neve è una pappa e non regge né il tuo peso né il mio.»

Così, dopo avere fatto un giro più breve del solito nella zona posteriore del Marsicano, lì dove nascono le foreste del monte Ninna, Zaira torna a casa, seguita da Fungo.

Dentro casa fa freddo. La stufa è spenta, e non ha comprato niente da mangiare. Si sfila il giaccone imbottito carico di neve, si toglie le scarpe bagnate e si accinge ad accendere il fuoco. Si prepara un latte caldo, ci mette dentro un poco di cognac e del miele. Fuori intanto è diventato buio. Ora tocca a Fungo che non mangia dalla sera prima: gli prepara il pappone con la carne e il riso, poi prende i libri, i vocabolari e si appresta a lavorare alla traduzione del *Burlador de Sevilla*.

Iuro, ojos bellos / que mirando me matáis scrive diligentemente e si accinge a tradurre: *Giuro, occhi belli / che guardando mi uccidi...* sono le parole dolci di don Juan che si rivolge alla innamorata di turno, ma la sua testa è altrove. Non riesce a togliersi dagli occhi l'immagine di quel cane appeso all'albero, la lingua penzoloni, gli occhi strabuzzanti, la bava colante. Le parole serene di Cesidio sono svaporate ed è rimasto il cane nero appeso al ramo. Chi può essere così crudele da impiccare un povero cane innocente? E se c'è qualcuno capace di una simile gratuita efferatezza nei dintorni, anche se non si tratta di un avvertimento rivolto a lei, certamente non c'è da stare tranquilli. Un uomo che riesce a impiccare un cane, riuscirà anche a uccidere una persona o a rapinare una casa. Nonostante le parole rassicuranti di Cesidio, non si sente serena. Così si alza e decide di andare a trovare Maria Menica, un'altra persona che le ispira fiducia.

Maria Menica a casa non c'è. «Dov'è andata?» chiede al figlio Saponett' che gira per l'appartamento a torso nudo con una lattina di birra in mano, il naso forato da un tondino di ferro. Su un braccio bianco spiccano le ali di un falco dal becco aperto, l'occhio feroce.

«Guarda, Zà!» dice e le mostra come movendo i muscoli del braccio, il falco alzi e abbassi le ali.

«Ti ho chiesto dov'è andata tua madre.»

«A fare nascere un altro infelice. Come i cani questi vagliolelli, tutti li accarezzano, ci fanno le feste e poi una volta cresciuti, gli danno le polpette avvelenate, hai capito, sono troppi dicono, sono troppi e disturbano… merda che schifo di paese! Statte accorta col tuo cane, perché non guardano in faccia nessuno.»

«Lo conosci Sal?»

«Chi?»

«Sal, quello che viene spesso al Rombo, dove lavori tu.»

«Al Rombo non ci vado più. Da quando ho portato dentro un gattino schiacciato da un camion e l'ho pulito con i tovaglioli del bar, Marione mi ha cacciato via.»

«Ma lo conoscevi?»

«Il gatto?»

«No, Sal.»

«È na coccia de cazz'.»

«Allora lo conosci?»

«No. Ma dove sta lui spuntano fuori i guai.»

«Quali guai?»

«Non mi hai detto se la mia aquila ti piace.»

«Mi sembrava un falco. Dove te la sei fatta fare?»

«A Pescara. C'è uno molto bravo. Mi sa che conosce pure Sal.»

«Sal è di Pescara?»

«Non lo so. Ma una volta l'ho visto in città, da Ci'batt.»

«E chi è Ci'batt?»

«Uno di Touta che si è stufato di stare qui a rompersi le palle, è andato giù a Pescara, ha fatto un corso di tatuaggio e ha aperto un laboratorio. Ma vende pure un sacco di roba, è uno tutto matto, nel suo lavoro però è bravo.»

«Viene mai qui a Touta?»

«Sì, ogni tanto la domenica va da sua madre.»

«E Maria Menica dove la posso trovare?»

«Dopo il parto mi ha detto che andava a messa.»

Zaira si avvia verso la chiesa. Sono quasi le sette, l'ora della messa pomeridiana. La chiesa è popolata quasi solo da donne. Alcune vestite di nero, con la gonna e gli stivaletti da neve, sono sedute nelle prime file e aspettano l'arrivo di don Paolo, che da poco ha sostituito l'amatissimo don Pasqualino, morto di polmonite a novant'anni suonati. La messa comincerà tra poco. Vicino all'altare c'è Capp'litt', il figlio del pescivendolo, che traffica attorno all'altare portando piattini, accendendo candele. Ogni volta che passa davanti alla Madonna nera, fa un piccolo inchino e poi riparte. Si muove frettoloso, senza abbassare le spalle, girandosi e rigirandosi sulle piccole gambe robuste.

Zaira si siede in una delle file vuote, verso il fondo della chiesa e si guarda intorno. L'altare è sovrastato dalla gigantesca statua della Madonna nera provvisoriamente trasferita qui dal santuario. È strana: pur avendo la pelle dei neri d'Africa, ha i tratti somatici di una italiana ritratta da Giotto: occhi ovali, languidi, modesti, una boccuccia da bambina, la testa piegata umilmente sul collo, in braccio un vagliolello bianco come il latte. Una amica americana di Angelica, che faceva uno studio sulle Madonne nere, sostiene che la Chiesa ha sostituito il culto della dea Terra, adorata anticamente attraverso l'immagine di statuette color carbone, con quella della Madonna cristiana che ne ha preso così i colori e ha mantenuto il luogo del culto. È una bella statua lignea, della stessa epoca del frate benedettino

Cesidio che andò a chiedere protezione a papa Benedetto VII nel 980.

Da tanto tempo non entrava in chiesa. Dopo la morte di Angelica, forse. In quella notte insonne, al suo capezzale nell'ospedale di Pescina, guardando le fattezze di quel viso che si distendevano nel gelo della morte, aveva sentito sgusciarle via la fede. Le riusciva difficile credere a un Dio amoroso che si occupa del mondo e si china affettuosamente su ogni creatura. L'universo le era apparso improvvisamente in preda al caos, alla crudeltà e all'indifferenza. Non era riuscita a piangere. La gola era asciutta, gli occhi secchi. Le lacrime erano state tutte versate all'annuncio della sua morte. Che aveva trovato registrata, fredda e burocratica, sulla segreteria telefonica: «La signora Angelica Mitta ha avuto un incidente al chilometro 15 della statale per Pescara ed è stata portata all'ospedale di Pescina dove è deceduta nonostante le cure apprestate. Si pregano i parenti di venire a riconoscere la salma».

Ma cosa ci faceva, da sola, alle dieci di sera, su quella strada deserta? Forse voleva venire a Touta, probabilmente era ubriaca, la strada era ghiacciata. All'ospedale erano stati molto gentili. Un medico giovane, dalla voce paziente, l'aveva accompagnata nella stanza dove avevano cercato di rianimare la sua Angelica. E lì l'aveva vista, fra le lacrime e aveva notato che era fradicia come se fosse stata presa a secchiate. I capelli bagnati, la faccia pesta, le braccia livide, su cui spiccavano delle lunghe ferite pallide. L'avranno lavata, si diceva, l'avranno lavata, ma perché lavata? L'acqua scorreva a ruscelli dai capelli ramati, l'acqua la ricopriva, l'acqua usciva dalle orecchie candide, l'acqua le imperlava la gola, ma perché, perché si chiedeva sapendo che nessuno le avrebbe risposto. Il pensiero era fermo come un mulo che punta i piedi e resta lì sulla soglia di ogni parola, come incantato e perso. Le mani le tremavano tanto che non era riuscita neanche a togliersi il cappotto. Devo andare, devo andare, questa vista mi è insopportabile, non riesco a guardarla, non riuscirò mai a guardarla, ripeteva meccanicamente. Non voleva vedere sua figlia ridotta in quello stato. Nello stesso tempo le riusciva impossibile fare un passo verso la porta. Era rimasta in piedi, inchiodata accanto al letto mentre le infermiere finivano di vestirla, di pettinarla. Il giovane medico le aveva portato un caffè. «Vuole?» aveva detto gentile, chinandosi su di lei. Ma un gesto violento aveva mandato per aria la tazzina e il piatto che si erano rotti in mille pezzi. Il medico non si era spaventato. Si era limitato a schioccare la lingua contro il palato, come a tacitare un gatto infuriato e poi l'aveva lasciata sola con sua figlia.

Pensava che non ce l'avrebbe mai fatta a restare ferma davanti al cadavere di Angelica, in quella anonima stanza di ospedale. Ma le parole di Calderón l'avevano soccorsa: *Credo che i miei occhi siano idropici, perché anche se il bere significa morte, i miei occhi bevono sempre di più e così vedendo che il guardarti mi uccide, muoio dal desiderio di vederti.* Infatti era rimasta, e le aveva parlato come non le era mai successo in vita. Parole o forse solo pensieri di una notte dell'orrore da cui sarebbe uscita sfigurata, avendo accettato un dolore che non era accettabile.

L'aveva guardata tanto e con tanto amore questa difficile figlia morta, che le era sembrato di vederla sorridere. Perfino le ciglia si erano un poco mosse, come per uno sforzo estremo di aprire gli occhi. Ma questo non le aveva messo paura, anzi, si era inginocchiata vicino al letto e aveva preso fra le sue una mano del cadavere cercando di scaldarla. Come sono diventate grandi e dure le tue mani, Angelica, c'è dentro tutto il tuo tormento in queste mani, c'è dentro la massaia che sei diventata dopo essere stata una girovaga, una ribelle, una rivoluzionaria. Anche se sei lì gelata, vagliolella mia, io so che le tue orecchie, benché fatte di marmo, mi ascoltano. Hanno il colore grigio del marmo dei cimiteri le tue orecchie. Il colore della morte è il grigio, vero, lo sai anche tu, non è il bianco della pelle del Bambin Gesù, non è il nero della Madonna del monte Tranquillo, è il grigio sfumato di bianco di un marmo riottoso, rigido, elegante ma privo di pensiero. Chissà perché la tua morte è stata accompagnata da tanta acqua, come se fossi annegata in mare. Hai ancora i capelli bagnati, non hai freddo? Ti ricordi quando con Cignalitt' andavamo al mare a San Vito Chietino e montavamo sulla barca di Musc'tt e io remavo e tu mi raccontavi la storia del pescatore che trova un pesce con dentro un anello d'oro, te lo ricordi? ti buttavi a capofitto nell'acqua fonda e non ricomparivi più. Io mi affacciavo dalla barca terrorizzata e tu sbucavi da tutt'altra parte, come un tonnetto volante, i lunghi capelli fradici che ti rigavano la faccia, il collo. Ah mà, damme la cioccolata! era la tua frase preferita quando la pelle cominciava a fare i puntini per il freddo. Non ho mai conosciuto una bambina che mangiasse tanta cioccolata come te. Avresti vissuto solo di quello. Io te lo volevo negare, ma poi, il fatto che eri senza padre, senza casa, sempre sola... forse ti ho viziata, avrei voluto essere più severa con te, ma tu mi guardavi con gli occhi di una vittima e io cedevo, cedevo sempre. Ho sbagliato, credo proprio di avere sbagliato tutto con te, dal principio alla fine.

Forse non mi perdonavi di non avere capito di Cignalitt'. È questo che non mi hai mai perdonato, vero? Ma Cignalitt' era una persona generosa, ci ha sempre aiutate anche se non era mio padre. Cignalitt' ti voleva bene, adorava tua nonna Antonina, le faceva avere tutto quello che voleva, aveva accettato una figlia non sua. Ricordo ancora quando mi portava a cavalcioni e io dicevo «corri, corri Cignalitt'», e pretendevo che con me sulle spalle filasse giù per la discesa, con tutto il ghiaccio che c'era in giro e lui ubbidiva, per farmi contenta. E non è mai caduto, perché nonostante tutto era prudente e sapeva come ci si muove sul terreno gelato senza scivolare, non era nato anche lui qui, fra queste montagne? Mi ricordo ancora quando Antonina è morta e lui l'ha vegliata per due notti piangendo sempre, sempre, Angelica, non aveva più lacrime e continuava a piangere, con la faccia dentro quelle mani grosse che aveva, e la chiamava Antonina mia, Antonina mia! Io cercavo di consolarlo dicendo che ora stava meglio, era in paradiso la povera Antonina dopo avere tanto sofferto, era stata buona con tutti, certamente si trovava in un bel bosco celeste, dentro una bella casa, certamente aveva ritrovato sua madre, la macellaia che vestiva sempre elegante e suo padre Geremia col grembiule ancora sporco di sangue che preparava le salsicce. Ma lui continuava a piangere, il povero Cignalitt'.

La storia di famiglia ti appassionava. E io raccontavo, magari andando avanti e indietro come un gatto inquieto, ma tu non eri mai sazia. Com'era nonno Pitrucc' i pelus'? mi chiedevi. Era timido, robusto, sapeva fare tutti i lavori dei boschi, ma si era invaghito del comunismo. E nel suo cuore aveva coltivato un giardino fiorito dove gli uomini andavano nudi come in paradiso e si parlavano con amore e nessuno faceva del male a nessuno e tutti filavano in armonia. Per questo sogno rischiò di essere ucciso dai fascisti. Lo cercavano sia i tedeschi che volevano mandarlo in Germania, sia i compatrioti che volevano accopparlo, così non avrebbe diffuso l'idea del comunismo che per loro era un pericolo da evitare a tutti i costi. Ce li vedi i cavalli cosacchi che si abbeverano nella fontana di piazza San Pietro? La Chiesa, dicevano, con l'arrivo dei sovietici sarebbe stata distrutta, e i preti mandati in prigione, la gente che voleva dire una preghiera, avrebbe avuto la lingua mozzata. Se questo era il comunismo, sostenevano, bisognava fare di tutto per debellarlo, a costo di spiare, denunciare, calunniare, uccidere, ogni mezzo era lecito. Solo alcuni, fra cui Pitrucc' i pelus' e altri suoi giovani compagni che avevano letto libri, che avevano sentito parlare i vecchi saggi socialisti, solo loro sapevano quante menzogne propagassero gli ehia ehia alalà! Solo loro avevano coscienza che dentro quel programma egualitarista dall'apparenza drastica c'era un pensiero gentile e solerte, un moto di rispetto per tutte le diversità, una considerazione accorata per gli umili, per i miseri del mondo, per coloro che subiscono ingiustizie, per coloro che lavorano dodici ore al giorno guadagnando poche lire. Solo loro sapevano distinguere la forza che esplodeva nel segreto di questa utopia. Per questo Pitrucc' i pelus' fu costretto a partire per l'Australia, lasciando mia madre incinta.

Ora ci sarà da pensare a Colomba, la bambina che mi hai affidato, Angelica mia. Se tu l'avessi amata un poco di più, forse non saresti uscita ubriaca con la macchina. Ma non voglio rimproverarti, perdonami, voglio solo dirti di stare tranquilla, perché a Colomba ci penserò io. Le farò da madre e da padre, poiché Valdo non si fa più vedere.

Zaira si china sulla bella faccia ancora umida della figlia e le preme le labbra sulla fronte. Sembra di baciare una bacinella piena, ma da dove viene tutta quell'acqua? Non fare domande, continua a raccontare, ma', dimmi qualcosa di più sul nonno Pitrucc' i pelus'! le pareva che dicesse una voce senza voce e lei continuò.

Tuo nonno non sopportava l'ingiustizia, non sopportava il razzismo, non sopportava le angherie di quei prepotenti che gli dicevano come doveva vivere, cosa doveva leggere, come doveva pregare. E per questo si era iscritto al Partito Comunista abruzzese clandestino. Di nascosto andava alle riunioni che si tenevano a Ortona dei Marsi, per capire meglio la storia. Qualche volta arrivava fino all'Aquila, magari facendosi una giornata a dorso di mulo, con la scusa di vendere la lana delle sue pecore, in realtà per ascoltare Romolo di Giovannantonio. Ero bambina e sentivo spesso parlare di lui, era di Chieti ma presto era dovuto scappare in America, dove aveva partecipato alla formazione del Partito Comunista americano e poi era tornato in Italia per ricomporre quello abruzzese dissolto dal fascismo. Fu arrestato a Genova nel 1936. Io non ero ancora nata, ma, anni dopo, ricordo che ne parlavano in paese come di uno che aveva fegato, si faceva il carcere duro del Tribunale Speciale senza vendersi, senza tradire nessuno dei suoi. È morto di tisi nel 1942, ancora chiuso dentro il carcere di Pianosa.

Le riunioni del Partito si svolgevano in una cantina ingombra di sacchi di lenticchie e cataste di legna da ardere. Lì alcuni giovanotti asciutti e febbricitanti che venivano da Opi, da Pescasseroli, da Barrea, studiavano il comunismo sui testi di Marx, di Lenin, analizzavano le strutture economiche e le loro conseguenze sul destino dei popoli. Un insegnante, militante politico, raccontava la storia del loro paese fuori dagli schemi approssimativi e grossolani della scuola fascista. Raccontava cose che non stavano sui giornali. Cose che era proibito descrivere e perfino pensare. Per esempio come era nato il fascismo: Mussolini aveva cominciato a fondare i fasci di combattimento al tempo in cui amoreggiava con i socialisti e chiedeva il suffragio universale, la nazionalizzazione delle fabbriche e la confisca delle proprietà religiose. I suoi programmi avevano infiammato gli animi di molti che lo credevano un innovatore. Ma in capo a qualche anno si era rimangiato tutto, aveva fatto alleanza con gli industriali, con la Chiesa e col re Vittorio Emanuele III. Siccome intanto si avvicinavano le elezioni e gli industriali avevano paura di quello che stava succedendo in Russia, dove le terre venivano confiscate e i ricchi diventavano uguali agli altri, cioè poveri, gli promisero il loro appoggio se avesse abbandonato le sue idee socialistoidi e si fosse messo a capo delle loro fazioni anticomuniste. Così lui aveva creato i manipoli fascisti, le squadre di picchiatori che irrompevano nelle case del popolo e mazzolavano gli operai, randellavano i contadini, andavano per le strade, di notte a inseguire chi aveva fama di essere socialista o anarchico e lo costringevano a mandare giù una bottiglia di olio di ricino.

Questo aveva imparato tuo nonno sulla propria pelle. Da principio aveva sperato che gli operai ce la facessero a rispondere per le rime. Ma non fu così. Sembrava che la gente non vedesse, non capisse. C'era una febbre in giro, una febbre inarrestabile che contagiava ricchi e poveri, intelligenti e stupidi; era la febbre dell'esaltazione nazionalista, era la febbre del delirio di onnipotenza, «tenemm' pure nui i colonie!», era la febbre della guerra di aggressione, era la febbre dell'odio contro i diversi. Quella febbre aiutava il regime a consolidarsi. Infatti diventò man mano più arrogante e sicuro di sé: emanò le leggi antisemite, decise la chiusura forzata di tutti i giornali che non fossero asserviti, vietò la libertà di parola, la libertà di sciopero. Il paese si trovò in trappola senza neanche saperlo, bambina mia, e mi dispiace che nessuno te l'abbia mai raccontata questa storia, nemmeno tuo marito Valdo che pure era un sessantottino con le bandiere in testa. O forse eri tu che assieme alla lingua italiana, rifiutavi la storia del nostro paese, quasi ti fosse nemico. In trappola, ti dicevo, ci siamo trovati in trappola, nell'euforia delle nuove colonie, dei cerchi di fuoco e dei discorsi adulatori del Padre della Patria. Il momento più critico fu il delitto Matteotti, di cui Mussolini, con una sicurezza che rasentava l'incoscienza, si prese la responsabilità pubblica. Cosa che scandalizzò il Parlamento e la gente comune. Ma non abbastanza da ribellarsi alla dittatura montante. Bene o male gli italiani si adeguarono, per paura, per viltà, per pigrizia. C'era anche chi era entusiasta e marciava per le strade credendosi un romano redivivo dei tempi dell'impero, pronto ad assoggettare e dominare il mondo intero. Ma era una pura velleità perché dietro non c'erano né il denaro né la potenza militare, né la cultura, né la capacità politica del grande popolo antico che aveva saputo a suo tempo conquistare il mondo.

Una prima volta gli hanno spezzato un braccio a mio padre Pitrucc' perché non aveva fatto il saluto romano al passaggio della pattuglia col gagliardetto. L'avevano preso di mira e quando potevano, lo insultavano. Lui girava alla larga, non rispondeva. Ma continuava ad andare a vendere la lana all'Aquila, e tornava due giorni dopo col cappotto pieno di manifestini che distribuiva di nascosto al mercato. Poi un giorno qualcuno gli fece la spia. La polizia per fortuna non lo arrestò subito perché sperava che sorvegliandolo, li avrebbe portati ai capi della resistenza. Lui capì e vendette in prescia in prescia, sottocosto, le sue pecore, per comprarsi un biglietto per l'Australia. Intanto fingeva di continuare ad andare a vendere la lana all'Aquila col mulo.

Zaira tirò un sospiro e si rese conto che il peggio era passato: se riusciva a continuare col filo della memoria, la morte di sua figlia non l'avrebbe uccisa ma sarebbe diventata parte di una storia da ricordare, da raccontare. Perciò andò avanti, cercando di rammentare tutti i particolari di quel passato che apparteneva a lei come ad Angelica.

Ti ricordi di Cignalitt' che veniva a casa nostra portando i confetti di Sulmona dai colori dell'arcobaleno per farti contenta e si metteva pure a quattro zampe per terra e tu gli salivi in groppa pretendendo che facesse il cavalluccio? Proprio come avevo fatto io da bambina. Lo spingevi a correre per tutta la casa gridando Brr, brr, va' va'! Una volta lui sbatté la testa contro lo spigolo di un tavolo, te lo ricordi? e si fece uno spacco sul sopracciglio. E tu eri così spaventata da tutto quel sangue che non sapevi cosa fare. Io sono corsa a prendere il ghiaccio e quando sono tornata ti ho trovata vicino a lui che lo baciavi sulle guance: «Cignalitt' Cignalitt', no' te morì!» gridavi e piangevi pure, te lo ricordi?

Ogni anno ti comprava i libri per la scuola, e quante volte, quando non avevo i soldi per pagare l'affitto, interveniva lui. Con quelle ditacce a salsiccia contava le carte da diecimila e faceva la faccia seria seria. «Ecco qua Zà, mò state tranquille pe ne poch' tu e Angelica...» Era sempre pulito, aveva un buon odore di spigo. Salvo negli ultimi anni, dopo quella malattia agli occhi che lo aveva fatto diventare scorbutico e trasandato. Poi aveva preso la strada dello Z' Marì e qualche volta lo portavano a casa che non si reggeva in piedi. Chi poteva pensare che ti avrebbe messo le mani addosso! Ma non parliamo più di lui, Angelica mia, hai ragione, ti si sta rattrappendo il sorriso. Parliamo di noi due, di quando abbiamo raccattato tre gattini per strada che la madre gatta era stata messa sotto da una macchina e ce li siamo portati a casa, ti ricordi? e tu passavi ore a dare loro il latte tiepido con un contagocce. Uno è morto ma gli altri due sono vissuti, te lo ricordi?... Come sei bella! Sapessi come sei bella, Angelica, non ti ho mai visto così splendente dal tempo in cui ti eri innamorata di Valdo ed entravi in casa spalancando la porta con un calcio, gridando: «Oh mà, addó sì?». Hai sempre avuto un rifiuto testardo e maniacale per la lingua italiana. «Parla pulito!» ti dicevano a scuola, e tu rispondevi che per te il dialetto non è sporco. E non hai mai rinunciato, pur prendendo sempre otto in italiano, pur frequentando fattivamente l'università. Perfino quando ti sei innamorata di un professore di filosofia che si esprimeva con un italiano libresco, non hai smesso. Ma forse Valdo, nella sua esaltazione sessantottesca, si era invaghito proprio di quel tuo modo di parlare popolaresco: non eri una operaia della casa? La tua fabbrica non era la cucina piena di pentole? Eppure a me piace pensare che la tua non fosse solo una impuntatura ideologica. Mi piace pensare che dentro alle tue infelicità senza rimedio covasse una imprevedibile e disordinata allegria linguistica a cui non hai mai voluto rinunciare.

È il momento in cui mi hai parlato di più, quando ti sei innamorata di quel professore scanzonato e intelligente che facendo l'amore ti raccontava dello Zar Pietro il Grande. La storia non ti aveva mai interessata fino al momento in cui ti sei imbattuta in un uomo colto che mescolava la storia alla vita quotidiana. «Le sa'» mi dicevi entusiasta, «Valdo m'ha ditte ch' 'l Zar Pietro di tutte le Russie, tant' odiava la capitale Mosca ca s'è miss' a costruì de sana pianta na città gnove gnove all' parte cchiù paludosa de' la Russia.» E mi raccontavi affascinata di come Pietro il Grande avesse costretto migliaia di schiavi a scavare, ripulire, drenare quel terreno paludoso, fra le zanzare e le sanguisughe, la mota e la malaria, per fare sorgere dal nulla la più bella città del mondo: Pietroburgo. «M'ha ditte ca me ce porta, sì capite mà, me ce porta.» A Pietroburgo sareste andati insieme a visitare la casa di quella poetessa che a lui, a Valdino piaceva moltissimo. Tanto che ne avevi imparato a memoria decine di rime, in russo e in italiano: *Portami un sorso della nostra pura / fredda acqua della Nevà / e dalla tua testolina color d'oro / laverò i segni del sangue...* L'ho imparata pure io a furia di sentirla ripetere.

Mi hai chiesto tante volte di Roberto Valdez, tuo padre. Non so perché te ne ho parlato sempre poco, forse speravo che non ci pensassi, che l'avessi dimenticato. A che serve vagheggiare un padre che non c'è? Un altro scomparso della mia vita. Come si ripetono le cose attraverso le generazioni, quasi un destino, una fatalità che si tramanda da padre in figlio, da madre in figlia. Da noi è successo più volte che le ragazze siano rimaste gravide senza volerlo, è una storia di famiglia, Angelicucc', che si ripete di generazione in generazione. Non so nemmeno se sia una maledizione o una benedizione. Neanche io, che pure ti ho avuta con tanta gioia, sono riuscita a trattenere tuo padre e a sposarlo. Quando sei nata tu, Roberto Valdez era già sparito. Era un bravo musicista sai, mi pare anche di avere letto sul giornale una volta negli anni Sessanta che un suo concerto a Tunisi aveva riscosso un grande successo. Le mani lunghe e bianche, gli occhi tondi e seri, da uccello che, quando era innamorato, si facevano ridenti e affettuosi.

Pietr' i pelus' è stato forse il solo a conoscere i due genitori. Ma se n'è andato giovane! Pitrucc' i pelus' suo figlio è stato sfortunato, è cresciuto senza madre né padre, due persone sparite in una giovane vita solitaria. Perché prendono il volo gli affetti? perché se ne vanno le madri, i padri, i mariti? Anche Colomba ha visto fuggire suo padre Valdo, ha visto morire sua madre. Ora è scomparsa pure lei e io sono qui come una mula testarda a cercarla per tutte le montagne dell'Abruzzo. Forse con lei, attraverso di lei, cerco tutte le persone amate che sono scomparse dalla mia vita senza lasciare una traccia, un indirizzo. Dove sarà andata tua figlia, Angelica?

La giovane madre ha messo le rughe. Si è incurvata. Cammina a piccoli passi appoggiandosi a un bastone. Mamma, che ti è successo? Lei mette una mano all'orecchio. Eppure la sua voce è cristallina, suona squillante e decisa all'orecchio della figlia.

«Racconta, ma', ti prego.»

La madre risponde che è stanca, che deve andare a dormire. Ma la figlia insiste. Lo so che hai ancora delle storie da raccontare. Colomba? dov'è finita Colomba? La madre sorride sorniona. Ha gli occhi rotondi turchini e una grande allegria che le scoppia sotto la pelle.

«Racconta, ma'.»

La madre dice che sono secoli che stanno lì in quella stanza, una sdraiata sul letto e l'altra seduta a raccontare storie. Nel frattempo sono spuntate le radici sotto le scarpe. La bambina gongola perché sa che quelle radici la terranno ancorata alla stanza per altri secoli, chissà quanti, ascoltando storie sempre più corpose e articolate.

«Racconta, ma'.» Il lenzuolo ha fatto delle pieghe difficili da spianare. La coperta scivola dal letto coi suoi colori tenui, gentili. Sulle piccole foglie gialle stampate nella stoffa, sono nati dei funghi dalla cappella perlacea. Come saziare la mente assetata di una bambina che non si decide a spiccare il volo?

Quando Zaira apre le persiane alle sette di mattina, scorge un uomo che sta dirigendosi lentamente verso casa sua. È magro, anziano, in mano ha una valigia. Cammina a passi insicuri, cercando di non scivolare sul ghiaccio che ha messo su delle croste dure e spesse lungo lo stradino che conduce al fienile. Chi può essere a quest'ora della mattina? Prende a vestirsi in fretta, continuando a spiare dai vetri. Cesidio è già passato, lo vede dalle tracce degli zoccoli sulla neve. Lo sconosciuto avanza con precauzione. Ogni tanto si ferma, posa la valigia e tira un gran respiro, poi riparte, attento a non scivolare. Ai piedi porta scarpe da viaggio di pelle nera, leggere leggere. Ora lo vede in faccia, ha qualcosa di familiare, ma non saprebbe cosa. Comunque non è uno del paese.

Poco dopo eccolo che suona alla sua porta. Zaira scende le scale a precipizio. Dovrebbe forse chiedere chi sia, prima di aprire. Ma curiosamente non ha nessuna paura. Per istinto quell'uomo le pare affidabile. Spalanca la porta e si trova davanti un signore anziano, stanco, con due occhi cerulei, bellissimi.

«Só Pitrucc' i pelus', tu sì Zà?»

«Vieni dall'Australia?»

«Vengh' dall'Australia.»

Zaira si fa da parte trasognata lasciandolo entrare. Poi, vedendo che lui ha posato la valigia sulla soglia, la prende e la porta dentro.

«È pesante, che ci hai messo le pietre?»

«La sì ricevuta la lettera?»

«Quale lettera?»

«Te deceve ca reveneva.»

«Non l'ho ricevuta.»

«Magar' arrive doppe de mì.»

«Siediti, Pitrucc', vuoi un caffè?»

«Un caffè, thank you.»

Mentre prepara il caffè Zaira lo guarda di sottecchi. Quell'uomo dunque è suo padre, il famoso Pitrucc' i pelus' di cui le hanno tanto parlato, di cui sua madre Antonina è stata sempre innamorata, che è scappato nel 1940 in Australia, prevenendo i nazifascisti che volevano fucilarlo.

«E perché sei tornato?» La voce le esce dalla bocca inquisitoria, poco amichevole. Vorrebbe essere affettuosa, vorrebbe abbracciarlo, ma c'è qualcosa che glielo impedisce. Da dove sbuca quest'uomo sconosciuto? perché non ha avvisato? perché si presenta a casa di una figlia mai vista, abbandonata prima di nascere, senza dire niente? non è una prepotenza?

«I want to die at home, Zà, me voglie morì a ccasa mè.»

«Sei malato?»

«No, ma só old assai.»

Zaira lo guarda mentre con le mani che tremano solleva la tazzina del caffè e se la porta alla bocca. Un uomo che deve essere stato bellissimo, asciutto, elegante, ora le sorride dolcemente strizzando un poco i limpidi occhi azzurri.

«E intendi stare qui da me?»

«Where else? addó se no?»

«In tutti questi anni non hai mai scritto una lettera, una cartolina. Dicono che ti sei fatto un'altra moglie e dei figli. Antonina è morta di dolore. Manco ti sei informato se era maschio o femmina il figlio che le hai lasciato in pancia.»

«Nonsense, Zà... ora só qua, stengh' ecch'. Non conta cchiù nend. Abbracciame figlia mé!»

Pitrucc' i pelus' si alza, si avvicina alla figlia e l'avvolge in un abbraccio commosso. Zaira lo lascia fare, ma non prova niente per quell'uomo venuto fuori dal nulla. Quando si scosta da lui, vede che piange.

«Assettati, Pitrucc', vuoi qualcosa da mangiare?»

«Raccontame, Zà.»

«Non sai niente di niente?»

«No news, Zà, quande s'è morta Antonina?»

«Nel dopoguerra.»

«Ma prima s'è sposat' co Cignalitt', queste le sacce.»

«Si sposò con Cignalitt' che pure lui morì pochi anni fa.»

«E tu te maritaste, Zà, my child?»

«Io no. Ho fatto una figlia che si chiama Angelica. È morta nel '95.»

«Tanti morti, tanti morti, all dead. Mogliema s'è morta gl'anne passate. Figlieme s'è morte co 'n incidente. Figliema s'è partita pe i Canada. Angelica nun s'è maritate?»

«Angelica sì, con un professore, Valdo Mitta, hanno avuto una figlia che si chiama Colomba.»

«Comm'a la santa degl' Gran Sassi ch' ce facievame i pellegrinagg' quann'eravame cichi?»

«Sì, come la santa del Gran Sasso.»

«We use to go ch'i carrette, we called them i bichi, na jernate d' viagge pe arrevà a le grotte. Sopra la bica cantavame, pregavame... era na festa grossa. Addó sta i marite?»

«In Francia.»

«E addó sta Colomba?»

«Colomba è sparita, Pitrucc'.»

«Come sparita? addó sta?»

«Non lo so, la sto cercando. È sparita. Una mattina sono scesa, ho trovato il caffè sul tavolo, la giacca appesa nell'ingresso, non l'ho più vista.»

«Bad, bad news. Ma perché?»

«Non lo so Pitrucc', no l' sacce.»

«E nonna Zaira?»

«Morì vecchissima, nel '75. Parlava sempre di te, che ti aveva cresciuto dopo la morte di Pietr' i pelus' tuo padre in guerra e quella di Pina tua madre.»

«Só patita la separazione Zà, perciò nun ce voleve penzà.»

«Perché non sei tornato dopo la guerra?»

«E lo jobbo? e la casa? e i debbiti? e i figlie?»

«Sarai stanco. Vuoi metterti un poco disteso? Puoi stare

nella stanza di Colomba. Ma se lei torna ti devi trovare un altro posto.»

«Mò m'addorme, po' ne parleme, Zà, you go away? Sta' a scì?»

«Vado a cercare Colomba.»

«I addó?»

«In montagna.»

«Vengh' co ttì.»

«No, dormi. Io devo continuare con gli spicchi, qui, lo vedi sulla carta. Tutti questi spicchi li ho già ispezionati. Senza risultato. Devo ancora fare palmo a palmo queste zone qui, oltre il monte Ninna e dentro la foresta del Gran Lupo.»

«All right, I wait. Addó sta i toilette?»

«Vieni, ti faccio vedere la stanza. Il bagno sta nel corridoio.»

Sono mesi che Zaira non entra nella camera di Colomba. Aprendo la porta viene raggiunta dall'odore di lei, quel misto di olio di mandorle dolci e acqua di colonia alla verbena che ha sempre portato addosso. I suoi vestiti ne sono impregnati. Si avvicina al tavolino accanto alla finestra e solleva una foto di Colomba sorridente, gli occhi socchiusi per il sole, una maglietta bianca con su scritto Snoopy. «Ti assomiglia un poco» dice guardando il padre, «gli stessi occhi.» Intanto, osservando meglio la fotografia si accorge che sul fondo, quasi invisibile, c'è una figura di uomo, di spalle, che non aveva mai notato. Avvicina la foto alla luce. Ha la testa rasata l'uomo della foto e un orecchino al lobo destro. Che sia Sal? Ma che ci fa in quella foto che è stata scattata a Firenze negli anni dell'università?

Intanto Pitrucc' si è allungato sul letto, vestito e calzato. Ha chiuso gli occhi e sembra dormire. Zaira gli si avvicina in punta di piedi, gli sfila le scarpe bagnate, gli stende una coperta addosso e si chiude la porta alle spalle.

È mio padre, il mio vero padre, continua a ripetersi ma non prova emozioni. È l'uomo per cui da adolescente ha raccolto i soldi, anno dopo anno, centesimo su centesimo, per poterlo raggiungere, conoscere. È l'uomo che ha sognato nelle sue notti di vagliolella, l'uomo per cui era pronta a lasciare tutto pur di potergli parlare un momento. Ora è qui, stanco, arreso e non le suscita nessuna commozione. Anzi, pensa con un certo fastidio che adesso dovrà occuparsi di lui, sarà ostacolata nella ricerca di Colomba, dovrà fare la spesa per due, dovrà consolarlo, accudirlo.

I piedi la portano quasi automaticamente da Maria Menica. Spera di incontrare Saponett' che conosce Sal. Cosa aveva detto a proposito di un paesano che fa i tatuaggi a Pescara?

Maria Menica non c'è, come era da aspettarsi. Saponett' sta ascoltando un disco a volume altissimo e intanto intaglia un piffero. Ha l'alito che puzza di vino.

«Tua madre dov'è?»

«Stavolta non è un parto ma 'n aborte. È uno che prima d'escì ci ha ripensato.»

«Dove sta Menica?»

«Da Aidano il falegname. La moglie ha avuto una moraggia d'aborte.»

«Se fosse per te, non lo faresti nascere, eh?»

«Meglio che se ne rivà da dove è venute. Che ce vié a ffà a ste paese de merda?»

«Perché ce l'hai tanto con questo paese? Ci sei nato, ci sei cresciuto e poi è così bello.»

«Nessuno si occupa dei fatti suoi a Touta, Zà, tutti stanno a spià tutti. Nun sei libero de fiatà! E poi qua odieno gl'animali. Se potessero gl'accidesse tutte. I cinghiali li sparano ogni momento, gl'orse só protetti ma che ce fà, ogni tanto ne accideno a une, i cervi li pigliano a pallettoni per rivendere la carne, i cani l'avvelenano perché disturbano. Pure de me si sarebbero disfatte, che ce vuole: una polpetta avvelenata e via. Ma tengheno paura de mamma mè, che po' chi glieli tira più fuori le quatrane alle moglie sé?»

«L'hai rivisto Sal?»

«No.»

«Mi hai detto che va spesso in un laboratorio di tatuaggi a Pescara.»

«Da Ci'batt', sì.»

«E mi hai anche detto che lui viene qualche volta a Touta.»

«Viene di tanto in tanto a trovà su' madre.»

«E dove sta sua madre?»

«Di lato al mattatoio. Addó ce só le case nuove.»

«Ci vado.»

«Zà, viene un momento in cucina, te voglie fà vedè 'n gufo che ho raccolto mezzo morto nel giardino de casa; gli hanne tagliate le ali. L'ho curato, mò sta meglie. Lo vo' vedé?»

«Ma sì, fammelo vedere.»

Saponett' la precede in cucina dove stagna un odore forte di cavolo. Lo vede subito, il gufo, appollaiato su un trespolo traballante che gli ha costruito Saponett'.

Ha le piume di un bel grigio dorato e la testa tonda con due strisce bianche che la attraversano per il lungo, un beccuccio minuscolo, due occhi di forma circolare, di un marrone rossiccio, due orecchiette a virgola dritte sulla testa.

«È bello, dove l'hai trovato?»

«Era caduto dal nido, gl'hanne tagliate le ali, ma poi se só stufati de tenerlo e l'hanne jettate nel giardino di don Filippo. Vedi un po' tu, questo se more, me fa il prete. E invece nun s'è morte. Gli ho dato i vermi, devi vedé come magna!»

«Appena cresce, lascialo libero.»

«E che lo tengo prigioniero a ste poste schifuse? Tempo di farglie ricresce l'ali. Per lo meno isse pò volà libbero!»

«Sei strano tu Saponett', lo sai. Ami tanto gli animali e te ne stai sempre chiuso in casa a sentire musica. Ami tanto i cani, ma li lasci morire avvelenati.»

«Non pozz' farci niente Zà, per i paesani mé un cane è meno che un verme. I gufi poi li hanno uccisi tutti con gl'incendi de' boschi. Io, ch' só amico degli animali, só meno che un verme.»

«Sal ti ha mai detto qualcosa di Colomba?»

«Sal non parla mai de nend.»

«Ma sai qualcosa di lei?»

«Per me s'è morta, è inutile continuare a cercarla. Tutti dicono che sei ne poch' pazzariella, Zà, che stai a cercà na cosa ca nun gè.»

«Intanto non è una cosa ma una persona e poi chi lo dice che è morta? hanno forse trovato il cadavere?»

«Se me paghi vengo con te pe i bosche a cercalla.»

«No, lascia stare. Vado da sola.»

«Ma è le vere ca s'è revenute patrete dall'Australia?»

«Come lo sai?»

«Lo sanno tutti in paese. Pare che è arrevato al Rombo, ha posato la valigia e ha detto: Addó sta figlieme Zaira Del Signore? Uno gli ha gridato: ma guarda ca quella è figlia di Cignalitt'. Nun me emporta, songh' i patre in spirite, ha risposte accuscì, na bella mossa eh?... ma tanto in paese lo sapevane tutti ca Cignalitt' s'era maritate a Antonina ch'era incinta de Pitrucc' i pelus'.»

«Lascialo libero quel gufo, mi raccomando!»

Zaira si allontana inseguita dalla tosse nervosa di Saponett'.

I piedi la portano verso il vecchio macello. Di fronte stanno costruendo delle case nuove. In una di quelle casette a schiera ci abita una cugina di sua madre. Suona. La vede affacciarsi alla finestra, coi bigodini in testa.

«Ah, Zà, quant' temp' che nun te vedeme. Saglie, saglie, i portone è apert'.»

Zaira sale la rampa di scale che la conduce al primo piano. La porta è spalancata. Dentro, fra le mattonelle appena lavate, ecco la magra e spipirinzita Niculì: piccola, gioviale, i capelli tinti di un rosso improbabile, le pantofole ai piedi. Purtroppo sarà difficile sfuggire alle chiacchiere della donna, lo sa già.

«Comm'è che te sì ammattata a venì. Non te vedem' mai.»

«Qua accanto ci abita la madre di Ci'batt', quello che ha messo su un laboratorio di tatuaggi a Pescara?»

«Sì, Jolanda Ci'batt'. Sta propria ecch' vecine. Te la chiame?»

«No, ci vado da me.»

«Ma è le vere ch' revenne Pitrucc' i pelus' dall'Australia?»

«Anche tu lo sai?»

«S'è fatte vecchie, ma è ne begl'ome. Te lo vo' tené a casa tè?»

«Non lo so, Niculì, come stanno i tuoi figli?»

«Bene. La cchiù grossa se n'è ita a Londra a 'mpararse l'inglese. I seconde lavora agli imbiante come maestre de sci. I cchiù cich' studia architettura a Pescara.»

Solo dopo avere preso un altro caffè e avere assaggiato una torta fatta con la farina di ceci, Zaira riesce ad andare via con molti saluti e raccomandazioni.

«Chi è?» urla nel citofono Jolanda Ci'batt'.

«Só io, Zaira. Mi ci fate parlare un attimo?»

«Sali, sali.»

Zaira si arrampica sugli alti scalini di pietra. Si trova in un tinello tirato a lucido, ingombrato da un enorme televisore che gravita sopra la tavola da pranzo apparecchiata per due. Quindi il figlio è a casa. O si tratta di un altro familiare?

«Volevo parlare con suo figlio.»

«Sei fortunata, sta qui, si lava le mani. Non ci viene mai da su' madre, ma oggi m'ha fatto la grazia.»

Proprio in quel momento eccolo che entra nel tinello scaldato dalla stufa a legna: è un giovane massiccio, il collo taurino, i capelli a spazzola, la bocca larga, gli occhi corruschi.

«Volevo sapere se conosci Sal.»

«Sal? Sal chi?»

«Perché, ce n'è più di uno di Sal?»

«Sine, lo conosco, ma che vol' d'isse?»

«Vorrei parlargli.»

«Ma quello va e viene, non se sta mai fermo. È da un pezzo che non lo vedo.»

«Se capita da te, digli che lo sto cercando.»

«Tu sì Zà, la mamma d'Angelica, quella che s'è morta d'incidente co la machina?»

«La conoscevi?»

«Era proprio una bella vagliola. Si dice ca s'è accisa. Sarà vero?»

«Ora devo proprio andare. Grazie dell'informazione. Arrivederci.»

Zaira si avvia verso casa, pensosa. Come al solito non ha cavato un ragno dal buco. Qui nessuno parla. Sembra che le parole perdano qualcosa di essenziale se, uscendo dalla bocca, si trasformano in suono intelligibile.

A casa trova Pitrucc' seduto a tavola che mangia pane intinto nell'olio. Capisce dai suoi gesti che non ha nessuna intenzione di andarsene. Rimarrà lì da lei, ormai fino alla morte. Per lo meno la aiutasse a ritrovare Colomba!

«Sì ita a caminà?»

«Sì, a passeggiare, Pitrucc', per dare aria alla testa.»

«Me sento at home, Zà, come se te canoscesse da sempre.»

«Quanti anni só, Pitrucc', sessanta? Manco ti ricordi più l'italiano.»

«Sessant'anni, too much, my girl»; con gesti lenti tira fuori da una tasca un portafoglio logoro e slabbrato, ne estrae una piccola fotografia in bianco e nero e gliela porge. «Have a look, Zà.»

Zaira prende in mano la foto. È Antonina dalla faccia ancora infantile, gli occhi a mandorla, dolci e color della notte, i capelli raccolti in una lunga treccia che le scende sulla spalla, la bocca perfettamente disegnata. Una Madonna medievale che poi si era prosciugata, ingrigita, aveva fatto una pelle di cartapesta. Meglio che non l'abbia vista quando era malata, sembrava un fantasma.

«Mia madre Antonina.»

«She was beautiful Antonina, na bbelle femmina.»

«Pitrucc', cosa hai fatto in Australia?»

«Oh nend… wood wood, sempre tagliato legni. Po' só ite a Mosca, pe vedé gl'idole mì, Lenìn. Ma invece d'isse só viste ch' le mura d'lla galera. M'hanno arrestate pe spia, na vera carognata!»

«E come hai fatto a tornare?»

«Du' anni de gulag e poi puff, via, go away!... Só caminate caminate pe mese e mese, só faticate nelle railroads, só piantate cavole, i po' na ship grandissima m'ha portate a Melbourne.»

«Ora riposati. Vuoi che ti porti su la valigia?»

«Só reportate ne poch' de sold', Zà, diecimila dollare. Li deng' a ttì.»

«No, tienili tu. Se poi li perdo?»

«Perché? a daughter is a daughter, sì figlieme o no?»

«Intanto co sto mezzo inglese Pitrucc' mi dai proprio fastidio. Cerca di imparare l'italiano. E voglio sapere: quanto ti fermi qui? e poi: sei malato? Io non posso fare l'infermiera, capito?»

«Ti só portate le quatrine pe te.»

«Dei soldi non me ne faccio niente, Pitrucc', ho da fare, non posso passare il tempo a curarti.»

«I stengh' bbone Zà. Solo 'n poch' the heart, il cuore, ma nend de grave, nun voglie nend, sule na casa i a ttì.»

«Va bene, Pitrucc', ma devi aiutarmi a trovare Colomba.»

«T'aiute, I'll do it. Promisse!»

Che era malato di cuore l'ha capito quando, dopo avere fatto due passi sullo stradino fuori casa, aveva cominciato a respirare come un bisonte portandosi una mano al petto.

«Sei stato da un medico Pitrucc'?»

«Só state.»

«E che ti ha detto?»

«Magna poch' i non fumà.»

«Vuoi che andiamo all'ospedale di Pescina? Conosco un medico molto bravo e molto paziente, si chiama Angelo.»

«Nend ospetale, nun me piace gl'ospetale. Me voglie morì 'n pace.»

«Allora riposati che io vado a fare le mie ricerche. Stasera ti cucino una buona cena, va bene? Ti lascio le chiavi di casa.»

«Zà! voglio dì ca só contente de sta ecch' co ttì.»

«Anch'io, Pitrucc', sono contenta. Ti ho tanto aspettato.
Ora sei arrivato. Forse è un po' tardi ma va bene lo stesso.
Adesso dormi. Ci vediamo nel pomeriggio!»

La giornata è bellissima. La temperatura è scesa parecchio al di sotto dello zero. L'aria è tersa, pulita e si cammina
bene sulla neve solida, senza bisogno di racchette. Fungo la
precede col muso per aria, anche lui contento di non dovere
saltare come un canguro per non sprofondare. Il pericolo è
di scivolare. Ci sono delle lastre di ghiaccio in discesa che,
coperte di ghiaia o di un leggero strato di terra trasportata
dal vento, sono insidiose sotto i piedi. Si rischia di arrivare in
fondo a ruzzoloni.

Il suo pensiero va al vecchio padre che è tornato per morì
at home come dice lui. Non ha affatto l'aria del moribondo.
Ma cosa hanno da dirsi due persone che, pur essendo padre
e figlia, non si sono mai conosciute né frequentate?

I piedi procedono decisi, arrampicandosi sulle rocce
scoscese, attraversando gli improvvisi praticelli innevati,
inoltrandosi dentro boschi abbandonati il cui suolo è fatto
di neve appallottolata e di rami secchi che si spezzano sotto
le scarpe. Il cielo è turchino, pulito, senza una nuvola. È un
piacere camminare su per i fianchi di una montagna che suggerisce l'idea dell'immortalità. L'immortalità della pietra,
non certo la sua che, anzi sente insidiata continuamente da
venti rabbiosi e ostili. Sono i venti della memoria.

La donna dai capelli corti insegue con un poco di apprensione l'intrepido suo personaggio che si inerpica su
per i pendii ghiacciati delle montagne abruzzesi. Non sembra che ci sia molta differenza fra lei e un viaggiatore del
XVIII secolo, come il barone svizzero Carlo Ulisse De Salis
Marschlins, per dirne uno. Il barone parla di "terre imper-

vie, misteriose e inaccessibili". Solo per andare da Roma al lago del Fucino ci si metteva cinque giorni di cavallo. E ce ne volevano altri cinque per conquistare le alture, dove adesso Zaira cammina munita di scarponcini dalla suola di cacucciù a carro armato. Una volta abbandonate le strade e i tratturi, oggi come allora, per chi viaggia a piedi le difficoltà sono le medesime.

L'autrice osserva da lontano il suo personaggio che si arrampica con decisione, munita di un bastone che le fa da appoggio e da apripista. La vede fermarsi a cogliere le bacche rosse dell'acerola, succhiarne una e poi sputare la buccia che forma una piccola macchia rossa sulla neve immacolata. Ma le soste non durano mai più di qualche minuto. Poi riprende, più decisa di prima, un passo dopo l'altro, un passo dopo l'altro. Una determinazione così ferma non l'ha mai incontrata. Se fosse stato per lei, avrebbe già abbandonato la ricerca. Fra quei boschi inospitali, sempre sola, col rischio di cadere e farsi male o di incontrare qualche animale selvatico. Giorni fa all'alba ha visto di lontano ai margini del bosco vicino casa un gruppo di lupi azzannare e sbranare una povera vitellina che era ancora malferma sulle zampe. Ha incontrato branchi di cinghiali affamati. Ma Zaira non sembra avere paura e procede rapida, decisa.

La donna dai capelli corti sorveglia da lontano quella figurina azzurra che procede tra i faggi centenari, sotto il fianco sporgente del monte. Ma i suoi occhi presto la perdono di vista. Dove si sarà inoltrata? A questo punto è quasi convinta anche lei che Zaira sia una mitomane, una che pesta l'acqua nel mortaio dell'immaginazione con l'idea presuntuosa di sfidare il mondo intero. Se la nipote stessa l'ha pregata di non cercarla più, perché insiste? perché caparbiamente persevera in quella sua ricerca fra i boschi innevati?

Fungo saltella intorno a Zaira agitando la coda. Ma poi improvvisamente si accuccia per terra annusando accanito qualcosa: l'impronta di un piede? Zaira si china cercando di scostare il cane e si trova davanti una macchia di sangue ormai trasformatasi in un piccolo punto rosso contornato da un alone rosa. Accanto, l'orma di uno zoccolo.

Zaira si guarda intorno. Poco più avanti, sulla destra scopre un'altra macchia di sangue. Diventano più numerose le tracce di zoccoli nella neve. Quindi è da quella parte che è andato l'animale ferito.

Prende a camminare adagio, cercando di non fare rumore, seguendo le chiazze di sangue che mano mano diventano più numerose. Poi ecco, la neve si arruffa, ci sono schizzi rossi da ogni parte, orme di scarponi che vanno su e giù e poi segni di un corpo trascinato sulla neve fresca. Chiaramente dei bracconieri hanno ucciso un cervo e l'hanno trascinato a fatica per metri e metri. Ma dove l'hanno nascosto? Lì sembrano finire le orme e non c'è strada su cui possano essere saliti con i fuoripista. Fungo intanto continua ad annusare, in silenzio, ma ora gira intorno, anche lui stupito che quelle tracce si dissolvano nel nulla.

Zaira prende a osservare il terreno compatto, i faggi che si infittiscono. Il bosco è denso di tronchi massicci da quelle parti, ma ad un certo punto il terreno si alza come un'onda breve e le pietre tondeggianti sbucano dalla neve quasi a costituire un muretto. Si avvicina al gradone naturale e camminandovi a lato improvvisamente scorge una apertura angusta munita di ripidissimi scalini di pietra che spariscono sottoterra. È chiaro che la bestia uccisa è stata trascinata là dentro.

Scendere così senza sapere cosa troverà, le sembra una imprudenza eccessiva anche per una incosciente come lei. E difatti, mentre se ne sta ferma sul buio dell'apertura, sente nell'orecchio la voce rabbiosa del pennuto che la ammonisce: Non scendere, non fare la scema, quelli hanno i fucili! Ma sebbene con prudenza, intende andare a vedere. Perciò si mette in ascolto davanti alle scalette, cercando di captare un suono, una voce. Il silenzio è assoluto. Allunga una mano per toccare una macchia di sangue raggrumato sul primo gradino. Al tatto si direbbe che la mattanza è avvenuta uno o due giorni fa. Non è sangue fresco.

Dopo una buona attesa con l'orecchio teso, Zaira si accinge a scendere le scale. Ma prima di calarsi in quello stretto pertugio prova a dare una voce: «C'è nessuno?». Dal buio non sale risposta. D'altronde, se ci fosse qualcuno, Fungo abbaierebbe. E invece il cane è assolutamente silenzioso e incuriosito quanto lei da quella fessura nel terreno.

Col cuore che le esce dal petto per il gran battere e torcersi, Zaira cala un piede dietro l'altro sui gradini scoscesi. La luce presto l'abbandona e gli scalini si fanno più scivolosi. Nello zaino ha una pila. L'accende. La scala continua ad inabissarsi. Le pareti sono strette e scavate nella roccia. Avanza un passo dietro l'altro, lentamente, attenta ai minimi rumori. Ed ecco che improvvisamente la discesa ha termine e si trova in piedi dentro una grotta dal pavimento viscido dove viene raggiunta da un lezzo insopportabile.

Prova ad alzare la pila e vede davanti a sé, ammucchiati l'uno sull'altro, i corpi di quattro cervi morti, ancora intatti e bellissimi, coi musi e il collo insanguinati. Hanno tracce di pallottole sui fianchi, sul ventre. Le teste non sono state toccate, evidentemente con l'idea di ricavarne trofei da appendere ai muri. Il pavimento è intriso di sangue.

Una riserva, un magazzino, usato dai bracconieri per la vendita della carne? Le gambe le si sono fatte deboli. Ha bisogno di sedersi. Si appoggia alla parete che ha delle asperità, degli spunzoni sporgenti. Da quella posizione vede gli occhi di un cervo, quello che sta in cima alla pila, e sembra la guardi fissamente. Sono occhi vivi, anche se la posa abbandonata e l'immobilità della carne danno la certezza della morte. Occhi luminosi che raccontano la sorpresa di quell'agguato, il dolore di una morte precoce, l'allontanamento straziato dalla compagna.

Esci, torna fuori, qui rimarrai in trappola, stupida, incosciente! la rimprovera l'angelo petulante da dietro le spalle e finalmente, coprendosi il naso con un fazzoletto, Zaira si decide a sloggiare. Risale faticosamente gli scalini di pietra. Torna alla luce che la avvolge con tiepidi raggi gentili. Sono quasi le tre di un giorno di sole nei boschi dell'Ermellina.

Per fortuna ha con sé un pezzo di carta e una matita.

Appoggiandosi contro un tronco, disegna in maniera approssimativa la mappa del luogo. Ma mentre prende le misure e cerca di capire quanto disti quel bosco dalle cime del Capo Randagio, vede in lontananza fra gli alberi una forma che le sembra irreale in quel posto: una roulotte dai finestrini sprangati. Verniciata di bianco, si mimetizza perfettamente contro il bianco della neve. Per questo non l'aveva vista prima. Ma come ci è arrivata fin lì? Evidentemente è stata trainata da un fuoristrada quest'estate. E ora serve da casa a qualcuno.

Fa per dirigersi verso la roulotte ma questa volta si trattiene. L'imprudenza sarebbe troppa, anche se quella casa-automobile sembra abbandonata. Per oggi basta con le mattane, la rimprovera il pennuto, fra un po' sarà del tutto buio. Domani ricomincerai a cercare.

Rientrando trova il vecchio Pitrucc' che ha preparato un bel fuoco nel camino, ha cotto della pasta e fagioli e ora aspetta lei con un bicchiere di vino in mano.

Zaira gli racconta della scoperta. Lui ingolla il vino guardandola con apprensione.

«Che penz' de fà mò?»

«Non lo so.»

«You ought to denounce them. Gliè da denuncià.»

«E a chi?»

«We are in a national park, Zà. Non è proibite ammazzà gli animale? gliè da denuncià!»

«Lo farò.»

Il resto della serata trascorre discorrendo di Antonina, di quanto fosse bella da ragazza. «Accuscì bella ch' tutte la vulevane.»

«Lo so, Pitrucc'.»

«Ma le sa' de quela volta che la vitte 'n signure ch' passava a cavalle?» e le racconta, in quel dialetto abruzzese mescolato all'inglese, faticoso da interpretare, che Antonina stava a prendere acqua alla fonte, quando passò un signore a cavallo, un uomo importante. Il signore le disse: «Sì accuscì bella ch' me te voglie spusà». Ma lei gli rispose che non si fidava perché i signori dicono dicono ma non si maritano mai con una del popolo. E lui le aveva detto che se non gli credeva si offendeva, perché la voleva veramente maritare. E intanto era sceso da cavallo e provava subito a baciarla, tanto poi ti sposo, le andava dicendo. E lei, per difendersi gli mise davanti un'espressione magica, "i fidanzate mè". Ma quello non sembrava dare importanza al fatto che fosse già promessa. «Te porte a Roma a fà la signora» sembra le abbia sussurrato, «te copre d' gioie» e intanto le smucinava la gonna, poi con una spinta l'aveva mandata per terra e le era saltato addosso. Antonina, che di solito era timida e impacciata, diventò una leonessa: gli diede un calcio così potente nella pancia che quello cominciò a vomitare, bianco come uno straccio. Lei ne approfittò per scappare. Ma qualche giorno dopo, mentre usciva dalla chiesa, si trovò due guardie che l'arrestarono per "violenza aggravata e minacce a pubblico ufficiale". Pare infatti che quell'uomo a cavallo fosse podestà in un piccolo paese dei dintorni. Nella denuncia si parlava pure di un coltello che la ragazza teneva nascosto fra le gonne, ma doveva essere un coltello di carta perché non aveva lasciato né ferite né sangue. Nessuno poteva credere che una ragazza delicata e bella come la figlia del macellaio Geremia potesse avere messo sottosopra un omaccione grande e grosso come quello con un calcio in pancia.

Insomma, la portarono in prigione, dove la tennero per tre giorni senza mangiare e senza neanche interrogarla, giusto così per spaventarla. Intanto la madre andava dal Questore supplicando di lasciare libera la figlia. Ma quello faceva orecchie da mercante. Allora lei si presentò alla villa più bella della città una mattina presto con un carretto pieno di roba da mangiare: un cosciotto di maiale salato e ben pepato, una pecora appena scannata, delle salsicce fresche fresche, due sacchi di lenticchie, una decina di bottiglie di vino vecchio, due barattoli di miele di acacia, nonché due trecce di aglio e una pianta di peperoncino rosso come il fuoco. Di fronte a tanti doni il Questore si arrese e dette ordine di lasciare libera la ragazza.

Il macellaio venne poi a sapere che quell'uomo era maritato: abitava a Napoli con moglie e cinque figli; aveva questa brutta abitudine di andare in giro a cavallo e quando incontrava una bella ragazza fuori dal paese, prometteva di sposarla.

«Questa storia non la sapevo Pitrucc', chi te l'ha raccontata, la mamma?»

«Mammeta era de poch' parole. Me l'ha ditte the butcher, i macellare.»

«E come avete fatto a fà l'amore tu e mamma col controllo che c'era allora?»

«Ne semo date appuntament' ai bosch' vicine al monastere de Sant'Anna, addó essa steva a portà i cerogge pe i morte.» Tempo di accendere due candele, di dire una Avemaria ed era scappata da lui. «Ere coraggiusa, mammeta, cchiù de mì.» L'aveva stretto a sé e baciato con passione. Lui tremava, gli sembrava di fare un delitto, ma Antonina non si preoccupava. Era stata proprio lei a stendere lo scialle per terra, nascondendosi dietro un groviglio di rovi. «I ricorde cchiù begl' de la vita mè. Tu sì nata de sta contentezza, Zà. Perciò sì sana i forte. Sì nata 'n mezza all'allegria.»

«E lei non si vergognava, Antonina, di fare l'amore?»

«Mammeta aveve na coccia comme na cocuzza. Nun teneva paur' de nend. Me voleva i m'ha avute. Quelle ch' venive appresse chi se 'mportave!»

«Lo sapeva che saresti partito?»

«None. Ma crede ca non saria cagnata la decisione.»

«Perché pensi che non abbia voluto partire con te per l'Australia?»

«Me voleva bbene, Zà, ma sapeve ca non resisteve a 'n paese straniere, senza sapè na parola de quela lingua.»

«Le lingue si imparano.»

«No ne magnava issa de lingue. Nun era ita mai alla scola, tenel' a mente.»

«Dalle suore sì. Cignalitt' mi diceva che era stata dalle suore. Non aveva imparato a leggere e scrivere?»

«Forse s'era 'mparate a fà la firma, ma gnente cchiù. Era na crapa, Zà, a beautiful goat e ie ere innamorate perse. Tu sì studiate, sì ite all'università, te sì 'mbarate le lingue. È com' si fussero passate secule fra ttì i essa, mamma i figlia de du' secule differente.»

Zaira ha cucinato le patate maritate come le faceva sua madre Antonina, in onore di Pitrucc' i pelus', coi suoi peletti ormai bianchi che sbucano dalle maniche della camicia, dal colletto aperto sul collo.

«Che ci sì misse doppe i patane? È 'n sapore ch' nun sendeva da tant'anne.»

«Uno strato di patate, uno strato di scamorzelle, uno strato di pan grattato, dell'olio appena uscito dal frantoio, e ricomincio, patate a fette sottili, olio, scamorza e pan grattato... ti piace?»

«Sembra propria le patane maritate de nonna Zaira. In quale anno s'è morta?»

«È morta nel 1975. L'hanno trovata seduta sulla sedia, davanti casa, col gatto in braccio.»

«Quann'era cich' giocava co i buttune de nonna. Teneva ne sacchette piene, ma quante ce godeva!»

«Ce l'ho ancora quel sacchetto di bottoni. Lo vuoi vedere?»

Se un curioso avesse guardato dalla finestra illuminata nella notte buia, avrebbe visto due teste: una maschile dai capelli corti bianchi e una femminile, castana striata di qualche filo grigio, che si accostavano per osservare insieme il contenuto di un sacchetto di velluto che veniva rovesciato sul tavolo della cucina. I due visi, incantati, fissavano quelle stelle di strass, quelle palline d'oro, quei dischetti di madreperla, quelle sfere di osso, quelle gocce di vetro, quei triangoli di metallo che scintillavano davanti ai loro occhi e riportavano alla memoria anni lontani in cui i bottoni erano stati compagni di gioco.

«Che happiness! Zà, ste buttune me fanno penzà a quann'era cich' i me sunnava i tesore delle montagne.»

Zaira si accorge che, alla fin fine, quel dialetto stentato e approssimativo, mescolato con l'inglese non le dà poi tanto fastidio. Anzi la diverte e le fa tenerezza, come un mondo linguistico che è stato in esilio anche lui e oggi torna e si trova fuori posto con le sue vocali rattrappite, le ellissi rapide e inanellate. I compaesani ormai hanno l'italiano per riserva e passano con disinvoltura da una parlata all'altra. Lui no. E questo lo rende fragile e buffo.

Mentre le mani coperte di rughe di Pitrucc' giocano con i bottoni dell'infanzia, Zaira appoggia la testa sulle braccia conserte e si addormenta. Nel sonno, le appare la figura di un cacciatore dagli occhi vivaci e gentili. A lei sembra di riconoscerlo, si chiede chi sia ma non trova una risposta. Lui pare non essersi accorto di lei. Porta i pantaloni di un verde che si confonde con l'erba, degli scarponcini alti sulle caviglie, una camicia giallina e un gilè di cotone con tante tasche gonfie. Si avvia su per la montagna tra i faggi e lei si mette a seguirlo.

«Racconta, ma'.»

Oggi indossa uno strano vestito la signora madre: una gonna ampia e lunga, una camicia dalle maniche sbuffanti, un collettino ricamato che le si apre sul collo corto. Ha i capelli tirati all'indietro, due orecchini che le pendono dai lobi. Gli occhi guardano sbalorditi verso l'obiettivo. Stretta contro il petto tiene una rosa.

«Mamma, che hai fatto?»

La giovane madre si raschia la gola, allunga le gambe facendo trasparire sotto l'ampia gonna due scarponcini di pelle nera. Forse sta pensando al suo innamorato Minuccio.

«Racconta, ma'» insiste la bambina quasi non dando importanza al travestimento. Una madre che abbia centotrenta anni le sembra un gioco bellissimo. Ma appena comincia a raccontare, scopre con sollievo che è sempre lei, la sua unica amorosissima mamma che sa raccontare così bene.

«Un cacciatore uscì di buon mattino dalla sua baracca in mezzo ai campi e si diresse verso i boschi di monte Amaro. Gli straccetti di nebbia impigliati fra gli alberi si stavano disperdendo. I passi affondavano nella terra molle di pioggia. I cardi gli graffiavano gli stivali. Il fucile ciondolava appeso alla spalla. L'uomo sollevò la testa e scoprì che la mattina gli sorrideva. E per prima cosa si accese un sigaro.»

La voce della donna si fa profonda, temeraria e ironica. «Proprio una bellissima giornata di sole. Il cacciatore si sentiva in pace con se stesso e il mondo. I passi si susseguivano lenti schiacciando margherite e fili d'erba. Avrebbe continuato così per tutta la giornata, col solicello che gli scaldava la schiena, il bel cacciatore. Ma sapeva che la vera caccia si faceva dentro la foresta, lì dove le ombre lo avrebbero avvolto in un abbraccio soffocante, dove la vista non è mai del tutto limpida, dove l'orizzonte è continuamente nascosto da massi, tronchi e dorsi di montagna. Con una certa riluttanza lasciò il sentiero assolato per immergersi nella foresta ancora umida e oscura. Gli animali che lui cercava si scavano le tane in mezzo ai tronchi più vecchi e capienti, in mezzo alle rocce dai buchi profondi.»

«Perché ti fermi, ma'?»

«Credevo ti fossi addormentata.»

«Continua!»

«Cammina, cammina, cammina, il cacciatore non si accorse che si erano fatte le dieci e poi le dodici e poi le due. Aspettando la grande preda aveva già colpito a morte una lepre, una folaga e le portava appese alla cintura. Il sangue che usciva dalla bocca delle bestie uccise gli macchiava il fondo dei pantaloni. Ma lui non ci badava. Sentiva l'odore del grande cervo, sulle cui corna immense e dorate aveva scommesso una cena.»

Ora la voce si affievolisce e la bambina si sente risucchiare dal sonno verso laghi lontani. Ma appena le parole si fermano, torna ad aprire gli occhi.

«Racconta, ma'!»

La madre fa i soliti gesti affettuosi: rimbocca il lenzuolo, le carezza la fronte liberandola dalla frangia bionda, e poi riprende a raccontare. Anche lei, da bambina, aveva imparato ad ascoltare storie fantastiche da una madre straniera che parlava un italiano stentato. Non era chiaro quanto inventasse e quanto ricordasse di racconti letti o ascoltati. Ma la sua narrazione era piena e concentrata, attentissima ai particolari della storia.

«Nessuno era riuscito a prenderlo quel cervo e il cacciatore voleva che fosse suo. Non si riteneva un tiratore più bravo degli altri, ma conosceva la pazienza, la determinazione e l'astuzia di cui era dotato.

«Alle quattro aveva aggiunto uno scoiattolo al suo carniere. Gli scoiattoli non si mangiano, ma quel corpicino molle, dalla testina rovesciata possedeva una coda magnifica e lui aveva pensato di regalarla a sua moglie per farne una frangia, un bordo o forse per adornare uno dei suoi cappelli, come un trofeo di guerra.

«Alle quattro e mezzo sollevò gli occhi verso il sole e vide che stava perdendo le forze. Gli alberi avevano preso ad allungare le loro ombre sul terreno coperto di foglie cadute. Le scarpe dalla suola di gomma si muovevano silenziose come sopra un tappeto.

«Alle "cinco de la tarde", come dice García Lorca, finalmente lo vide. Si muoveva guardingo in mezzo agli alberi, con le orecchie tese. Ma quello che colpì il cacciatore fu il palco delle corna, immenso. Aveva ragione il suo amico Pietro, che lo aveva incrociato una mattina presto vicino al lago: È il più bel cervo che abbia mai visto. Le corna saranno alte due metri, il collo è ampio e possente, il petto è macchiato da una stella bianca, le zampe agili sono capaci di raggiungere la velocità di una lepre. Nessuno finora è riuscito a catturarlo.»

La voce della madre a questo punto rallenta, si prosciuga. La bocca si svuota della saliva, diventa secca e la gola è capace solo di mandare fuori dei rauchi mozziconi di parole.

«Racconta, ma'!» incalza la figlia che non vuole perdere il racconto, a costo di straziare la gola stanca della madre. Una volta cominciato non si può tornare indietro, bisogna concludere. Queste sono le regole ferree della narrazione.

La madre ingolla qualche sorso d'acqua, si schiarisce la voce e continua.

«Il cacciatore si fermò, interdetto. La bellissima bestia era a pochi metri da lui ma non sembrava essersi accorta della sua presenza. Procedeva, cieca e magnifica verso chissà quale pascolo sulle alture. L'uomo rimase rigido in una posizione di attesa. Aveva paura che anche da una sola mossa, il cervo percepisse la sua presenza e scappasse veloce. Voleva godersi la vista di quella bestia meravigliosa prima di ucciderla. Voleva seguirla e compiacersi di quell'incedere, di quel portamento, di quelle corna, di quella testa dorata e solenne che alla fine sarebbe giaciuta immobile ai suoi piedi.

«Il cervo ebbe un attimo di incertezza, arricciò le narici e poi riprese a camminare, con una grazia e una eleganza che il cacciatore non smetteva di contemplare. Solo quando la bestia fu a una distanza di una ventina di metri, l'uomo mosse i primi passi, cercando di non fare il minimo rumore.

«Il cervo, come sicuro della propria immunità, procedeva tranquillo, arrampicandosi sulle rocce, attraversando prati, cacciandosi dentro il fitto dei boschi e poi uscendo sulle rive di un torrente, per riprendere a salire, a salire.

«L'uomo, sudato, i piedi dolenti, lo tallonava, senza perderlo mai di vista, pur restando a una distanza che gli permettesse di non farsi notare. Gli occhi si erano ridotti a due fessure doloranti. Ora il fucile non stava più appeso sulla schiena ma stretto fra le mani, e si era scaldato al contatto con le dita febbricitanti. Dove andava quella maledetta bestia, che non accennava a fermarsi?

«E se alzassi il fucile e l'uccidessi sul colpo? si diceva. Sarebbe facile: il corpo dell'animale era così visibile, quasi avrebbe potuto toccarlo allungando una mano. Il suo passo era veloce ma non correva. Perché non ucciderlo adesso?

«Ma qualcosa lo tratteneva. Forse l'idea che il cervo lo stesse portando senza volere, alla sua tana. Se lì avesse trovato anche la cerva e i cerbiatti? Avrebbe potuto uccidere i due adulti e lasciare i piccoli perché crescessero. Questi erano i suoi pensieri silenziosi, da cacciatore innamorato della preda, nello stesso momento in cui è determinato a ucciderla. Misteri dell'animo umano.»

Possedere vuol dire distruggere? si chiese la bambina mordendosi un dito. Un filo le teneva unite, madre e figlia: il filo del racconto e lei sapeva che sua madre sapeva che mai si sarebbe addormentata prima della fine. Eppure l'aveva già sentita questa storia ma a ogni giro di boa c'erano delle digressioni, delle novità, delle piccole invenzioni che eccitavano l'immaginazione della madre come quella della bambina.

«Racconta, ma'.»

«Così andarono avanti per ore, il cervo dalle corna d'oro davanti e l'uomo dalla cintura appesantita di corpicini sanguinanti, dietro. Il cacciatore non si chiedeva più dove fosse: si rendeva conto che stavano salendo, ma verso dove? non avrebbe saputo dirlo. Gli alberi intorno si facevano più fitti, e ormai erano passati dalle zone a lui note, a coste scoscese e dirupi sconosciuti. Le ombre si erano fatte scure. La vista non riusciva più a distinguere bene. Il cacciatore, nell'ansia di perdere la sua bestia, le si era accostato spericolatamente. Solo una volta l'aveva visto voltare la testa sul lungo collo ma senza paura, quasi volesse assicurarsi che l'uomo lo stesse seguendo.

«Ormai era notte fonda. Per fortuna una mezzaluna azzurrina, affacciatasi improvvisamente sopra le cime degli alberi, spandeva una luce leggera e fosforescente. Quella luce sfarfalleggiante si insinuava fra i tronchi, lì dove non erano troppo fitti, lambiva i praticelli nudi, scopriva la carne bianca delle rocce.

«Il cacciatore stava addosso al cervo cercando di non fare il minimo rumore, ma ogni tanto un ramo rotto, una pietra scartata, rivelavano la sua esistenza. Il cervo non sembrava accorgersene. Eppure dovrebbe sentire il mio odore, si diceva l'uomo, perplesso. Forse ha perso il senso dell'odorato, o forse è sordo, succede alle bestie che invecchiano, come succede agli uomini. Il cervo non si voltava, andava avanti sicuro, senza forzare la velocità, quasi temesse che il suo inseguitore si stancasse. E in effetti il cacciatore ora aveva il fiatone, era esausto, affamato, le prede appese alla cintura gli gravavano, ma non osava fermarsi per liberarsene.

«Infine, dopo essere passato per una gola fra le rocce, strettissima, dopo essersi graffiato facendosi largo tra due ali di rovi che protendevano i loro rami come tentacoli di un polipo, il cacciatore vide il cervo che si infilava in una grotta. Arrivò fino all'ingresso e si fermò senza fiato, non sapendo cosa fare. La notte lo aveva raggiunto e ora lo teneva stretto. Avrebbe mai saputo tornare a casa?»

Questo era davvero un momento delizioso. Gli occhi della bambina forse erano chiusi, ma tutti i suoi muscoli erano tesi. Non sentiva più il sonno, solo una voglia bruciante di andare avanti. Cosa avrebbe fatto il cacciatore? sarebbe entrato o sarebbe tornato indietro? avrebbe ucciso il cervo o l'avrebbe risparmiato? e chi c'era nella caverna e dove andava a finire? Nel corpo morbido, bianco e biondo della giovane madre stava la risposta fatta carne. Le sue parole dal forte odore di boschi creavano un desiderio e un'abitudine all'ascolto che sarebbero durati per tutta la vita. Il piacere di prestare attenzione alle storie e di seguire a occhi chiusi lo snodarsi oscuro e misterioso della vicenda prima della resa al sonno.

«Allora, ma'?»

«Ancora non ti sei addormentata?»

«Che ha fatto il cacciatore?»

La madre sorride della curiosità della figlia che riconosce molto simile alla sua.

«Il cacciatore si ricordò che in una delle tasche teneva, assieme a un coltello a serramanico, una minuscola torcia tascabile. La tirò fuori con circospezione. La accese e diresse il raggio di luce verso la grotta. Non vide altro che una apertura grande quanto una porta, tutta tappezzata di muschio. Non gli rimaneva che entrare. Ed entrò brandendo in una mano la pila, nell'altra il fucile.»

Una madre e una figlia, entrano chine nella grotta dei misteri, pronte ad avanzare verso l'ignoto.

«Ma dove si è cacciato il cervo?»

«La volta della grotta era alta come l'interno di una chiesa. Il cacciatore sollevò lo sguardo e rimase sorpreso dalla vastità dell'ambiente: le cupole si susseguivano alle cupole, ed erano scavate nella roccia. Qualcosa formicolava sotto quegli archi spaziosi. Guardando meglio, si accorse che c'erano migliaia di pipistrelli addormentati appesi a testa in giù. Si sentiva un tanfo acre e dolciastro. Diede uno sguardo rapido alle bestiole che portava alla cintura. Anche loro stavano a testa in giù e sembravano dormire. Per un attimo il cacciatore pensò che avrebbe preferito che fossero vive anche quelle appese alla vita. Ma chiuse gli occhi e andò avanti.

«Vieni!» disse una voce grave e gentile.

«Chi è che parla?» chiese il cacciatore, sconcertato.

«Vieni avanti!»

«Chi sei?»

«Ora gira a sinistra, prendi quel corridoio che stai illuminando con la torcia e vieni avanti.»

Sono davvero pronte a proseguire, madre e figlia, di fronte a un pericolo così concreto, così certo come la voce di uno sconosciuto che le invita ad andare avanti per un corridoio oscuro scavato nella roccia? La bambina pensa di sì.

La madre ha qualche attimo di esitazione. Solleva con le dita un ciuffo che le è scivolato sugli occhi. Rivolge lo sguardo alla finestra aperta da cui entra la notte color inchiostro.

Si sentono dei grilli fra i cespugli dietro casa. Forse anche un cuculo che chiama fra i rami. Il profumo dei tigli si fa strada dolcissimo e melodioso fino alle narici della donna assonnata. La bambina, vedendola distratta, le dà un piccolo colpo sul braccio con le nocche, come se bussasse a una porta che stenta ad aprirsi. Subito la madre imposta la voce, come farebbe un grande attore prima di entrare in scena.

«Il cacciatore avanzò cautamente lungo il corridoio di pietra. Vide che proseguiva a zig zag dentro la roccia viva. Ma da qualche parte filtrava una luce fioca, traballante. Continuò ad avanzare in silenzio, chinando istintivamente la testa, come si fa nelle grotte, anche se quella aveva le arcate altissime. I piedi scivolavano sulla pietra fredda, lungo un corridoio che si allargava lentamente. La luce si faceva più evidente man mano che avanzava e sovrastava il piccolo raggio della pila tascabile.

«Ecco, ci sei quasi. Attento ai gradini, continuò la voce premurosa.

«Il cacciatore guardò in basso e vide che il terreno era cosparso di paglia. Superò i tre gradini, svoltò un angolo e sollevò la testa. La bocca si aprì da sola per la sorpresa. Davanti a lui, in un bel vano scavato nella roccia viva, sopra un pavimento cosparso di fieno morbido, illuminato dalla luce della luna che scendeva da un buco nel soffitto, stava in piedi il bellissimo cervo dalle corna dorate e la stella bianca sul petto, intento a mangiare un frutto.

«Benvenuto nella mia casa! gli disse cortesemente. Vuoi una mela?

«Veramente ho tanta sete, rispose a bassa voce l'uomo, pensando fra sé: sto sognando, sto sognando, perché non riesco a svegliarmi?

«Eccoti dell'acqua di fonte, rispose il cervo spingendo con lo zoccolo un boccale di coccio. Siediti pure, continuò, lì c'è uno sgabello. Oppure vuoi della paglia per stenderti?

«No... be'... grazie. Ma dove mi trovo?

«Il cervo lo guardò a lungo con gli occhi morbidi, grandi e poi sorrise come solo i cani qualche volta sanno fare, tirando un poco le labbra sopra i denti candidi.

«Sei a casa mia. E credo che ormai dovrai passare la notte qui perché fuori è buio e non ritroveresti la via del ritorno. Domattina ti indicherò la strada.

«Ma tu... come mai parli la mia lingua?

«Poiché tu non parli la mia, ho dovuto apprendere la tua. Ti stupisce?

«Il cacciatore bevve l'acqua che gli parve fresca e buonissima. Si pulì la bocca con la manica e poi prese a darsi degli schiaffetti sulle guance, nell'intento di svegliarsi.

«Non stai dormendo, sei sveglio.

«E invece io credo proprio di stare dormendo.

«Se stai dormendo, stai sognando e io sono il tuo sogno.

«Forse è proprio vero, sto sognando. Tu sei il mio sogno.

«Ma anch'io sogno, bel cacciatore e mi piace pensare che tu uomo, sei il mio sogno più perverso.

«Io non posso essere il tuo sogno.

«Solo perché hai un fucile?

«Mi doveva capitare pure un cervo filosofo! Io sono un cacciatore e sparo. Se mi fermassi a filosofare ogni volta che vado a caccia, non farei più un passo.

«Non si tratta di filosofare, ma di ragionare. Hai un cervello e ragioni.

«Tu non hai un cervello. Sono io che ragiono attraverso di te, questo lo so. Tu sei muto e non puoi pensare, perché il pensiero è degli uomini.

«Forse hai ragione. Il sogno è tuo, il pensiero è tuo. Il fucile è tuo. La notte è tua. Sarebbe interessante stabilire fino a che punto la proprietà dà diritto ai sogni. Ma vieni di là, ti voglio mostrare qualcosa di veramente mio e solo mio, vieni.

«Odio i filosofi, sappilo.

«Io odio gli ignoranti.»

La voce della madre si trasforma quando rifà il cervo filosofo. Mette su un tono grave, pensoso e profondo, ma anche sornione e giocoso. Mentre per il cacciatore usa i toni più alti. Anche la sua faccia si trasforma. Se apre un occhio, la figlia può vedere il morbido viso della madre stravolto dall'emozione del racconto: la fronte si corruga, le labbra si stirano, la voce si incupisce nel rifare il cacciatore intrappolato. Ma torna sorridente e lieve quando recita il cervo saggio e paziente.

«Continua, ma'!»

«Il cervo si mosse e fece cenno all'uomo di seguirlo. Il cacciatore gli andò dietro. Ripresero a percorrere lunghi corridoi di pietra, il cervo davanti a passo veloce e sicuro, il cacciatore dietro, le prede penzolanti sul fianco, la piccola pila accesa, il fucile stretto sotto il braccio.

«Entrarono infine in un altro spiazzo illuminato da una piccola fessura che tagliava di sbieco la roccia. Per terra, su un mucchio di paglia, giacevano quattro piccoli cervi appena nati. Il padre si avvicinò al più piccolo dei figli, che prese ad agitare la coda, mentre gli altri si sollevarono maldestri sulle zampe ancora molli e cominciarono a dare testate contro la pancia paterna, nell'intenzione di trovare un capezzolo da succhiare.

«La madre di questi piccoli è morta per mano di un bracconiere, disse il cervo leccando la testa di uno dei suoi figli. Io li nutro con mele selvatiche e miele, per questo mi hai visto scendere così in basso verso il paese. I frutti più buoni li trovo a bassa quota.

«Perché mi hai portato qui, maledetto cervo? la pietà è la nemica più feroce dei cacciatori.

«Io non voglio la tua pietà.

«Cosa vuoi allora?

«Voglio che tu veda. Gli occhi a volte sono più intelligenti del cervello.

«Ci manca proprio che mi metta a capire gli animali. Io li devo ammazzare, non capire. Non sono mica un fottuto animalista, o un cretinissimo vegetariano.

«Guarda davanti a te. Cosa vedi?

«Vedo dei cuccioli di cervo che per il momento non mi interessa cacciare, ma che domani stanerò andando su e giù per le montagne.

«Questo è quello che vede il tuo fucile. Non sei capace di guardare con i tuoi occhi di carne?

«Ti ho detto che la pietà mi è nemica e neanche mi interessa, per me è una vecchia dalla faccia piena di rughe, gli occhi che spurgano e puzza pure di cimitero. Ecco cos'è la pietà per un cacciatore. L'ho imparato da mio padre che non sbagliava mai un tiro.

«Tu quella vecchia l'abbraccerai, la bacerai e piangerai d'amore.

«Non succederà mai, carogna!

«Quando tornerai a casa e troverai tuo figlio... ma non ti dico altro. Ora vai. Ti indicherò la strada. Corri perché c'è un pericolo che sovrasta la tua casa.

«Il cacciatore, di nascosto, si pizzicò forte una coscia. Doveva svegliarsi, doveva proprio svegliarsi da questo stupido sogno.

«È inutile che ti pizzichi, non stai dormendo.

«Come lo sai? se fai parte del mio sogno non puoi saperlo. Anche tu credi di essere un cervo che parla e invece stai sognando.

«Allora, siamo nel tuo sogno o nel mio?

«Sono io che sogno e tu mi rispondi dall'interno del mio sogno, è chiaro.

«Se sei tu che sogni, allora perché parli di un pericolo che grava sulla tua casa? Da dove ti viene questa premonizione?

«Il cacciatore imbracciò il fucile per mostrare a se stesso di essere il padrone della situazione. Nessuno stupido animale parlante poteva infinocchiarlo! Alzò la bocca dell'arma contro il cervo e fece per sparare. Ma proprio in quel momento uno dei piccoli cerbiatti gli si avvicinò e gli diede un colpetto col muso sul petto, come se volesse anche da lui quel latte che non trovava nel padre. E il cacciatore lasciò che l'arma gli scivolasse giù verso il suolo.»

«Continua, ma'!»

Ma la madre non continuò. La bambina, proprio dopo avere pronunciato quelle parole si era addormentata.

«A domani, amore mio» disse la madre rimboccandole le coperte.

Eppure ci doveva essere un seguito a quella storia. Sarebbe cambiata il giorno dopo? e che voce si sarebbe inventata la madre per raccontare come il cacciatore, tornando a casa, avesse trovato la moglie uccisa a fucilate, il figlio moribondo e la casa messa sottosopra da una banda di assassini? avrebbe cominciato a ripensare alle parole del cervo filosofo? sarebbe tornato in montagna col fucile carico e tanta voglia di vendetta? o avrebbe sentito il bisogno di parlargli di nuovo, per chiedergli il perché di tanto male? avrebbe mai ritrovato la grotta in quella foresta così fitta e insidiosa? avrebbe mai più incontrato il cervo? e di chi era il sogno se ciascuno pretendeva di possedere l'altro attraverso il proprio delirio? e chi si sarebbe svegliato per primo?

Con gli stivali di gomma puliti, la giacca imbottita da cui sono stati spazzolati via i peli di Fungo, una bella sciarpa nuova attorno al collo, Zaira suona al campanello delle guardie forestali.

Viene ad aprire un giovanotto appena sbarbato che emana odore di un dopobarba al mentolo. La saluta con cortesia. La conduce alla porta del superiore a cui lei ha telefonato e che l'aspetta.

«Buongiorno, signora Zaira, si accomodi.»

Un uomo sui cinquant'anni, in divisa, l'aria cordiale e alla mano la riceve seduto a una scrivania dal ripiano di vetro.

«Allora, cosa vuole denunciare? eh, mi dica! qui siamo diventati tutti poliziotti.»

«Be', volevo denunciare un caso di bracconaggio. Ho scoperto, durante uno dei miei giri, una grotta dove ci sono dei cervi uccisi a pallettoni. Se vuole le faccio la mappa.»

«Purtroppo succede anche questo. E noi, se fossimo più numerosi e bene equipaggiati, potremmo farvi fronte, ma come si fa a controllare un terreno protetto così immenso con pochi uomini, pochi soldi, poche macchine?»

«Ma questo è un caso grave. Ci sono per lo meno quattro cervi ammazzati a fucilate. Non sono protetti i cervi nel Parco?»

«Certo che lo sono e noi facciamo di tutto perché niente accada loro. Comunque guardi è gente che viene da fuori. Nessuno nel Parco ucciderebbe le bestie protette.»

«Mi pare che il veterinario del Parco abbia più volte denunciato casi di bracconaggio anche sugli orsi. Se continuano così però fra qualche anno non ci saranno più nemmeno cervi in questi boschi.»

«Il veterinario esagera: il bracconaggio da noi è minimo, sono episodi trascurabili. E avvengono fuori dal territorio del Parco.»

«Be', questo che dico io è dentro il Parco.»

«Li avranno uccisi fuori, perché, vede, i cervi girano, vanno a mangiare le mele selvatiche, si avvicinano alle coltivazioni e disturbano gli animali domestici. Così qualche contadino ignorante li uccide e poi, per fare vedere che non è stato lui, li porta da qualche altra parte, magari anche dentro il Parco.»

«Insomma secondo lei non c'è da preoccuparsi»

«È tutto sotto controllo, signora.»

«Ma quei cervi che ho visto...»

«Lasci fare a noi il nostro mestiere, signora. E mi scusi se glielo chiedo, ma cos'è che la spinge a curiosare intorno per questi boschi?»

«Cerco tracce di mia nipote Colomba, lo sanno tutti.»

«Mi permetta di consigliarle di smettere, cara signora. Lo sa che è passato quasi un anno? Ormai si deve mettere l'animo in pace e riprendere la vita solita, senza vagare per i boschi come una bestia selvatica. A me sinceramente dispiace che una donna sensibile come lei faccia di questi incontri spiacevoli. I bracconieri hanno i fucili, bisogna stare attenti.»

«Ma…»

«Si fidi, signora. Qui ci siamo noi incaricati di tenere a bada i bracconieri. E lo facciamo. Certo, può succedere che ci sfugga qualcosa, perché i bracconieri sono furbi, sa, sono molto furbi, ma quello in cui si è imbattuto lei è un caso isolato, un caso increscioso, glielo assicuro, che non riguarda la gente del luogo. Sono quei cervi maledetti, troppo curiosi, che si avventurano fuori dai confini protetti, e finiscono per incappare nella rabbia dei coltivatori, ma certamente avrà visto male, sarà stato uno, non quattro.»

«Be', io ne ho visti quattro e non ero ubriaca.»

«Va bene, appena trovo una guardia libera, gliela mando, insieme andrete con un fuoristrada a controllare. Glielo metto a disposizione. Ma vedrà che si è trattato di un errore. Arrivederla signora e tantissimi auguri.»

L'uomo fa un inchino compito, portandosi alle labbra la mano di lei come a ribadire che verso le signore bisogna essere cortesi, anche se sono delle rompiballe come lei.

«Ho denunciato la mattanza, Pitrucc'.»

«Brava. That's good. E che t'hanne ditte?»

«Che non mi devo preoccupare. Ci pensano loro.»

«I sì portate lloch'?»

«Non hanno voluto neanche vedere il disegno.»

«That's not good. Mò addò va', Zà?»

«Ricomincio a cercare.»

«Oggi no, aspetta. Fore è brutte, e iced, tutte ghiacciate, statte ecch' dentre co mi.»

«Non posso, Pitrucc'.»

«Revè pe cenà?»

«Non lo so. Non mi aspettare.»

«Ti só preparate ne poch' d' pane i formaggie.»

«Grazie, papà… sai mi riesce difficile pensarti come padre.»

Lui gioisce. Il sorriso è quello di un vecchio che ha conservato integro il bambino dentro di sé. Poi lo vede torcersi in una tosse profonda che gli devasta la faccia magra.

«Fumi, Pitrucc'?»

«Sò fumate troppe. I polmoni se n'enn'iti.»

«Non ti ammalare per favore, ho troppo da fare.»

Ora che Pitrucc' i pelus' è tornato a casa, Cesidio non si ferma più a prendere il caffè la mattina da Zaira. E Menica non passa a chiederle una pagnottella fresca. Anche Saponett' sta alla larga e Sal poi non si è fatto più vedere per niente.

Piano piano Pitrucc' si è abituato alla casa. Come ospite è discreto, partecipa ai lavori casalinghi, cucina, gli piace soprattutto trafficare coi fornelli, rifà i letti, va a fare la spesa. Si è pure comprato una macchina di seconda mano per non portare i pesi e quando lei deve andare lontano, carica la bicicletta sul tetto e l'accompagna dove vuole.

«Insomma fai di tutto per farti amare, Pitrucc'.»

«Só state sule per tant'anni, Zà. Me só 'mparate ad arrangiarme. Ma nun me piace stà sule.»

«Anche a me non piace stare sola.»

«*My woods, my beloved and light woods, miei boschi, miei amati e leggeri boschi*, quanne va' pe bosche pense a ste parole. *The exquisite smell of the earth at day break...*

«*Lo squisito profumo della terra all'alba...* c'è anche buio nei boschi, Pitrucc'.»

«Che te vo' magnà, today? ti va una turtle-soup without turtle?»

«E che sarebbe?»

«Na zuppa de tartaruga senza tartaruga.»

«Non vorrai mettere in pentola una tartaruga!»

«È tutte finte. È na ratatuglie de noce i melanzane cotte ai brode. Te va?»

«Sarebbe come la zuppa col pesce a mare.»

«Yes, my girl.»

«Nun tengh' a fantasia, Pitrucc'.»
«Sci'mbise, coccia de monton!»

Zaira solleva lo sguardo al cielo: è percorso da nubi estese, frangiate e livide che si aprono e si chiudono, alternando momenti di sole intenso a momenti di oscurità e freddo. Il vento soffia di traverso scompigliando i rami, sollevando le foglie. La neve è solida, gelata, non c'è pericolo di sprofondare. Vi si può camminare sopra con leggerezza, anche se ogni tanto si sente un crac sinistro sotto le scarpe. Lo zaino non le pesa sulle spalle.

La sua intenzione è tornare lì dove è stata due giorni fa, lì dove ha scoperto il magazzino dei bracconieri, lì dove ha lasciato una roulotte bianca da esplorare. Se le guardie non vogliono aiutarla, farà da sola. Oscuramente è attratta da quel sotterraneo, da quella roulotte. Come se ci fosse un nesso con la scomparsa di Colomba. Ma perché? Non lo sa, ha dei presentimenti che gravano lividi come piccole nuvole scure e minacciose dentro un cielo terso. Oggi ha deciso di lasciare Fungo a casa. L'ha affidato a Pitrucc' e si è messa in cammino presto la mattina.

Le gambe robuste pedalano sulla nazionale ormai pulita dalla neve, per lo meno nella striscia centrale. Incontra una volpe affamata che si nasconde dentro un cespuglio appena la vede. Si imbatte nel venditore di cipolle, con un Ape dalla gomma a terra. «Vuoi aiuto, Scignapett'?» «No, grazie mò me sbrigo lest' i prest'.» E lei riprende a pedalare. Più avanti si deve fermare perché una intera mandria di vacche sta attraversando la strada. Sono magre, docili e la guardano con occhi gentili.

Quando comincia a intravvedere il lago in lontananza, nasconde la bicicletta in un cespuglio di ginepro sul pendio del monte Ninna. E poi si inerpica seguendo i sentieri delle capre. Sotto gli alberi la neve si è sciolta lasciando una corona di croste di ghiaccio che appena la tocchi con la scarpa si sbriciola.

Arrivando vicino al luogo della mattanza, fa un lungo giro per poterlo osservare dall'alto. Si arrampica in cima al monte della Pecora Morta, e prende a scendere piano, attenta a non fare rumore lungo i boschi dell'Ermellina. Appena giunge in vista della roulotte si ferma a una distanza che, pur permettendole di osservare l'intera zona, la rende invisibile, nascosta dietro un groviglio di rami bassi e cespugli fitti. Lì si accoccola sopra un sasso coperto di muschio e aspetta. È un buon punto di osservazione. Fra i rami può scorgere e tenere sott'occhio sia l'ingresso del sotterraneo che la roulotte bianca dalle finestre sprangate.

Le prime ore sembrano non passare mai. Le ossa le dolgono. La posizione le sembra infelice. Si sposta un poco, allunga e stira le gambe, si massaggia un ginocchio, ma attentissima a non rivelare la sua presenza. I pensieri fanno fatica a rimanere lì fissi su quella roulotte assolutamente immobile e sprangata. Tendono a sparpagliarsi e volare via, come uno stormo di uccelli spaventati. Vanno dietro alla faccia rugosa di Pitrucc' i pelus' che ha attraversato i mari per venire a farle da padre, dopo sessant'anni di lontananza. Si è subito abituato ai suoi orari, alle sue abitudini e si muove in punta di piedi come se non volesse disturbare. È venuto a morire a casa, come fanno i salmoni nei fiumi del nord? Eppure non ha affatto l'aria di volere morire. Nonostante il cuore «ch' tretteche ne poco», le sembra abbia energia e lucidità. Non tossisce più e cammina con maggior sicurezza. Le torna alla memoria sua madre Antonina, sempre così impacciata, timida e scorbutica. In vita sua non le ha sentito dire che poche parole. Eppure sapeva essere tenera come nessuno. In compenso Cignalitt' parlava per due. E si chinava su di lei, col fiato sospeso, come un vero padre, attento a proteggerla, a nutrirla, a crescerla. Ancora non riesce a credere che abbia insidiato la piccola Angelica. Potrà mai perdonarlo? Sa di amarlo anche senza volerlo e di conservare un ricordo affettuoso di lui. Pensa a quella volta che, scappata dalla casa di

Cesidia, si era rifugiata alle Cascine: l'aveva visto venire verso di lei con l'impermeabile che gli sventolava intorno alle gambe, la faccia preoccupata, gli occhi felici di averla rintracciata, un sorriso amoroso. Era quello il Cignalitt' della sua vita o quell'altro, già anziano, con i denti guasti, gli occhi malati, che se ne andava la sera da Z' Marì a bere il vino nuovo della valle? l'uno poteva contenere l'altro? l'uno era il prolungamento inevitabile dell'altro? l'uno era più innocente dell'altro? Ricordava come una volta aveva fatto cinque chilometri a piedi di corsa sotto la pioggia per andare a cercare una medicina per la moglie Antonina. E quell'altra volta che era rimasto una notte intera seduto su una sedia al capezzale della moglie, curvandosi ogni momento a bagnarle con il fazzolettino zuppo la bocca arsa. E quando correva a quattro zampe per casa con Angelica bambina a cavalcioni sulla schiena. Quanto c'era di affetto puro e quanta segreta voglia di accostarsi a quelle carni tenere per scaldarsi i sensi? Dove si distinguono e si separano la sensualità dalla tenerezza, l'affetto dalla concupiscenza? E senza neanche rendersene conto riprende come al cimitero il silenzioso dialogo con Cignalitt': "Un adulto che approfitta della fragilità di una bambina è orribilmente colpevole, pà". "Quarche volt' le quatrane só accuscì sciroppelle ch' te mettono la tentazione addosso…" "Lo fanno con innocenza, senza capire, pà. Sono come dei regalucci che offrono ai grandi per tenerseli buoni, non sono delle provocazioni vere e proprie." "Só accuscì sciroppelle…" "Ma che vuol dire sciroppelle, pà?" "Vó dì sceroppose, fatte de sciroppe de cerase, ceraselle va'." "Ma la persona grande conosce la sua forza, sa che una carezza adulta diventa una rapina sul corpo delicato di una bambina… se ha una coscienza non se ne approfitta, pà, fosse pure che la vagliolella gli si jettasse addosso con tutto il corpo." "Na cerasa fresca fresca" insiste lui e non sa dire altro. "Se te 'mporta de sta quatrane, tu te trattiene, pà" gli grida lei piangendo.

Zaira chiude gli occhi stanca di quel continuo discutere con il fantasma del patrigno. Deve solo dimenticarlo, si dice, cacciarlo via dalla testa. E invece, come un giovane cinghiale impetuoso, continua a venirle incontro nel giardino della sua mente, mentre lei se ne sta straziata su una panchina. L'impermeabile bianco continua a volteggiargli attorno alle gambe arcuate, un sorriso di gioia incontenibile gli si stampa sulla faccia sgraziata, e le mette addosso una tenera compassione. Tuttavia è proprio quello il momento in cui aveva indovinato che il cinghiale generoso e impetuoso, che si gettava a testa bassa contro i mali del mondo, non poteva essere suo padre. L'aveva considerato con sollievo, sapendo che il proprio corpo era diverso, più longilineo e felice, più armonioso e amabile, forse anche meno avido di piaceri e più controllato. Aveva intuito che il padre vero era l'altro, quel Pitrucc' i pelus' di cui si favoleggiava in famiglia, quel giovanotto dai ricci neri che era partito per l'Australia perché sognava un mondo in cui tutti fossero fratelli e solidali. Ma quel padre lì era sparito e non aveva più dato notizie di sé, mentre Cignalitt' l'aveva allevata con amore, senza mai risparmiarsi. «Cignalitt', Cignalitt', dove sei finito, povero padre mio?»

Verso le tre Zaira viene assalita da una fame sconsiderata. Con mano leggera e silenziosa apre lo zaino, ne tira fuori il panino che Pitrucc' le ha preparato e se lo mangia piano piano senza mai staccare gli occhi dal sotterraneo e dalla roulotte. Beve un sorso di caffè dolce dal thermos. E ricomincia l'attesa. Prima o poi qualcuno deve venire. Quella carne, ormai al secondo o terzo giorno dalla mattanza, finirà per andare a male.

Alle quattro il sole comincia a calare. Il freddo le è entrato nelle ossa. Il gelo le ghiaccia i piedi. Li muove piano piano per non farsi sentire, come usano i mimi quando fingono di camminare stando fermi. Le sembra di avere le braccia paralizzate. Le tremano le labbra. Che fare? Aspetterai ancora un'ora, solo un'ora, poi tornerai a casa, dice una vocetta alle sue spalle. Strano che il pennuto si mostri così ardimentoso. Di solito le consiglia di darsela a gambe quando incombe un pericolo. Oggi sembra che la curiosità l'abbia avuta vinta sulla paura. Si alza in piedi, cerca di scaldarsi dandosi dei pugni sulle cosce, ballando leggera su se stessa.

Sta calando la luce e Zaira non si decide a ripartire. Qualcosa la trattiene lì, su quel sasso scomodo, intirizzita dal freddo. Ma proprio qualche attimo prima ha avuto l'impressione che la roulotte si muovesse, come se qualcuno la scuotesse dall'interno. Potrebbe essere stata una impressione. A furia di fissare quelle pareti bianche, immote, quelle finestrelle sprangate, quelle ruote affondate nella neve, forse gli occhi la tradiscono.

Ormai è quasi buio. Zaira sa che è da sciocchi rimanere lì a morire di freddo scrutando una roulotte chiusa e apparentemente vuota. Ora mi alzo, ora mi alzo, si dice e proprio nel momento in cui sta per mettersi in piedi, rimane sbalordita vedendo che una luce si è accesa dentro il veicolo e filtra dalle fessure delle finestre malchiuse. Allora era vero: c'era qualcuno là dentro! La sua impressione di avere visto muovere il vagone era esatta. Quasi caccerebbe un urlo per la gioia di non avere atteso quelle ore invano. Ma che urlo e urlo, cosa credi di avere scoperto? e ora come torni a casa al buio? e se ti perdi? rientra subito e non sprecare un minuto! Il pennuto sbraita e protesta. Ha freddo e fame. Ha paura di perdersi assieme a lei. Ma un angelo che non ha il senso dell'orientamento che angelo è?

I piedi vorrebbero muoversi verso valle, ma lo sguardo è fisso spasmodicamente su quelle listerelle di luce che testimoniano di una presenza dentro la roulotte. Non puoi più restare, la temperatura sta scendendo, ti troveranno domani congelata su questo sasso, è ciò che vuoi?

Anche se a malincuore, Zaira si accinge a lasciare il suo posto di osservazione. Una parte di lei rimarrebbe volentieri tutta la notte su quella pietra per vedere chi c'è là dentro ma sa che non ce la farebbe. Conosce i trucchi della montagna. Il freddo a un certo momento smetti di sentirlo, hai solo sonno e se ti addormenti sei finito. Non ti svegli più.

Lentamente, senza fare rumore, dirigendo il piccolo cono di luce della pila solo dove mette i piedi, Zaira si incammina verso casa. Lasciando l'enigma non svelato.

«Racconta, ma'.»

«Sono stanca... E tu domattina non devi andare a scuola?»

«Voglio sapere come va a finire con Zaira e la roulotte.»

«Le storie hanno dei tempi. Non puoi ingoiare tutto subito. Faresti indigestione. Domani te lo dico.»

La bambina socchiude gli occhi delusa. Perché le storie non possono essere raccontate tutte subito? È come con il panettone. Lei, una volta cominciato, se lo mangerebbe intero, ma sua madre glielo impedisce. La tua pancia scoppierebbe, devi aspettare! Ci vuole un tempo per digerire il panettone come ci vuole un tempo per digerire una storia.

Certe volte è presa da una furia che non trova sfogo, la bambina. Le sembra di odiarla quella madre che le centellina le storie, come le centellina i panettoni, le barrette di cioccolato.

Tornando a casa Zaira trova Pitrucc' agitatissimo che cammina su e giù per la cucina con la mano sul petto.

«Stave pe chiamà the police station Zà, addó sì state?»

«Sono qua.»

«Nolle fà cchiù. Me credeva ca me t'era perduta.»

«Mi ero dimenticata di te, Pitrucc'. Sono così abituata a stare sola.»

«At least, you are sincere!»

«Ho scoperto che la roulotte è abitata, Pitrucc', hai capito? È abitata.»

«E co queste? Ce stanne milione de roulotte con la gente dentre, non è na bbona ragione per revenì a casa de nott' facendome stà 'n penziere.»

«Scusa, mi dispiace. Ma ho aspettato e aspettato. Mi era sembrato che la roulotte si muovesse, credevo di avere visto male e invece, quando è venuto il buio la luce all'interno si è accesa, anche se le finestre rimangono sprangate.»

«Il tuo dovere ti sì fatte. Mò basta, lassa perde. Perché t'ostini a spiaglie?»

«Sento che lì c'è qualcosa che mi aiuterà a trovare Colomba.»

«Sento, sento… it's all so stupid, Zà. Pe 'n anne non sì rescita a sentì na cosa giusta, perché quelle ca sente mò avria da esse la verità? e che ce dici da po' ai giudece ca sì sentite quest' i quelle? Ce vonno le prove, i fatte.»

«Li sto cercando… Fungo dov'è?»

«Nun s'ha volute magnà. Te java trovanne pe tutta casa, i mene male ca glie só tenute, perché isse the dog, stave pe venirte a retrevà.»

Difatti Fungo, che è rimasto chiuso in cucina, guaisce dietro la porta e quando lei apre, le salta addosso con una gioia esplosiva.

Il giorno dopo, molto prima che si sia alzato il sole, Zaira si fa accompagnare da Pitrucc' in macchina, la bicicletta legata sul tetto, verso il lago. Una volta raggiunte le pendici del monte Ninna, prende a pedalare in salita sul sentiero di capre che porta alle grandi foreste dell'Ermellina. La giornata si annuncia pulita anche se fredda. Pitrucc' la saluta dalla strada. Lei fa un cenno col capo. «Non ti preoccupare se tardo» gli grida, «e non chiamare la polizia se non sono passate le due di notte.» Sa che oltre quell'ora non potrebbe restare in osservazione al freddo.

Stamattina le gambe hanno muscoli di ferro e pedalano con rabbia, con determinazione, ansiose di arrivare al solito posto. Quando la salita si fa troppo ripida e pietrosa,

Zaira abbandona la bicicletta e va avanti a piedi. Anche oggi ha lasciato Fungo in macchina con Pitrucc'. Non vuole che si metta ad abbaiare mentre se ne sta nascosta dietro i cespugli.

Ma non ha ancora raggiunto il posto di osservazione, in alto sopra il piccolo ripiano su cui giace la roulotte, che viene investita da un disordinato vocìo maschile e da un gran tramestio di passi sulla neve ghiacciata. Si fa piccola per non essere vista. Il sole sta sbucando fra un mare di nuvole grigie e gonfie. Guardando verso il muretto Zaira scorge tre uomini che trascinano i corpi dei cervi morti tirandoli fuori dal buco sotto terra e cacciandoli dentro la barca di una motoslitta. I loro movimenti sono rapidi e affrettati. Non sospettano minimamente che qualcuno li stia spiando, ma hanno fretta. Le voci sono sbrigative e gutturali: Piglia accà, Che t' pòzzan vàtt', Lassa stà, Cchiù a sinistra, a sinistra te dich'.

Zaira cerca di isolare le tre voci e capire se ne riconosce qualcuna ma le sembrano estranee. Inoltre i tre portano cappucci di lana calcati fino al naso, occhiali e sciarpe che coprono loro il mento e la bocca. È difficile distinguerli. Uno però le sembra familiare. Che si tratti di Sal? Cerca il brillio dell'orecchino ma sotto il copricapo non si riesce a distinguere.

I ragazzi non riescono a caricare tutti e quattro i cervi morti sulla motoslitta. Due sono costretti a lasciarli per terra. Coprono con un telo di plastica nero le carcasse issate sulla motoslitta, fissano la tela con dei ganci e quindi, pulendosi i guanti sporchi di sangue contro la neve, si avviano verso la roulotte. Bussano alla porta, che si apre dall'interno spinta da un lungo braccio bianco. Zaira ha appena il tempo di scorgere un tavolino con delle tazzine di caffè fumante. E in piedi, di spalle, il corpo di una donna che potrebbe essere, le pare sia, ma non osa pensarlo, proprio la sua Colomba. Di schiena le assomiglia, anche se le sembra molto più magra. Ma cosa ci fa lì dentro? Uno dei ragazzi si infila rapido nella roulotte e richiude la porta dietro di sé con un piccolo tonfo. Gli altri due salgono sulla motoslitta e partono verso valle. La voglia di precipitarsi giù e bussare pure lei a quell'uscio è fortissima. Ma si trattiene. Bisogna prima capire. E quindi si accinge, con pazienza, a continuare la sorveglianza dal suo osservatorio nascosto.

La roulotte torna buia e immota, come se dentro non ci fosse nessuno. Zaira si accinge ad aspettare, mentre le supposizioni fanno ridda nella sua testa piena di dubbi e di domande a cui non trova risposta. Non ha visto la faccia della donna, come fa a dire che si tratta di Colomba? e se fosse semplicemente la moglie di uno di quei tre? una che sta lì a scaldare il caffè mentre gli uomini lavorano? Scollati da questo posto pericoloso, torna a casa, denunciali e basta! Ci penserà la polizia a riportare a casa Colomba, sempre ammesso che sia lei, insiste la voce del pennuto. Saranno contenti i poliziotti se gli farai fare la figura di quelli che l'hanno scoperta, avevano già chiuso il caso. Ma Zaira non accenna a muoversi. Cerca di fare tacere il petulante alle sue spalle e quello per un po' ammutolisce, ma poi riprende: Se sta lì dentro, in quella roulotte, tua nipote, se si tratta proprio di lei, vorrà dire che ha deciso così. Perché devi guastarle tutto? Zaira cerca di farlo tacere con un calcio.

Dopo circa venti minuti si sente di nuovo il rumore della motoslitta che ritorna. Ora caricheranno gli altri cervi, forse si faranno preparare un altro caffè, apriranno quella porta e io devo poterla vedere, devo essere sicura prima di andare via.

I due con la motoslitta vuota arrivano rapidi, la posteggiano vicino alla roulotte. Tirano su faticosamente i cervi che a occhio e croce peseranno un quintale l'uno, sono adulti, forse uno è femmina, le pare che abbia le mammelle gonfie. Sistemati gli animali sotto il telo, i due si seggono sul gradino più basso della roulotte e si accendono una sigaretta. Chiacchierano a bassa voce.

Finalmente la porta si socchiude. Ma ora dentro è buio. Zaira, per quanto allunghi il collo, non vede niente. Il ragazzo che era entrato prima, esce infilandosi il maglione. È magro e ha spalle scivolate. Non le sembra Sal.

Uno dei tre, che le pare diverso da quello di prima, sale a sua volta i gradini, si chiude la porta alle spalle. Gli altri due si alzano, gettano le cicche e si mettono a giocare a palle di neve, come se fossero in vacanza. Dopo una decina di minuti si riapre la porta della roulotte. Il ragazzo alto scende abbottonandosi i pantaloni. Si mette alla guida della motoslitta, mentre quello che la conduceva per il primo viaggio, ora salta sui gradini a sua volta. Prima di entrare fa un gesto eloquente come se attirasse a sé una donna e la schiacciasse contro il pube. Gli altri ridono. Lui, sbottonandosi i pantaloni con aria spavalda, si infila nella roulotte e si chiude la porta alle spalle.

I due partono dopo avere assicurato il telo con lunghi lacci di gomma. Si sente la moto che si allontana rumorosa. Dalla roulotte, sempre tutta chiusa, non trapela un suono. Zaira aspetta. I pensieri si fanno via via più neri e lugubri. Il corpo è rattrappito dai dolori. Ora è chiaro che lì dentro tengono nascosta una donna con cui fanno l'amore. Prega in cuor suo che non sia Colomba.

Trascorrono pochi minuti ed ecco di nuovo il rumore sordo della motoslitta che si approssima. I due arrivano fin sotto la roulotte. Spengono il motore. Piegano in quattro il telo di plastica ancora sporco di sangue. Si accendono un'altra sigaretta. Uno le sembra proprio Sal, si muove come lui. Ma forse no, è più massiccio e ha le braccia corte. Zaira rischia di farsi notare allungando il collo in mezzo alle fronde, spezzando dei rametti con una spalla.

Sputa per terra, disgustata. Gli occhi li tiene sempre fissi su quella porta che si apre raramente e con tanta reticenza. Infine uno dei due bussa con discrezione. La porta si schiude. Ne esce un braccio nudo bianco che con le dita fa segno di aspettare due minuti.

Gli amici si allontanano, guardandosi i piedi. Poi prendono a lanciarsi falsi pugni, come in un immaginario match. Sono bravi a schivarsi, ad allungare colpi su colpi saltellando sulle gambe, come fanno i veri pugili sul ring. Da lontano sembrano due guerrieri agili e festosi che si allenano per un duello all'ultimo sangue.

Dopo poco più di due minuti la porta della roulotte si apre. Ne esce il terzo giovane, in canottiera. Ha un orecchino che gli brilla al lobo. Sembra allegro. È Sal. Adesso lo sa con certezza. Dalla sua bocca infantile escono nuvole di vapore. Si infila il maglione, la giacca imbottita e raggiunge gli altri due che gli mettono in mano dei soldi. Quindi lo stanno pagando per l'uso della donna. E lui è stato l'ultimo. Ora visibilmente soddisfatto, intasca i quattrini guadagnati con quel commercio. Batte tre volte la mano sulla tasca e poi si avvia incitando gli altri a montare sulla motoslitta; quindi partono veloci zigzagando in mezzo agli alberi.

Che fare? andare? tornare a casa e denunciare il fatto? aspettare che altri tirino fuori da lì la giovane donna che forse è Colomba? ma come fidarsi? e poi, perché aspettare? L'occasione è questa. Coraggio Zaira, tocca a te!

Mettersi in piedi è una impresa, le gambe le si sono paralizzate per il gelo, i piedi non li sente quasi più. Speriamo di esserne capace, speriamo di esserne capace, prega fra sé Zaira, rimettendosi in spalla lo zaino e scendendo a passi incerti e traballanti verso la roulotte. Prima di ripensarci, allunga una mano e bussa. La porta si apre con delicatezza, una mano si sporge magra e bianca. «I soldi» dice una voce opaca dall'interno.

Zaira spinge la porta ed entra decisa. Viene investita da un forte odore di chiuso, di gas, di corpi umani, di caffè, di cesso. Allunga la mano sulla parete e trova subito l'interruttore. Il suo sguardo si posa nauseato sui resti di cibo, sui vestiti sporchi gettati alla rinfusa, sui piatti di plastica, sulle tazzine da caffè. Sa che steso lì accanto c'è un corpo di donna, ne sente la presenza ma non osa guardare da quella parte, terrorizzata all'idea di riconoscerla. Fa un caldo soffocante. Sente un mugolio. Si volta e la vede: sdraiata su un lettino striminzito ricoperto da una pelliccia di finto leopardo. Il corpo magro e bianco sporge da una vestaglietta di finta seta giapponese tutta tempestata di farfalle viola. Zaira stenta a riconoscere sua nipote in quella ragazza dalla faccia pesta, gli occhi spenti, le braccia senza carne.

«Colomba, sono io.»

Fa per abbracciarla ma viene ricacciata lontano con una spinta. La ragazza si copre con una coperta lurida e la guarda furiosa.

«Perché non mi lasci in pace?»

«Che t'hanno fatto Colomba, che t'hanno fatto?»

«Sto benissimo.»

«Sei pallida come una morta e magra come una salacca. Tremi. Fai pena.»

«Mangio e dormo, Zà, vattene!»

Ma è evidente che non dorme per un sonno naturale, ma perché ha ingurgitato chissà quali intrugli chimici, che la rendono simile a un fantasma.

«Ora tu vieni con me.»

«Guadagno pure, lassame sta'.»

«Ma se non te li ha nemmeno dati i soldi quel bastardo!»

Colomba la guarda come se stesse ascoltando una verità terribile. Si osserva le mani bianchissime su cui lo sporco ha lasciato delle croste rossicce. Le pupille si allargano penosamente. La bocca si apre in una espressione ebete.

«Ora ti porto via 'Mbina, che tu lo voglia oppure no. Sei sporca, vaneggi, sei magra da fare pietà. Non ti lascerò qui.»

La ragazza sorride orgogliosa. «Mi piace la sporcizia, Zà, mi piace, hai capito, vattene, stronza!» le grida. «Io sto bene qui.»

«Uno dei tre era Sal vero? L'ho riconosciuto.»

«Sal mi ama e io amo lui.»

«Ti ama e ti offre ai suoi amici a pagamento, è così che ti ama?»

«Che t' pòzzan vàtt'!» Si alza dal lettino per darle una spinta, ma cade per terra e scoppia a piangere.

«Non ti reggi nemmeno in piedi, 'Mbina mia. Dài, appoggiati a me, mettiti le scarpe e andiamo. Sulla strada c'è Pitrucc' che ti aspetta con la macchina.»

«Pitrucc' chi?»

«Pitrucc' che è scappato in Australia, Pitrucc' mio padre, andiamo.»

Il nome di Pitrucc' l'ha distratta. E, come una bambina senza volontà, si lascia infilare i pantaloni, le scarpe, il giaccone senza protestare, mentre la testa ciondola pensosa, gli occhi vitrei e smorti guardano lontano.

Solo quando Zaira la trascina fuori all'aperto, viene presa dal panico. Si aggrappa alla porta della roulotte e punta i piedi contro la neve, scuotendo la testa disperata.

«Io sto bene qui» ripete senza convincimento, con testardaggine infantile. «Questa è la mia casa, la mia casa!»

«Non è la tua casa, è la tua prigione, andiamo.»

«Sal, voglio Sal, Sal, nonna non resisto senza la roba. Lasciami qui, ti prego, solo lui sa di cosa ho bisogno.»

«Coraggio Colomba, prova a stare in piedi, ce la fai, dài, andiamo!»

La ragazza si tiene aggrappata alla porta ma non riesce a opporsi alle braccia robuste di Zaira che la trascinano verso la foresta. Dovranno camminare e Zaira non sa se la nipote ce la farà. Le afferra un braccio e se lo appoggia attorno al collo. E così la conduce a forza verso valle, fermandosi ogni tanto a tirare il fiato. Il corpo inerte addosso contro il suo pesa, le gambe si muovono meccanicamente, ma più che altro si fa trascinare come un sacco.

«Non dormire Colomba, cammina, muovi quelle gambe, non ti fare tirare altrimenti non arriveremo mai. Non voglio che ci peschino nel bosco. Una volta in strada, sono più forte io, ma qui fra gli alberi, potrebbero ammazzarci tutte e due. Dài, reggiti e cammina, cammina ti dico, cammina!»

Incespicando, tremando, zoppicando, le due donne arrivano alla strada asfaltata. Lì il telefono finalmente ha la copertura necessaria. Zaira chiama Pitrucc' che venga a prenderle con l'automobile. Alla bicicletta penserà domani. Per fortuna è ancora presto. Non si vedono curiosi in giro.

La madre guarda la figlia sperando che si sia davvero addormentata. È un finale troppo duro per una bambina. Meglio che le sue orecchie si siano chiuse in una dolce sordità protettiva. Si china per darle un bacio e sente la fronte bollente. Che abbia la febbre? Deve svegliarla per metterle il termometro sotto l'ascella o lasciarla riposare in pace? E se la febbre crescesse durante la notte? non sarebbe meglio chiamare subito un medico? Le domande si affollano nella sua mente. Le risposte sono diverse e tutte contengono in sé qualcosa di savio e qualcosa di folle.

Dopo un'ora è ancora lì che si interroga. La sua tendenza a non intervenire, lasciando che le cose accadano, prevale. Si limita a tirare su le coperte, a scoprire la fronte della figlia invasa da ciocche di capelli fradici di sudore. Esce chiudendosi la porta dietro, in punta di piedi. Sicuramente domani starà meglio.

La donna dai capelli corti osserva quella madre e quella figlia che forse si sono saziate di storie, ne hanno fatto una scorpacciata, fino ad ammalarsi. Adesso cosa rimane? Il suo sguardo fa fatica a separarsi dai due corpi, quello materno e quello filiale che scoprono insieme l'arte del racconto, mentre la curiosità insegue su un altro sentiero narrativo, una nonna e una nipote che apprendono insieme la difficile arte della convivenza.

La mattina dopo la bambina si sveglia con la tosse, il naso chiuso e la febbre alta. La madre chiama il medico. Ci saranno degli sciroppi da prendere, delle iniezioni da fare. La bambina non le chiede nemmeno di raccontarle una storia. Segno che sta proprio male. La madre non si muove dal suo capezzale, e tiene fra le sue le manine bollenti della figlia. Anche sotto quattro coperte, continua a tremare. Una influenza, dice il medico. Ma perché la febbre non cala? Ci vuole pazienza, insiste il dottore. La bambina non sembra rispondere alle medicine: giace in fondo al letto, pallida e afona, gli occhi resi lucidi dalla temperatura.

La donna dai capelli corti si chiede se non ci sia una coincidenza che va al di là della logica, fra la malattia della bambina che vuole sempre ascoltare storie e quella di Colomba detta 'Mbina che giace dentro un letto di ospedale con la febbre alta, le vene martoriate da aghi. Come se tutte e due avessero voluto conoscere più di quanto è concesso di conoscere. Come se avessero varcato i limiti dell'amore e della autopunizione.

Zaira sta vicina a Colomba notte e giorno. Gli infermieri ogni tanto la mandano via, ma lei si ferma dietro la porta e appena hanno smesso di pulire per terra o di lavare le pazienti, si intrufola di nuovo per trattenersi accanto alla sua Colomba. Quando può, stringe una mano della nipote nella sua e cerca di infonderle coraggio. Ma la ragazza è muta e assente. Ha gli occhi cerchiati di nero, la faccia priva di sangue, le braccia magrissime che vengono tenute aperte e trafitte come quelle di Cristo in croce. «Le diamo dei sedativi perché è in crisi di astinenza» dice paterno il medico.

«Quanto tempo ci vorrà perché guarisca?»

«Non lo so. È intossicata fino al midollo delle ossa. È anemica. Ha avuto un principio di congelamento ai piedi. E c'è anche una polmonite in atto. Speriamo di farcela.»

Ma come, dopo averla salvata da quei bruti, vorrebbero portargliela via di nuovo? Zaira inveisce contro il medico che le parla paziente, senza alterarsi, come a dire: lo so, capisco il suo dolore, la sua indignazione, ma più di così non possiamo fare. In piedi davanti a lei, chiuso nel camice bianco, l'uomo si stringe nelle spalle con un gesto di fatalità. Zaira sa che quelle sono tattiche di difesa, di chi vive accanto alla sofferenza e alla morte. Lacrime brucianti, involontarie, le scivolano lungo le guance. Un'altra notte di veglia senza sapere se Colomba ce la farà a sopravvivere. Quel respiro rauco, quasi un rantolo, le fa accapponare la pelle.

Aspettare è una virtù che ha imparato a praticare. Se non avesse saputo aspettare forse Colomba non sarebbe mai tornata a casa. Aspettare che vinca la vita, aspettare che i sogni riprendano a girovagare umidi e leggeri in una testa secca e vuota. Aspettare che il sangue riprenda a circolare con allegria. Aspettare che la parola ricominci a fiorire.

Dopo dieci giorni di silenzi e di dubbi, il corpo dolorante e insonne sempre immobile su una sedia, Zaira una mattina presto si addormenta con la testa appoggiata alla testiera di ferro del lettino d'ospedale. È talmente stanca che non avverte la pressione del tubo di ferro contro la fronte, non sente il sibilo dell'ossigeno che giorno e notte soffia e stride, non è disturbata dal lamento di una malata che è stata operata quella mattina, non si accorge dei carrelli dalle ruote cigolanti che vengono spinti dalle infermiere dentro e fuori i reparti. La sua testa avida di sonno è caduta dentro un sogno buio. In quell'abbandono delirante vede se stessa camminare in mezzo a un bosco umido chiazzato di neve. I passi avanzano lenti e sicuri, come sempre, tra i faggi centenari, gibbosi e coperti di licheni, senza avvertire la fatica della salita. Alberi su alberi la guardano misericordiosi, "assonnati e liquidi" come dice Walt Whitman. Improvvisamente le pare di vedere qualcosa di inusuale, una buca tra le foglie, in mezzo a un praticello gelato. Si accosta piano piano e scorge una tomba, molto simile a quelle che ha visto sotto il monte Amaro, perfettamente tagliata e composta, dove giace un corpo morto. Si avvicina ancora trattenendo il fiato. In quella tomba è stesa Colomba: bianca come la neve, i bei capelli ramati che le incorniciano la faccia esangue, le labbra serrate, gli occhi chiusi. Quindi è proprio morta. Non c'è niente da fare. Fa per chinarsi a toccarla quando la vede aprire gli occhi sorpresi.

«Allora sei viva!»

«Non lo so.»

«Non hai voglia di vivere, Colombina mia?»

«Non lo so.»

In quel momento si accorge che Fungo è accanto a lei e guaisce penosamente. Gli fa una carezza distratta. E vede che Colomba sorride.

«Lo conosci?»

«Te l'ho messo io alle costole.»

«E perché?»

«Non lo so.»

«Quella sera del temporale eri in cucina con Sal, vero?»

«Ero tornata a casa, Zà, ma Sal m'ha convinta a rientrare nella roulotte. Lui dice che ci sto come la lumaca nella sua chiocciola.»

«Ti ha tenuta un anno in quella topaia. Ti ha venduta ai suoi amici.»

«Non dire così. È un ragazzo dolce. Mi vuole bene, mi porta sempre i cucciolotti.»

«Che sono i cucciolotti?»

«Quelli che mi fanno stare bene, vanno dritti nelle vene, hai capito Zà, i cucciolotti di polvere, è una tale delizia, una tale pace, quando li prendo in braccio.»

Pronunciando queste parole la vede chiudere di nuovo gli occhi ed esalare un respiro di morte.

«Non te ne andare, Colomba!» Con sorpresa la vede alzarsi dalla tomba, cacciarsi in testa un cappelletto bianco e avviarsi verso il bosco tenendosi vicina a un grosso orso bruno. Ha ripreso l'aspetto di una bambina felice.

Due mani sollecite la scuotono. Zaira si sveglia con un sussulto.

«Non singhiozzi così. Sua nipote sta meglio. Il dottore dice che ce la farà.»

«Davvero?»

«Stamattina sembrava morta ma insperatamente ha ripreso a respirare. Ora il polso si è fatto più regolare. Guarirà.»

Zaira entra in bagno. Nello specchio vede una faccia devastata dalla mancanza di sonno e dal dolore. Sulla fronte una lunga striscia rossa: il segno del tubo del letto di Colomba. Sorride di sé. Che sogno balordo! Prima morta, poi viva, poi morta e infine viva per davvero. Le piacerebbe sapere cosa ne pensa l'angelo pennuto. Ma per una volta tace e lei si sente persa, come se le mancasse l'ombra del corpo in cammino.

Il vecchio Pitrucc' sembra ringiovanito da quando è tornato al suo paese. Ora taglia i ciocchi di legna come fosse un giovanotto. Prepara il mangiare per le galline, porta a spasso Fungo aspettando che Zaira rientri. Va in giro con assi e chiodi, sempre indaffarato e Zaira che lo vede fra una corsa e l'altra all'ospedale, non ha il tempo di chiedergli cosa abbia in mente.

Una sera tornando a casa lo trova che batte e sega nella stalla cantando a squarciagola: «Volare oh oh, Volare oh oh oh oh!».

«Pitrucc', che fai?»

«'Mbina come sta, better?»

«Un poco meglio. Quando tornerà a casa, dovrai sgombrare la sua camera.»

«I thought about it. Stengh' a preparà ne vane dentro alla stalla.»

«Per questo sei sempre con le assi e i chiodi in mano. Hai bisogno di aiuto?»

«Facc' da sule. Só già ordinate na finestra i na stufa a legna. Lloch' stengh' bbone. It will be all right.»

«E quando sarà pronta?»

«Quando 'Mbina esce dagl'ospetale.»

«Vuoi che ti prepari il pranzo?»

«Già fatte.»

In cucina la tavola è apparecchiata per due, ci sono patate bollite al burro e frittata con le zucchine. Pane fresco tagliato a fette, vino e acqua.

«Dove hai imparato a cucinare?»

«Só state tanto sule, Zà, quande só arrivate all'Australia, faceve i manovale, steve a na baracca, ogni jurne m'aveva aggiustà i lette ch'era fatte co du' assi in croce e tritticava, eccom' tritticava!»

Ride. E lei ride con lui. È la prima volta da mesi che sente la risata salirle in gola, come una cascatella di allegria.

«Sei stato anche in Russia, Pitrucc'. Mi racconti qualcosa?»

«Thrown in a gulag, Zà, jettate là dentra. Pe ste fatte, me só volute scordà, ma certe cose revenneno alla mente come i corve. Quel che me recorde de cchiù è la fame: ce davane ne sardine i jorne, mezza la matine e mezza la sere. I brode sapeve de rancide, i cucchiare sapevane d'ova, ma l'ova non le seme viste mai.»

Quando si scalda, la voce di Pitrucc' diventa corposa e giovane. È un piacere ascoltarlo raccontare di come mettevano su un mercatino all'interno del campo di concentramento… «Te dongh' ne quartucc' de pane se me dà 'n lapis.» Tutti volevano scrivere a casa anche se mancavano le buste e i francobolli, chi gliele avrebbe mai spedite quelle lettere? «Te dongh' 'n mezz' sigarette si me dà i fond' d'la minestre…» Erano sigarette tutte carta, le papirosche, ma non si sa come, circolavano. Ogni tanto qualcuno spariva. I guardiani sostenevano che l'avevano mandato a casa, ma non era vero. «Li mannavane to the madhouse, ai manicomi e da lloche no escivane cchiù.» Potevano dire quello che volevano: erano pazzi e non contava.

Pitrucc' aveva un vicino di letto che si dichiarava trotzkista, si chiamava Micha. «Che cape ca teneve!» Sapeva leggere il giornale alla rovescia, ogni tante «resciva a scoprì na nova». Ma di notizie sopra ai giornali di Stalin non ce ne stavano. Era tutta propaganda. Per questo li davano ai prigionieri. Micha era bravo a fare ridere pure chi stava morendo di fame. Faceva sganasciare anche le guardie che si voltavano dall'altra parte per non mostrare che erano tutte orecchi. Ogni tanto, per le sue buffonate Micha riceveva qualche scorza di formaggio, una crosta di pane ma «isse li divideve co mì. Stavame sempr'insieme».

«Ma perché ti hanno arrestato Pitrucc'?»

«Nun le sacce, Zà. Forse perché ere ne stupite che credeve ai comunisme com'a na fratellanza e libertà.» Micha diceva che Stalin, per volere bene ai fratelli, faceva uccidere soprattutto i fratelli. Li fucilavano a decine. Dicevano che erano "fratelli che sbagliano". Il problema era capire dove era lo sbaglio. Nessuno lo sapeva. Bisognava affidarsi alla polizia segreta che scriveva quello che voleva e «tu doveve sule firmà».

Micha era innamorato di Trotzkij, pensava che solo le sue idee avrebbero potuto salvare il comunismo da Stalin, e proprio per quel pensiero, condiviso da molti, il povero Trotzkij con quella barbetta e gli occhialetti da miope, era stato ammazzato con una accettata in testa. E da chi? Da un fratello stalinista. Non da un nemico fascista o nazista, no, da «ne frate stalinista, ha capit'?». Per quell'amore che aveva per Trotzkij, Micha era stato processato come traditore e cacciato in galera.

Zaira lo ascolta rapita. La voce del vecchio padre è ancora fresca e rotonda quando riferisce di come l'hanno preso una mattina che stava uscendo di casa all'alba. Andava a lavorare in bicicletta, proprio come Colomba. Allora non c'erano automobili a Mosca, ma solo biciclette, e possederne una era già una gran ricchezza. Infatti toccava legarla con quattro catene e quattro lucchetti «si no se le rubbavene d' sigure». Mentre pedalava di prima mattina aveva sentito una macchina fermarglisi accanto. Era rimasto stupito perché di macchine nere e lucide come quelle coi vetri affumicati, non se ne vedevano in giro. Ne scendono due tipi vestiti di nero, uno dice: «Sei tu Pietro Del

Signore, italiano?». «Mi só ditte scì, songh'ie.» E quelli l'avevano fatto montare in macchina con modi bruschi ed erano partiti senza un parola.

«Ma perché, che avevi fatto, Pitrucc'?»

«Nun sacce, Zà.» Avevano preso a interrogarlo, per un giorno, due, tre. Gli chiedevano chi fossero i suoi amici, chi vedeva di nascosto, cosa tramavano. Ma lui non aveva niente da dire. La sua vita era un libro aperto, solo lavoro e poi lavoro, era un taglialegna, la sua passione erano i libri, ma non pensava di fare male leggendo Lenin in russo. «Songh' comuniste i só venute a Mosca per ajutà la rivoluzzione, songh' ne comuniste italiane, scappate da i fascisme perché me volevane fucilà.» Ma loro non capivano o fingevano di non capire.

Siccome non rispondeva come volevano, l'avevano messo sotto tortura: lo costringevano a restare in piedi notte e giorno e doveva camminare sempre, in tondo in tondo. Se si fermava, gli arrivava una randellata sulle gambe. Questo per ventiquattro ore su ventiquattro. A un certo punto si addormentava così in piedi mentre correva e andava a sbattere contro le pareti. Ma più si addormentava e più loro lo randellavano. «Ma lo sa' ca quanne nun se dorme pe quattre notte piglie a delirà?» Non capiva più dov'era, non capiva chi era, vedeva degli uomini che si allungavano sempre più e diventavano bastoni, vedeva le pareti che si aprivano e ne uscivano serpenti e pipistrelli con la testa di uomo, sentiva cantare i gufi, «vedeve na tomba aperta i me ce volevo jettà». Quando era proprio cotto, gli avevano messo davanti un foglio dicendo: «Metti la firma Pitrucc' se vuoi vivere». «Che tengh' da firmà?» «Tu firma e zitto!» «I só firmate, non m'emportava cchiù nend de nend, me voleva sule addormì.» Così aveva firmato un foglio in cui dichiarava che era un traditore, una spia che manteneva contatti clandestini con i trotzkisti italiani e australiani, che voleva abbattere il comunismo di Stalin in nome della rivoluzione permanente e un sacco di cose che non aveva mai né pensato né detto. Ma aveva firmato e con quella firma si era condannato da solo. «Só fatte 'n anne de galera co ne gruppe de delinquente colcosiane.» Poi l'avevano messo su un camion e l'avevano trasportato in un gulag siberiano. Faceva tanto freddo, soprattutto quando soffiava il vento che la neve la consideravano quasi una coperta per tenersi caldi. «Scave 'n buche mezz'alla neve e te jette lloch' sotte.» Una tana quasi calda. Non avevano guanti, calzettoni di lana, niente. Solo un abito di cotone e un cappotto militare pieno di buchi. Si imbottivano di carta di giornale per sopportare il freddo. Micha diceva che i giornali staliniani danno tanto calore e rideva sganguerato! «Io amo il calore staliniano» gridava dandogli una pacca sul petto. «Le regalavano ste giornale. Nessune i leggeve pure se le dovevano fà pe forza.» E loro li ammucchiavano da una parte per accendere il fuoco.

Zaira lo guarda mentre si riempie la bocca di frittata. C'è nei gesti del padre qualcosa di avido e disperato, come se la memoria della fame lo facesse covare gelosamente i bocconi. Ha ancora quasi tutti i suoi denti Pitrucc' i pelus' per quanto corrosi, anneriti. Gli occhi chiari luminosi guardano oltre la finestra, come se rivedesse le distese innevate della campagna siberiana.

«Quanto ti hanno tenuto là dentro, Pitrucc'?»

«Fin'alla morte de Stalìn, nel '53, quanne m'hanne liberate.» Una mattina hanno aperto le porte e hanno gridato: «Scagnate che ste pezze de lard'!». Ma dove andare? I piedi erano coperti di piaghe, le scarpe erano tenute su con fasce di iuta. Come avrebbe fatto a camminare? I guardiani intanto se ne erano scappati e «me só dormite pe quattr' jurne». Si era steso, beato lì su quelle brande, non gli importava più niente della sporcizia, delle pulci, del puzzo, niente. Aveva solo voglia di dormire. L'aveva svegliato Micha che aveva cotto due chili di patate e «se le magnammme accuscì, senza nend». Poi erano andati in giro cercando un treno, ma treni non ce n'erano per loro. Per guadagnare qualcosa avevano lavorato a rimettere le traversine dei binari, avevano piantato cavoli e patate. La gente era generosa: offriva birra, vodka fatta in casa, l'alcol era la sola cosa che circolava, ma da mangiare niente. Era talmente poco il pane che non bastava né per loro né per nessun altro. Erano sempre ubriachi fradici. Ma contenti, questo sì, contenti, «the happiest days of my life, Zà».

Poi erano arrivati quelli della Croce Rossa e avevano chiesto chi era australiano e lui aveva alzato la mano e loro lo avevano schiaffato su una nave e via per l'Australia. «Micha, me só gridate, Micha!... Nun l'aggie cchiù viste. Nun sacce mangh' s'è vive o morte.»

«Perché sei tornato in Australia e non sei venuto qui?»

«Che teneve ecch' all'Italia? Antonina s'era sposata, de ti non sapeve nend. M'ere maritate co n'emigrata comm'a mì e c'era date du' figlie.»

«Tua moglie è morta. Tuo figlio è morto. E tua figlia?»

«Me scrive dal Canada, me manda quarch' photos de' i quatrane.»

«Credi che ce la faremo a vivere qui insieme, tu io e Colomba?»

«Só sicure ca scì. Gli hanne trovate i delinquente?»

«No.»

«Sal, isse has to go to jail, Zà.»

La donna dai capelli corti osserva i suoi personaggi che stanno dimostrando una saggezza inaspettata. Non avrebbe mai pensato che Pitrucc' i pelus' volesse tornare in Abruzzo dopo tanti anni di emigrazione. E invece eccolo là, le lunghe gambe agili, ancora vogliose di camminare, i calzoni penzoloni sui fianchi magri, un maglione slabbrato e corto che lascia scoperti i polsi pelosi, le grandi mani robuste e capaci di tagliare la legna, segarla e inchiodarla per costruirsi un rifugio per la notte.

Zaira sta cucinando le patate maritate con la pancetta, lo strutto, il pan grattato, per lui e per Colomba che oggi torna dall'ospedale. Si regge appena in piedi, è così magra che le si possono contare le costole a una a una. Zaira ha comprato un mazzo di rose gialle e le ha infilate dentro un vaso di vetro azzurro. Ora canta, in sordina: «*E vola vola vola / e vola lu cardillo / nu vase a pizzichille / nun me lo po' negà*».

È il primo giorno tiepido dell'anno. Le cinciallegre sono indaffarate a preparare i nidi per deporre le uova. Gli orsi scampati alla carneficina di un cacciatore di frodo che ne ha impallinati tre, si svegliano dai loro sonni invernali. Fra le felci arricciolate, d'un verde tenerissimo e i rivoli di acqua che scendono saltellando dalle rocce, una cerva viene giù verso i prati bassi con movimenti leggeri e timidi, tallonata da un cerbiatto che segue la madre passo passo.

Un lieto fine? È una sorpresa inaspettata. Anche per lei che ha una visione tendenzialmente drammatica delle cose. Ma sono loro, i suoi personaggi, che hanno scelto così. Soprattutto Zaira, detta Zà, che l'ha condotta nei boschi a cercare la nipote, e dopo averla trovata, averla vegliata per settimane all'ospedale, dopo averla riportata a casa sana, per quanto patita, ora le mostra appagata, con garbo che non ha più bisogno di una romanziera. Le volta la schiena mentre canta, con quell'ingratitudine tipica dei personaggi che hanno attraversato un racconto e si accingono a chiudersi nel loro nido felice. Stretta la foglia, larga la via, dite la vostra che ho detto la mia.

La madre dai calzettoni a righe rosse si sveglia da un breve sonno affannato. È ancora lì seduta sul bordo del letto, con la mano della figlia stretta fra le sue. Lo sguardo si dirige verso la bambina che dorme pacifica. Sembra sfebbrata. Il rossore innaturale ha lasciato posto a un pallore di sfinimento. Ma il peggio è passato. E ora sta guarendo.

La donna si alza, va alla finestra, la spalanca su un paesaggio completamente mutato. Ma quanto tempo è passato dall'ultima volta che ha aperto quei vetri? La neve è scomparsa. L'erba nuova sta sbucando in mezzo alle pietre, gli alberi sono coperti di gemme. Una gazza ladra fa sentire la sua voce sgraziata e impertinente. Che ore saranno?

Alle spalle sente la voce fresca della figlia che dice: «Raccontami una storia, ma'». E la madre, ravviandosi i capelli, si accinge a ricominciare.

Glossarietto

Le forme dialettali di questo romanzo non sono trascritte secondo criteri filologici ma rispecchiano la sensibilità linguistica dell'autrice rispetto ai suoi personaggi.

DIALETTO SICILIANO

Bummula	borraccia
Cappedduzzu	berrettino
Cchiù	più (anche in abruzzese)
Faciule/Fasciule	fagiolo
Fujiuta/Fujiutina	fuga d'amore
Iddo/a	quello/a
Iorne	giorno
Megghiu	meglio
Sceccu/Sceccarieddu	asino/asinello
Tirrimotu	terremoto
Unni	dove

DIALETTO ABRUZZESE

Abball'	in basso
Accuscì	così
Addó	dove
Bica	carro, carretto
Casteglie	castello
Cerasa/e	ciliegia/e
Cerogge	candela/e, cero/i
Cich'/Cichi	piccolo/i
Cinq	cinque
Coccia	testa
Crapa	capra
Dongh'	io do
Ecch'	qui
Gnove	nuovo
I	e
In prescia	presto (anche *Lest' i prest'*, presto e veloce)
Isse/essa	egli/ella
Jamme	andiamo
Jamoncinne	andiamocene
Jurne	giorno (anche *Jernate*)
Lloch'	lì
Mangh'	neanche
Moraggia	emorragia
'Mpaurite	impaurito
Munn'	mondo
Musce	moscio
Nend	niente
Nisciun'	nessuno

Nova/e	notizia/e
Orapo	orobo, erba perenne delle montagne
Patana	patata
Pelus'	peloso
Penziere	pensiero
Quatrane	bambino/a
Quatrine	quattrini
Rutte	rotto
Schiaffatone	schiaffo
Secule	secoli
Songh'	io sono
Stengh'	io sto
Sule	solo
Svruvegnate	svergognate
Tarramùt	terremoto
Temp'	tempo
Tengh'	io ho
Vagliole/a	ragazzo/a
Vagliolello/a	ragazzino/a
Vellana	nocciola, nocchia

ESPRESSIONI

Accuscì te ne va'?
Così, te ne vai?

Appura i sch-mbùnn
Appura e scomponi (gira e rigira per sapere una notizia)

Che ci sì misse doppe i patane?
Che hai aggiunto oltre alle patate?

Che t' pòzzan vàtt'!
Che ti possano battere!

Chi sse fisse, s'intisse
Chi si fissa s'inchioda

Coccia de monton!
Testa di montone!

Come te sì ffatte bbone!
Come sei diventata bella!

Comm'è che te sì ammattata a venì?
Come ti è venuto in mente di venire?

Criste glie segue co gl'occhie
Il Signore lo tiene d'occhio

Eccom' tritticava!
E come traballava!

E non se l'addunano?
E non se ne accorgono?

I cocc' rutte nun se reparane
I cocci rotti non si riparano

372

I va bbone pe tutte quant'
E va bene per tutti quanti

Lloch' stengh' bbone
Sto bene lì

Mannagg' a chi t'ha cotta!
Accidenti a chi ti ha messa al mondo!

Mannagg' a san St'ppin!
Mannaggia a san Stoppino!

Mannagg' a sant Nend!
Mannaggia a san Niente!

Me l'aveva 'mmaginà
Lo dovevo immaginare

Me só addunate
Mi sono accorto

Mitt' la a teste abball'
Mettila a testa in giù

N'ha fatt' cchiù essa ch' Pezzèlle
Ne ha fatte più lei di Pezzella (corrispettivo del "Ne ha fatte più di Bertoldo")

Nolle fà cchiù
Non farlo più

No ne magnava issa de lingue
Di lingue non ne masticava

Non se sparagnava mai
Non si risparmiava

No' rifiate manche se ciàpre la bocca co 'n ferr'
Non parla nemmeno se le aprono la bocca con un ferro

'Ntisi zeffelà accuscì com'a unu ca sciuscia supra u focu, frrr, frrr, pecciò susii a cape e vitti lu tettu ca si movìa
Ho sentito soffiare così come uno che soffia sopra il fuoco, frrr, frrr, perciò alzai la testa e vidi il tetto che si muoveva

Nun me stà a scuccià!
Non mi scocciare!

Nun te fà ombra!
Non ti adombrare!

Nun tengh' a fantasia
Non ne ho voglia

Nun te po' maritá
Non ti puoi sposare

Nun voglie nend
Non voglio niente

Piglia accà
Prendi qua

Prima te mariti e po' va' addó te pare
Prima ti sposi e poi vai dove ti pare

Putess esse tu patre
Potrei essere tuo padre

Scagnate che ste pezze de lard'!
Cambiate con questo pezzo di lardo! (Fate un cambio buono!)

Sci'mbise!
Che tu sia impiccato!

Se ne java
Se ne andava

Se só acquecchiate
Si sono accoppiati

Songh' ecch'
Sono qui

Tengh' de vende i mule pe piglià i quatrine
Devo vendere i muli per prendere i soldi

Tretteche ne poco
Traballa un po'

Tu nun va' a spubblicà
Tu non lo vai a dire a tutti

Per la consulenza dialettale ringrazio:

Cesira Sinibaldi, autrice di *Parole di Gioia*, edizioni Centro
Studi Marsicani;
Quirino Lucarelli, autore di *Biabbà*, edizioni Centro Studi
Marsicani;
Teresa Sabatini imprenditrice di Gioia dei Marsi;
Giordano Meacci.

Finito di stampare nel dicembre 2004 presso
il Nuovo Istituto Italiano d'Arti Grafiche - Bergamo
Printed in Italy